LIZA MUNDY

Liza Mundy est journaliste, elle collabore à différents journaux et sites Internet et travaille au *Washington Post*, où elle écrit depuis dix ans sur la politique, les affaires culturelles et la cause des femmes. Elle vit en Virginie.

**Retrouvez toute l'actualité de l'auteur sur
www.lizamundy.com**

MICHELLE OBAMA
FIRST LADY

LIZA MUNDY

MICHELLE OBAMA
FIRST LADY

Traduit de l'anglais (États-Unis) par
Mathilde Bach, Sandrine Samy,
Natalie Zimmermann

PLON

Titre original
MICHELLE, A BIOGRAPHY
édition originale : Simon & Schuster, New York

© 2008 by Liza Mundy
© Plon, 2009, pour la traduction française
ISBN : 978-2-266-19526-3

À la mémoire de mon grand-père,
A. E. S. Stephens

Prologue

En janvier 1964*, par une froide journée d'hiver, Fraser Robinson commençait son premier jour comme employé municipal pour le service des Eaux de Chicago. Robinson était un jeune homme de vingt-huit ans, vigoureux et athlétique, intelligent et agréable. L'intitulé de son poste, « travailleur cn station », était en réalité un euphémisme bureaucratique pour gardien. Dans son nouvel emploi, Fraser Robinson avait pour mission de balayer, éponger et frotter les sols ct les allées du site de traitement des eaux ; il était aussi chargé d'astiquer le mobilier, de rincer les bassins, de vider les poubelles, de ramasser les papiers, de charger et décharger les camions, de nettoyer les éclaboussures de produits chimiques… Seule compétence requise pour cet emploi, selon les documents municipaux : « être motivé pour exécuter le travail » et se montrer capable d'abattre une tâche harassante. Le salaire s'élevait à 479 dollars par mois, presque 6 000 dollars par an. Ce n'était pas un travail exaltant. Et cependant, ce n'était pas la pire des alternatives. Un poste de fonctionnaire garantissait

* On trouvera toutes les références avec astérisque, en fin d'ouvrage p. 289.

un emploi permanent et s'assortissait de congés et d'une retraite. À une époque où la discrimination à l'embauche était monnaie courante, un jeune Afro-Américain qui n'avait que l'équivalent du bac en poche pouvait s'estimer heureux de finir employé de la ville à rincer des bassins et conduire des chariots élévateurs.

Son embauche était tombée à pic. Trois jours plus tard, le 17 janvier 1964, sa femme, Marian, accouchait de leur second enfant. Leur fils Craig, était né un an et demi plus tôt. Le couple appela leur fille Michelle LaVaughn, ce dernier prénom rappelant la mère de Fraser ; transmettre le nom des ancêtres était une tradition chez les Robinson qui attestait de l'importance des liens du sang et de l'héritage.

Fraser était le troisième du nom. Le premier Fraser Robinson Senior, mort en 1936, était né à Georgetown, en Caroline du Sud, en 1884, à peine une génération après la fin de la guerre de Sécession et avec elle celle de l'esclavage. Au sein de la communauté côtière de Georgetown*, la plupart des familles afro-américaines descendaient directement d'esclaves dont le travail dans les plantations avait, des années durant, fourni au pays son riz, et aux planteurs leur prospérité. À une certaine époque, 85 % de la population du comté de Georgetown était esclave. À l'aube du XXᵉ siècle, ce premier Fraser Robinson avait épousé Rosa Ella Cohen. Ils avaient eu quatre enfants : Zenobia, Verdelle, Thomas et Fraser II. Certains de leurs descendants* restèrent à Georgetown, et beaucoup y vivent encore, mais un peu avant 1935, Fraser Robinson II fit ses bagages et, au beau milieu d'une ère de transformation industrielle nationale, rejoignit la Grande Migration en route vers le nord-ouest de Chicago. Fraser Robinson III, le nouvel employé municipal, était né juste là, dans le Cook County[1], l'un des légendaires viviers de talent politique de la nation. Il devint un acteur à part entière de la fabuleuse machine politique du comté et un homme du Midwest pur jus.

La Grande Migration*, c'est cet exode massif des Noirs américains qui quittèrent le Mississippi, l'Alabama, les deux États de Caroline et la Géorgie, une vague humaine considérable qui, en cinquante ans, changea le visage de nombreuses villes du Nord et du Midwest, parmi lesquelles Chicago. Sept millions d'Afro-Américains abandonnèrent leurs maisons dans l'espoir de gagner la terre promise post-agraire. La migration s'amorça pendant la Première Guerre mondiale, à l'époque où très peu d'Européens parvenaient à émigrer vers l'Amérique industrialisée du travail à la chaîne et des usines tournant à plein régime, créant une pénurie de main-d'œuvre dans les aciéries, les abattoirs, le chemin de fer et autres industries. Avant la guerre, la plupart d'entre elles refusaient d'embaucher des Afro-Américains, leurs patrons affirmant que les Noirs étaient peu fiables et indisciplinés. Ces mêmes employeurs rêvaient de les y attirer. À Chicago, la plupart des emplois se trouvaient dans les quartiers sud, le « South Side », sur les rives du lac Michigan à l'est, et dans le centre-ville appelé « The Loop », au nord. Dans les quartiers sud, on bénéficiait de la proximité des aciéries, du chemin de fer, des abattoirs

1. Aux États-Unis, le terme *county* désigne une division territoriale et administrative. La ville de Chicago appartient au Cook County. (Les notes de bas de page sont du traducteur.)

et des usines d'emballage de viande. C'était aussi un quartier résidentiel de classes moyennes, parfois même plutôt aisées. Déjà, on y distinguait des quartiers distincts de catholiques irlandais, de juifs allemands, de Lituaniens, de Polonais, de Tchèques, de Slovaques.

À leur arrivée, on dirigea les Afro-Américains, ces nouveaux venus du Sud, vers une zone discrète, à l'écart des populations blanches, au sud du centreville. Et tandis que la population noire enflait, certains Blancs quittèrent les quartiers sud pour de bon, pour s'installer plus au nord. D'autres restèrent – dans des lieux soigneusement délimités. Un modèle rigide de ségrégation raciale se développa dans tout Chicago qui perdurerait très longtemps avec l'appui de politiciens, de propriétaires fonciers, d'habitants et d'agents immobiliers unis dans cette cause. Même dans les années 1960, Chicago était considérée comme l'une des villes les plus ségrégationnistes d'Amérique, distinction qu'elle faisait tout pour mériter !

Cependant, pour un Afro-Américain, Chicago offrait davantage d'opportunités économiques et d'autonomie que le Sud, raison pour laquelle sans doute Fraser Robinson II vint s'y installer. Il y avait plus de travail, et mieux payé, qu'en Caroline du Sud. Poussés par le *Chicago Defender*, un journal influent destiné à la communauté noire, les Afro-Américains continuèrent à affluer à Chicago pendant des décennies, pour trouver du travail, rejoindre leur famille, ou les deux. Par exemple, la sœur de Fraser Robinson II, Verdelle, s'installa à Chicago pour retrouver son frère, d'après son fils Capers Funnye Jr, qui a grandi avec Michelle Robinson. Au fil des années, Michelle finit par avoir de la famille dans toute la ville – du côté de son père comme du côté de sa mère, Marian Shields.

On estime qu'un demi-million d'Afro-Américains migrèrent à Chicago durant ces années, faisant passer le pourcentage de la population noire de 2 à 33 %. La majorité d'entre eux s'installèrent dans le South Side, même si une enclave se créa dans l'Ouest également, et qu'au fil du temps, et de la croissance de la ville, ces deux zones ont fini par constituer, en forme de L, l'un des plus grands centres de population noire du pays. L'autre étant, bien sûr, Harlem. Tout le monde supposait évidemment que ces quartiers sud étaient pauvres, rongés par la criminalité. En fait, leur histoire est surtout marquée par une diversité économique et un dynamisme culturel importants. Le South Side est la patrie des White Sox[1], il abrite la prestigieuse université de Chicago, et Bridgeport, un quartier irlando-américain où vécut Richard J. Daley, maire de Chicago, et maître incontesté de la ville de 1955 à sa mort en 1976. Mais, tandis que la population noire augmentait, les responsables municipaux s'employaient à la maintenir entassée dans ses quartiers et ses écoles surpeuplés, allant jusqu'à redessiner le tracé d'une nouvelle voie express, la voie Dan Ryan, de sorte que l'asphalte et les encombrements empêchaient les Noirs de sortir de leur périmètre. On apprenait aux enfants à distinguer les zones fréquentables ou non. Il fallait être très attentif. En 1919, un jeune Noir qui était parti se baigner dans le lac Michigan depuis une plage réservée aux gens de

_____

1. Les White Sox sont une des grandes équipes de base-ball de Chicago et des États-Unis, jouant dans la Major League.

couleur, dériva sans y prendre garde, vers une zone de baignade accolée à une plage blanche. Provoquant une émeute raciale qui fit près de quarante morts, Blancs et Noirs confondus.

Cantonnés dans leurs quartiers, les Afro-Américains de Chicago n'en développèrent pas moins une culture urbaine très riche et largement imitée dans le monde entier. Le South Side devait offrir au monde le blues de Muddy Waters, les romans de Richard Wright, la poésie de Gwendolyn Brooks, l'ambition présidentielle de Jesse Jackson, et d'autres contributions notables venant d'hommes et de femmes victimes de discriminations constantes et terribles, mais qui créèrent à partir de cette expérience des œuvres musicales, artistiques, littéraires et développèrent des convictions politiques, ainsi qu'un sens profond de la solidarité et de l'entraide. Au cœur des quartiers sud, naquit une communauté appelée Bronzeville[1] ; dans les années 1940, on disait qu'un Afro-Américain qui se tiendrait au croisement entre la 47e Rue et South Park Drive (plus tard rebaptisé Martin Luther King Drive) ne mettrait pas plus de six minutes avant de rencontrer une connaissance.

Six mois après la naissance* de Michelle LaVaughn Robinson, en 1964, le Civil Rights Act, signé par le président Lyndon Johnson, entra en vigueur. Il interdisait la discrimination dans les bâtiments publics, l'administration et l'emploi. De nouvelles opportunités s'offrirent alors aux familles noires. Progressivement. Et non sans remous. Fraser et

---

1. Bronzeville : quartier du South Side exclusivement habité par des Noirs entre la 25e et la 46e Rue.

Marian Robinson furent en mesure de s'installer dans un quartier autrefois réservé aux familles de Blancs. En quelques années, ce quartier se transforma, devenant noir à presque 100 %, à mesure que les familles blanches le désertaient. À partir de là, les parents de Michelle, et leurs enfants, allaient ouvrir un nouveau chapitre de l'histoire des États-Unis, et des relations entre les races, celui des avancées des Noirs en matière d'emploi et de logement, et de la fuite des Blancs vers les banlieues.

Ce jour de janvier donc, lorsque Michelle LaVaughn Robinson naquit à Chicago, on aurait pu croire qu'elle avait déjà surmonté de nombreux obstacles. Ses ancêtres avaient subi – et bâti – une longue histoire de mauvais traitements et d'endurance, génération après génération. Ils avaient survécu à l'esclavage, quitté leurs terres pour un nouvel horizon qui s'était révélé un lieu de promesses amères, dont ils avaient fait pourtant leur refuge et leur patrie. Le jour de sa naissance, Michelle incarnait la combinaison unique entre discrimination et opportunité, souffrance et triomphe contre l'adversité, soumission et action, combinaison qui devait devenir le trait marquant de l'histoire des Noirs en Amérique. De l'*Histoire* de l'Amérique tout simplement.

En grandissant, elle continuerait de vivre au rythme de l'évolution de la Nation.

Et, devenue adulte, elle y participerait.

Son histoire est une histoire américaine, une histoire qui a trop rarement été racontée.

« Laissez-moi vous dire comment la famille Obama tient le coup », commence Michelle Obama, quarante-quatre ans, élégante et mince, au micro devant le public du Convention Center bâti par le maire Daley sur le lac Michigan, un bâtiment énorme appelé McCormick Place qui s'élève, entre deux autoroutes, dans une sorte de no man's land au sud du centre-ville. L'événement du jour est un déjeuner de femmes organisé pour collecter des fonds en faveur de Jan Schakowsky, membre du Congrès et démocrate, élue pour représenter une bonne partie du nord de la ville, ainsi que certaines banlieues, dont Evanston et Skokie. Nous sommes en mai 2008. Près de 2 000 habitants de Chicago, essentiellement des femmes, sont venus soutenir Schakowsky et écouter le discours de Michelle Obama. Elle commence par donner des nouvelles de sa famille à la foule, et par leur raconter ce qui se passe sous son toit depuis qu'elle est moins souvent là.

Diplômée de Princeton et de Harvard, Michelle Obama est aujourd'hui une avocate, une mère de famille et un cadre de la santé publique. Elle est aussi l'épouse de Barack Obama, illustre inconnu devenu du jour au lendemain le premier Africain élu à la Maison-Blanche. Les femmes dans l'assistance sont chics, fortunées, multiraciales, et certaines font partie du cercle de relations assez haut placé de Michelle Obama. La plupart vivent en ville, où les femmes actives se soutiennent et s'entraident, créant un réseau social solide et durable. D'autres vivent à Hyde Park, quartier prospère et bien intégré du South Side où Michelle et Barack Obama habitent depuis leur mariage en 1992, et où, avec leurs deux filles, Sasha et Malia, ils sont devenus des figures locales familières et très appréciées. On a pu y voir par exemple Barack Obama coiffé d'une toque de cuistot, préparer des pancakes derrière les fourneaux pour le petit déjeuner annuel du Club du quartier. Les Obama vivent dans une demeure de style néo-géorgien au cœur d'un pâté de maisons d'époque, au croisement de la 51e Rue et de Greenwood. Les amis qui passent dans le quartier surprennent parfois Michelle sur le trottoir en train d'apprendre à l'une de ses filles à faire du vélo. Quand ils la croisent, ils s'arrêtent et viennent la saluer amicalement. Et si elle leur raconte alors qu'elle n'a pas mangé un plat fait maison depuis des lustres, il est fort probable qu'ils se dépêcheront de rentrer chez eux pour lui préparer quelque chose. « Ils me portent, me soutiennent », dit-elle de temps en temps en parlant de son cercle d'amis et de ses parents les plus proches. Lorsque les parents d'élèves de l'école préparatoire de l'Université de Chicago organisent la répartition des plats pour les déjeuners collectifs, ils savent bien qu'il ne faut pas trop en demander à la famille Obama, et leur proposent juste d'apporter « les assiettes ».

Michelle a fait un sacré chemin depuis l'arrivée de ses ancêtres sur les rives de l'Amérique ; et depuis même sa propre enfance dans un Chicago tout juste sorti de la ségrégation. Mais elle a parcouru également un autre long chemin. Il a commencé au début de la carrière politique de son mari, époque à laquelle Michelle était, rappelle-t-elle régulièrement, une partenaire politique ambivalente. Elle fit remarquer un jour* que la politique lui paraissait une « perte de temps ». À présent, elle est l'un des principaux conseillers de son mari. Michelle parle souvent dans ses discours, avec passion et autorité, des problèmes que rencontrent les femmes et les enfants. Elle a déclaré que si elle devenait First Lady, l'équilibre travail/famille au sein du foyer serait son domaine de prédilection, amorçant ainsi une réflexion pour faciliter la vie des familles où les deux parents travaillent, en leur donnant davantage de congés parentaux, de congés maladie, de temps libre pour assister au récital ou au ballet de l'école. Dans tous ses discours, elle exprime clairement ce que la carrière politique de son mari a signifié de sacrifices pour sa famille, et explique à quel point il a été difficile pour elle, personnellement, de trouver un équilibre. Dans une interview, au détour d'une question, Michelle Obama a estimé* qu'au total son mari avait passé *dix jours* à la maison durant l'année écoulée. Ce qui signifiait que pendant trois cent cinquante-cinq jours, Michelle avait dû se lever, préparer ses filles pour l'école, et venir à bout de chacune de ses journées, seule, en essayant de préserver quelque chose qui ressemble à une carrière et à une vie. Or elle n'est pas du genre à souffrir en silence. Aujourd'hui, elle raconte une anecdote sur un voyage qu'ils avaient fait tous les quatre – Michelle, Barack, Sasha et Malia – et où « quelqu'un, à un moment, demande à Malia ce qu'elle a préféré dans le week-end, celle-ci répondant : "Être avec mon papa." Et ça m'a presque brisé le cœur ».

Mais elle explique aussi pourquoi elle a décidé de donner le feu vert à son mari. Pourquoi tous les enfants, pas seulement les siens, méritent « les ressources nécessaires pour leur assurer un avenir solide ». Elle évoque les défis que doivent relever chaque jour les mères célibataires, les failles de la sécurité sociale, l'inflation, le coût de l'essence, et le drame que vivent les familles de militaires. Lorsqu'elle s'exprime sur ces sujets, elle donne à son mari une crédibilité unique auprès des mères de famille et de toutes les femmes. Elle leur promet qu'Obama partage leur désir d'une vie où elles auront plus de temps pour s'occuper de ceux qu'elles aiment et qui ont besoin d'elles. « Je me réveille tous les matins en me demandant comment je vais réussir à accomplir de nouveau ce petit miracle qui consiste à arriver à la fin de la journée », répète-t-elle volontiers.

Mais ce ne sont pas là les seules fonctions politiques qu'elle occupe. Son rôle le plus important et le plus crucial consiste à « expliquer » Barack Obama. Et elle le fait brillamment. Le rendre plus humain, plus évident, plus normal est l'une de ses tâches les plus critiques. « Qui est Barack Obama* ? L'homme ? Le père ? a-t-elle lancé à Nashua, dans le New Hampshire, pendant les primaires. Quel est son caractère ? Quelles sont ses valeurs ? »

Traditionnellement, en tant qu'épouse d'un homme politique, c'est son devoir, bien sûr, de vanter ses qualités, de provoquer l'admiration du public en coulant vers lui le regard adorateur de la femme aimante. Mais la mission de Michelle Obama est différente, parce que l'histoire personnelle d'Obama est extrêmement compliquée et désoriente le public. Devant le public, elle commence souvent par reconnaître que la première fois qu'elle a entendu parler de lui, elle s'est dit qu'avec un tel passé, ce devait sûrement être quelqu'un de bizarre. Né à Hawaii d'une femme blanche de dix-neuf ans originaire du Kansas, et d'un étudiant africain qui faisait un séjour linguistique et abandonna sa famille peu de temps après la naissance de Barack, Obama a été élevé entre Hawaii et l'Indonésie, parfois par sa mère, mais souvent par ses grands-parents maternels issus du Midwest. Techniquement, il est métis, dans la réalité il se définit comme Noir. Mais lorsque Michelle parle de lui, c'est juste un type comme tous les autres qui aime dîner au restaurant, aller au cinéma et rentrer à la maison retrouver ses filles.

« S'il s'inquiète du sort* de son pays comme il s'inquiète de celui de ses filles, alors nous n'avons pas de souci à nous faire », a-t-elle lancé à la foule de Butte, dans le Montana.

« Il a été élevé* par sa grand-mère, et elle vient du Kansas, il a mangé du thon avec des cornichons pendant toute son enfance », a-t-elle déclaré dans le *Chicago Sun-Times*. « Quand je suis chez elle à Noël, nous avons les mêmes conversations qu'autrefois chez moi, autour de la table de la cuisine. Nous ne sommes pas si différentes. »

Et, bien sûr, elle ne se prive pas de le faire tomber de son piédestal. Au début de la campagne, Michelle était intarissable sur cette manie qu'il a d'oublier systématiquement de remettre le beurre au frais ou de ramener du pain, sur son incapacité à trouver le panier à linge sale quand il enlève ses chaussettes le soir. « C'est un homme doué, mais au fond, c'est juste un homme. » En 2005, après sa victoire au Sénat américain qui le catapulta au rang de célébrité, elle était à ses côtés lorsqu'il foula pour la première fois le sol du Capitole. « Peut-être qu'un jour*, il fera quelque chose pour justifier toute cette attention », avait-elle dit à un reporter. Elle a été vivement critiquée pour sa sévérité, mais s'est défendue en déclarant qu'elle voulait que les gens aient des attentes réalistes. « La seule chose que je dis* aux habitants de l'Illinois est que "Barack n'est pas notre sauveur", a-t-elle répliqué pendant la course au Sénat de 2004. Je veux le dire au pays tout entier et je le ferai chaque fois que j'en aurai l'opportunité. » Voilà un message qui exige des électeurs le même genre de loyauté que celle dont elle a dû faire preuve en tant qu'épouse. « Beaucoup d'entre nous rêvent de déposer leurs vœux, leurs peurs et leurs espoirs aux pieds de cet homme, mais la vie, ça ne marche pas comme ça, et la politique encore moins, a-t-elle déclaré à la foule. Vous devez être avec lui, coûte que coûte. »

Son message est subtil : si moi, une femme sévère et exigeante, j'arrive à m'accommoder de ses défauts et à m'en satisfaire, alors vous aussi, vous le pouvez. Et si je reconnais et respecte ses talents diplomatiques, vous le pouvez également. Son frère Craig raconte volontiers à quel point Michelle était difficile dans le choix de ses petits amis ; lorsqu'il a rencontré Barack, il s'est dit que celui-là ne tarderait pas à rejoindre le rang des prétendants recalés. S'il a passé l'épreuve avec succès, ajoute Craig, c'est parce que « c'était un type intelligent* qui ne se comportait pas comme s'il se croyait plus intelligent que les autres. Pour commencer. Il était grand, et il arrivait à gérer la personnalité de ma sœur ». Et ça, souligne Craig, c'est la preuve qu'il est capable d'être président : « Je l'imagine en réunion avec des sénateurs, des ambassadeurs étrangers, ou n'importe qui, et je sais qu'il arrivera à composer avec les ego des uns et des autres, et à tirer le meilleur de chacun. Sans vouloir minimiser le rôle du président, je pense qu'il s'agit surtout de savoir accorder les personnes, d'être diplomate. »

Michelle est utile à bien d'autres égards : quand Barack a été taxé d'élitisme culturel, c'est elle qui est montée au créneau, évoquant ses origines sociales dans la classe moyenne ouvrière : « Quand j'étais

enfant, nous avions quatre fourchettes à la maison »,
a-t-elle lâché froidement au cours de l'émission de
Stephen Colbert. L'animateur en est resté sans voix.
« Le jour où mon père a eu une augmentation, on a
acheté une cinquième fourchette. » Elle permet aussi à
Obama de tenir un discours cohérent sur la famille et
les valeurs du foyer, alors que dans sa propre histoire
personnelle, il a vécu de nombreuses tensions. Plus
d'une fois, apparaissant en vedette dans les discours de
Fête des pères, Barack Obama a appelé les pères de
famille noirs à s'occuper davantage de leurs familles,
déplorant une culture dans laquelle trop de pères ont
des enfants pour les abandonner ensuite. Et s'il est
crédible sur ce sujet, malgré ses propres absences, le
travail de son épouse, et les pressions de la vie
publique, c'est parce que Michelle et lui ont réussi à
donner solidité et stabilité à leur foyer.

Michelle accroît le pouvoir d'attraction d'Obama
sur l'électorat noir, car son histoire à elle, contrairement à la sienne, est une histoire afro-américaine
classique. Dans un discours en Caroline du Sud, elle a
évoqué « ce voile d'impossibilité* qui continue
d'assombrir notre horizon et celui de nos enfants,
comme si nous attendions et espérions toujours une
révolution qui ne viendra peut-être jamais. C'est
l'héritage amer du racisme, de la discrimination et de
l'oppression dans ce pays. Un héritage qui nous blesse
tous ».

Ce qui frappe chez Michelle Obama, c'est
l'incroyable admiration qu'elle suscite chez le public,
et paradoxalement les terribles controverses qu'elle
provoque au-delà. Voilà une femme que ses amis, et
ils sont nombreux, aiment et défendent passionnément,
notamment parce qu'elle se montre envers eux une

amie loyale et infaillible. Et pourtant il y a un véritable décalage entre cette image propre à son cercle restreint, et la façon dont le public au sens large la considère. Selon un sondage *Associated Press/Yahoo* publié en juillet 2008, 30 % du public a une image favorable d'elle et 35 % une image défavorable. Ses défauts comme ses qualités étaient plus élevés que ceux de Cindy McCain, l'épouse du candidat républicain. Le sondage révélait qu'elle était en fait bien mieux identifiée que Cindy McCain, ce qui n'est pas surprenant, étant donné son exposition médiatique bien plus importante. En juin 2008, le Pew Research Center for the People and the Press[1] a publié une étude révélant que Michelle Obama avait été quatre fois plus médiatisée que Cindy McCain. Michelle tend à polariser les sentiments du public : le sondage du Pew montrait notamment que l'antipathie des républicains à son égard était bien plus forte que celle des démocrates à l'égard de Cindy McCain, et qu'elle est beaucoup plus appréciée des démocrates que McCain des républicains. En bref, Michelle Obama inspire à la fois un enthousiasme fort et un fort scepticisme.

Sans aucun doute, la droite dure des opposants à Obama a trouvé en elle une cible idéale. Si la politique était un champ de bataille, elle représenterait aux yeux de l'ennemi le point faible à la gauche d'Obama. « Un cadeau empoisonné », ainsi l'a rebaptisée un blogueur de droite. Très rapidement, les critiques ont commencé par s'attaquer à la thèse qu'elle avait écrite à Princeton, alors qu'elle avait une vingtaine d'années. Son travail portait sur les problèmes de race et d'identité au

---

1. Institut de sondage américain.

sein d'un campus d'une université de la Ivy League[1] dans les années 1970 et 1980. Elle y réfléchissait sur les causes, intrinsèques à la culture des campus, qui conduisaient les étudiants noirs à ne se fréquenter qu'entre eux. On lui reprocha de prôner le séparatisme racial, ce qui, comme vous le verrez, est une simplification grossière. En février, elle fit l'erreur de dire : « Pour la première fois dans ma vie d'adulte, je suis fière de mon pays, car il semble que l'espoir y est enfin revenu. » Elle a également qualifié l'Amérique de « nation mesquine » et « guidée par la peur ».

Cependant, les critiques ont également vu en Michelle Obama un exemple vivant de ce que l'Amérique peut offrir de meilleur – elle témoigne de la générosité et des opportunités infinies qu'offre le pays. Ils ont fait remarquer qu'elle était diplômée non pas d'une université de la Ivy League, mais de deux, qu'elle avait travaillé comme avocate pour un très grand cabinet d'affaires, et récolté des centaines de milliers de dollars pour aider l'hôpital universitaire de Chicago à améliorer ses relations avec la communauté. Alors pourquoi avait-elle honte de son pays ? Un critique la traita de « millionnaire la plus malheureuse de l'Amérique ». Le *National Review* renchérit en la baptisant « Mrs Grievance » (Mme Doléances), comme si elle n'était que complaintes.

_____

1. La Ivy League regroupe huit universités privées du nord-est des États-Unis, parmi les universités les plus anciennes (sept ont été fondées pendant l'ère coloniale des États-Unis) et les plus prestigieuses du pays. L'appartenance à ce groupe est synonyme d'excellence scolaire et d'élitisme.

Alors que la gronde des opposants allait crescendo, Obama dut se séparer de Jeremiah Wright, le pasteur qui avait marié Michelle et Barack, et baptisé leurs filles, car une vidéo circulait où Wright prétendait que le gouvernement avait délibérément répandu le virus du sida dans la communauté noire sur fond de « Dieu maudisse l'Amérique ! ». Cherchant à retourner à la fois Wright et Michelle contre lui, certains critiques avancèrent, sans la moindre preuve, qu'Obama était devenu membre de l'Église de Wright poussé par une Michelle vindicative. D'autres déclarèrent que c'était Michelle, cette femme raisonnable et dotée de bon sens, qui avait eu le courage de dire qu'il était temps de couper les ponts avec Wright. En mai 2008, un groupe d'opposants peu scrupuleux lança une rumeur sans fondement, selon laquelle il existait un enregistrement dans lequel Michelle prononçait le mot *whitey*[1]. Ou peut-être disait-elle *why'd he*. Impossible à dire. Et puis qui s'en souciait ? Barack Obama, interrogé sur ce sujet, démentit avec colère. Certaines attaques des médias furent ainsi bassement et franchement racistes. La chaîne Fox News parla même d'elle, et c'est tout bonnement incroyable, comme de la « Obama's Baby Mama », un terme désignant une petite amie occasionnelle de petite vertu.

Il est vrai, cependant, qu'on peut s'étonner du manque de reconnaissance qu'elle exprime pour sa propre réussite, typiquement américaine. Dans ses

---

1. *Whitey* est un terme péjoratif et familier désignant les Blancs. *Why'd he*, qui, à l'oreille, et avec l'accent américain produit exactement le même son que *whitey*, est le début d'une question commençant par « pourquoi aurait-il… ».

discours, elle fait continuellement référence aux laissés-pour-compte de l'Amérique, oubliant trop souvent son histoire, jalonnée d'opportunités et de succès. Comme si sa vie à elle était une aberration typiquement américaine. « La vie dont je parle* et que beaucoup de gens partagent, n'a cessé d'empirer depuis mon enfance. Et ce, sous tous les gouvernements, qu'ils soient républicains ou démocrates. Peu importe qui se trouve à la Maison-Blanche. » Et elle ajoute : « Alors si vous voulez dire qu'à un moment, au cours des deux dernières décennies, vous avez trouvé la vie facile, il faut absolument qu'on se parle ! » Mais personne ne dit que s'élever socialement est facile, simplement que c'est possible.

Elle évoque souvent dans ses discours une de ses anecdotes préférées sur ses moments de découragement : l'histoire d'« une enfant de dix ans en Caroline du Sud » qui l'a arrêtée à un coin de rue pour lui dire que, si Obama gagnait la course à la présidence, ce serait « historique ». Lorsque Michelle Obama lui a demandé ce que cela signifiait pour elle, la fillette lui a répondu : « Ça veut dire que tout est possible pour moi », et elle s'est mise à pleurer. Chaque fois qu'elle raconte cette histoire, Michelle projette sur cette fillette de dix ans tout un tas d'émotions, supposant que cette petite sait ce que cela signifie « d'être inscrite dans une école sous-équipée » et d'être négligée et découragée dans ses projets. « Vous savez pourquoi* je la comprends si bien, cette petite fille ? a-t-elle lancé à la foule de Rhode Island début 2008. Parce que cette fillette, c'était moi, vous comprenez, parce que je ne suis pas *censée être là*. »

Elle tient tellement à toucher la classe moyenne qu'elle projette parfois sa propre expérience sur les électeurs alors que les conditions dans lesquelles ils vivent n'ont rien à voir avec sa vie à elle. En avril 2008*, dans l'Indiana, Michelle s'était ainsi associée aux inquiétudes de Cheryl et Mike Fischer, qui évoquaient les menaces de licenciement pesant sur Amtrak, l'entreprise où ce dernier travaillait comme machiniste. Les Fisher lui racontèrent que si Mike perdait son travail, ils pourraient toujours déménager à Chicago où il en retrouverait, mais qu'ils refusaient cette option, parce que cela les éloignerait de leur famille. Michelle leur expliqua qu'elle avait éprouvé la même chose quand Barack avait été élu au Sénat et qu'elle n'avait pas voulu quitter Chicago pour Washington. « Beaucoup de gens me disent : "Vous allez déménager à Washington", mais je réponds que non. Tous les gens qui me soutiennent vivent là depuis des années, autour de moi. Ma mère, mes amies – cela voudrait dire tout quitter. » Dans son esprit, partir vivre à la capitale parce que son mari venait d'être élu au Sénat américain est du même ordre que le sort de ce machiniste licencié, obligé de déménager pour trouver du travail. En 2007, les Obama ont gagné 4,2 millions de dollars. Pourtant elle n'hésite pas à se plaindre à la tribune du prix des leçons de danse et des colonies de vacances. Elle peut sembler hautaine et enfant gâtée. Elle a dit une fois, à propos de la carrière de son mari : « Quel être sensé* pourrait souhaiter une vie pareille ? Barack pourrait mener une existence bien plus facile, aisée et libre de tout jugement. Parfois, je regrette de ne pas l'avoir empêché de faire cet autre choix. »

L'équipe d'Obama a tenté de canaliser cette femme aux facettes politiques multiples en organisant, entre autres, des interviews avec des magazines favorables tels que *US Weekly* et *People*, et des émissions de télévision comme *The View* et *Access Hollywood*. Dans ce contexte, elle a pu montrer ce sens de l'humour et de la repartie que ses amies connaissent bien, et l'assurance, justifiée, que lui donne sa beauté. (Elle se fait coiffer et manucurer tous les vendredis.) Un commentateur releva*, non sans finesse, que l'équipe de campagne, soucieuse de la rendre moins cinglante et moins menaçante, s'évertuait à mettre en avant l'image d'une Michelle Obama plus féminine et plus conventionnelle. « C'est amusant d'être jolie », a-t-elle répondu à ses interlocuteurs sous le charme sur le plateau de *The View*, commentaire à la fois indiscutable et bien plus anodin que « la politique est une perte de temps ». En un sens, ce passage à la télévision a atteint le but recherché : des milliers d'Américaines se sont ruées dans les magasins pour acheter la robe qu'elle portait pendant l'émission. Une robe noir et blanc, au cas où vous vous le demanderiez. Sur Internet, le buzz n'en finissait pas de monter : Michelle Obama avait-elle voulu faire passer un message sur l'intégration en arborant ces couleurs ?

Tout au long de la campagne, Michelle Obama a répété à quel point elle souffrait d'être incomprise par le public. « Je veux bien raconter ma vie* à n'importe qui », a-t-elle déclaré au *New York Times* en juin 2008, ajoutant qu'il suffisait de discuter avec elle ne serait-ce que cinq minutes pour se rendre compte qu'un mot comme *whitey* n'avait jamais pu franchir ses lèvres. Mais les électeurs ont souvent été livrés à eux-mêmes pour essayer de comprendre qui est vraiment Michelle. Cela, en partie, depuis qu'il y a eu ces controverses autour d'elle, et que l'équipe d'Obama s'est montrée beaucoup plus vigilante sur ce qu'elle disait, et les circonstances dans lesquelles elle s'exprimait. À l'automne 2007, par exemple, alors que je travaillais sur une analyse de la montée en puissance politique de Barack Obama pour le *Washington Post*, j'avais pu rencontrer Michelle, qui m'avait parlé sans fard de sa décision de donner le feu vert à Barack pour la course à la présidence, et s'était montrée très perspicace dans l'analyse des facteurs qui l'avaient propulsé sur le devant de la scène. J'interviewai aussi son frère, Craig Robinson ; Barack Obama lui-même ; leurs amis ; et des membres de son équipe politique. En 2008, quand j'ai fait part à l'équipe de campagne de mon projet de livre sur Michelle, que je leur ai expliqué qu'elle incarnait un personnage fascinant dont l'histoire personnelle représentait un symbole américain, et que, étant donné son statut de nouvelle venue dans la vie publique, l'électorat nourrissait une vraie curiosité à son égard, cette fois, non seulement on ne m'a pas permis de la rencontrer, mais on a déconseillé aux proches des Obama de s'exprimer. Heureusement, nombreux furent ceux qui avaient envie de me parler d'elle, et qui considéraient qu'il était possible d'écrire ce que j'espère être un portrait honnête et satisfaisant.

Alors, qui est Michelle Obama ? C'est, par bien des aspects, une femme assez vieux jeu, attachée au tableau traditionnel de la famille rassemblée autour de la table, se voyant, avant tout et par-dessus tout, comme une mère. Elle a un sens de l'humour vif et féroce. Ce qu'elle préfère dans la campagne, c'est faire la lecture aux plus petits, et elle le fait avec animation et un réel plaisir. Mais elle est aussi déterminée à jouer un rôle majeur dans la carrière politique de son mari et passe son temps dans les avions, sur les routes et à la tribune, à ses côtés en tant que première conseillère, depuis le tout début en Iowa. Avant d'accepter qu'il ne se lance dans l'élection, elle a insisté pour avoir – et a obtenu – toute une série d'entretiens avec ses conseillers les plus proches, au cours desquels elle s'est assurée des chances réelles de son mari et de la préparation de son équipe.

Ceux qui les connaissent disent qu'elle est aussi intelligente que son mari. Certains pensent qu'elle l'est davantage. Contrairement à son mari*, qui a passé beaucoup de temps seul à lire quand il avait vingt ans, elle paraît davantage portée sur l'action, plus extravertie, plus efficace et moins renfermée. Elle n'aime pas cuisiner. Et c'est un as de l'organisation, une héroïne presque.

Elle est meilleure patron qu'employée ; elle aime les responsabilités et déteste perdre son temps. Elle est énergique et parfois intimidante. Son mari dit qu'elle est « un peu plus méchante que moi ». Son frère prétend que même les membres de sa famille ont peur d'elle. Il plaisante. Ou pas. C'est sur elle qu'Obama compte pour cerner les autres ; elle est plus méfiante que lui. Il l'appelle « the boss ». Elle a la réputation d'être une amie extrêmement loyale et drôle. Elle adore *The Brady Bunch*[1] et *The Dick van Dyke show*[2].

---

1. *The Brady Bunch* est un feuilleton américain à succès, devenu une série populaire culte, et qui met en scène Mike Brady, veuf, père de trois garçons, et la belle et jeune Carol, veuve, mère de trois filles. Ensemble ils forment une famille gaiement agitée où il se passe toujours quelque chose.

2. Dick van Dyke est une figure de la télévision américaine depuis plus de cinquante ans, sa série, diffusée de 1961 à 1966 sur CBS, lui a valu trois Emmy Awards. Elle y racontait le quotidien ordinaire et loufoque d'un foyer de banlieue, entre Rob Petrie, scénariste de comédies, sa charmante femme Laura, et leurs voisins un peu dingues.

Elle est, bel et bien, un pur et fier produit du South Side, une fille de la classe ouvrière qui s'est élevée dans la société grâce à la mobilité post-Seconde Guerre mondiale et au mouvement pour les droits civiques, mais aussi grâce à sa volonté et à son intelligence. Elle se sent responsable des membres de sa communauté qui ne s'en sont pas sortis aussi bien qu'elle. Elle est aussi ambitieuse que son mari – elle le guide bien plus que beaucoup de gens ne le croient. C'est elle, par exemple, qui l'a introduit dans le cercle des notables et hommes d'affaires noirs de Chicago, alors qu'il envisageait de se lancer dans la course au siège de sénateur de l'Illinois. Elle n'a pas été écrasée par l'ambition de son époux, qu'elle partageait, sans doute parce qu'elle en a récolté si vite les fruits si abondants.

Pourtant, en matière de tempérament, Michelle sera toujours Cassandre là où son mari est Candide. On comprend mieux son pessimisme au regard d'une histoire afro-américaine plus globale. Eugene Y. Lowe Jr., historien des religions, assistant du président de la Northwestern University, et ancien doyen des étudiants de Princeton à l'époque où Michelle y était étudiante, fait référence à la double conscience classique dans la psyché noire, concept défini il y a un siècle par W.E.B. Du Bois, dans *The Souls of Black Folk*[1]. « Vous savez, il y a dans l'expérience des Noirs* bien des raisons d'être en colère, et aussi, je crois, bien des raisons d'espérer », dit-il.

Colère et espoir. C'est une simplification, mais on pourrait avancer que, du moins dans leurs discours

---

1. *Les Âmes du peuple noir*, W.E.B. Du Bois, éditions La Découverte, 2007.

publics, Barack Obama représente l'espoir et Michelle, de temps en temps, incarne la colère ou bien juste le désarroi, et qu'ensemble ils partagent un dialogue important et authentique sur la race et la vie en Amérique. Les choses se sont-elles améliorées ou pas ? Oui, et encore oui. Ce qui explique également pourquoi Michelle a davantage attiré les foudres de ceux qui ne veulent rien savoir de sa colère ou considèrent qu'elle appartient au passé. En aucun cas la race n'est le seul prisme à travers lequel on peut comprendre ou penser Michelle Obama, cependant, et c'est inévitable, Michelle, bien plus encore que son mari, apparaît comme un produit de la large communauté afro-américaine, et est inextricablement liée à son histoire et à son destin. Les commentaires qu'elle a faits à ce sujet sont caractéristiques de tous ceux qui ont bénéficié des changements sociaux des années 1970 et 1980 mais ont une conscience aiguë de l'inégale répartition de ces bénéfices.

« Les Afro-Américains analysent* les vingt-cinq ou trente dernières années selon une perspective bien plus collective que les Blancs », explique Ronald Walters, expert politique à l'université de Maryland. Cela correspond à la période qui a suivi le mouvement des droits civiques, au moment où les changements ont mis le pays en branle et ont véritablement bouleversé de nombreuses vies, avec en corollaire une réaction brutale contre la discrimination positive ainsi qu'une dévalorisation de la communauté noire aux faibles revenus, considérée comme pathologique, et seule responsable de ses problèmes. Walters est convaincu que les Blancs ne pourront jamais comprendre à quel point les Noirs américains se sentent membres d'une communauté, responsables et redevables vis-à-vis d'elle.

a vécu et travaillé dans des univers de transition. Et l'on comprend mieux Michelle Obama lorsqu'on lit son histoire comme celle d'une femme qui a passé l'essentiel de sa vie à conquérir le terrain qu'elle occupait.

Aujourd'hui, peut-être plus que jamais.

1

Comme son mari, dont le premier livre, *Les Rêves de mon père*[1], était une longue méditation sur son père et les conséquences de son absence, Michelle Obama est l'héritière des rêves de son père. Michelle a eu de la chance, dans le sens où ce dernier était présent pendant son enfance, c'est même ce qui a conditionné le reste de sa vie. Dans quasiment tous ses discours, Michelle invoque l'image de Fraser Robinson III, cet employé municipal de Chicago qui se pliait chaque jour aux rigueurs d'un travail sans doute bien en dessous de ses compétences réelles, guidé par l'engagement qu'il avait pris d'offrir à sa famille un foyer stable et heureux. Homme vigoureux et pourtant rongé par une sclérose en plaques contre laquelle il luttait depuis qu'il avait trente ans, Fraser, avec sa présence agréable et rassurante, était l'âme du foyer. Michelle se décrit invariablement comme le produit de l'inébranlable sens du devoir de son père, de son engagement profond envers sa famille, de

1. Barack Obama, *Les Rêves de mon père. L'histoire d'un héritage en noir et blanc*, Presses de la Cité, 2008, Points, 2008.

cette idée selon laquelle un être ne se résume pas à son comportement public mais aussi à ses zones d'ombre, à l'attitude qu'il adopte quand on ne le regarde pas.

Autrement dit, si vous comprenez son père et la communauté dans laquelle il l'a élevée, alors vous la comprendrez, elle.

« Au plus profond de moi*, je suis toujours cette petite fille qui a grandi dans les quartiers sud de Chicago, a-t-elle lancé au public du New Hampshire en janvier 2008. Tout ce que je pense et fais s'enracine dans la vie que j'ai eue dans ce petit appartement, pour lequel mon père travaillait si dur. » En invoquant son père et la classe ouvrière qu'il représente, elle montre au grand public une autre image de la famille afro-américaine que celle véhiculée par les médias ; elle se pose en Américaine moyenne, loin de tout élitisme ; et elle illustre en même temps une idée phare : il y a eu une époque où la vie des foyers américains était beaucoup plus agréable. C'est une idée qui revient souvent dans ses discours : la vie de famille est devenue bien plus difficile, dit-elle, en se souvenant avec nostalgie d'une époque où il était envisageable qu'un seul des deux parents travaille pendant que l'autre restait à la maison. À la source de cette opinion, se trouve sa propre félicité familiale.

Pourtant la réalité de son éducation est plus complexe. Les bonheurs de son enfance étaient nombreux, certes – on pouvait abandonner son vélo dans la rue et le retrouver exactement où on l'avait laissé, les mères restaient à la maison au lieu d'aller travailler et les enfants allaient et venaient bien plus tranquillement qu'aujourd'hui –, mais on ne peut quand même pas tout à fait dire que Chicago accueillait à bras ouverts les citoyens comme Fraser Robinson qui nourrissait des ambitions pour leur famille. Son père et sa communauté expliquent peut-être sa propre nature terre à terre et travailleuse, son engagement en tant que mère, mais le Chicago des années 1960 est certainement aussi à l'origine du scepticisme politique dont elle ne s'est jamais cachée. C'était une ville raciste, en proie à la ségrégation, régie par un système politique complexe et ambigu, auquel Fraser Robinson a participé, que ce soit par goût pour la politique ou simplement parce que la politique était l'un des chemins possibles pour un homme noir ambitieux.

D'ailleurs Barack Obama lui-même* a fait ses débuts dans le vieux Chicago, quand il s'y est installé en 1985, en travaillant pour une organisation communautaire qui se trouvait précisément dans le quartier où Michelle a vécu. À l'époque, Barack ne savait rien ou presque de cette ville et s'était dit que le meilleur moyen de la connaître était d'en sillonner les rues à bord de sa Honda toute cabossée, en partant de l'extrême nord du Martin Luther King Jr. Drive, l'axe majeur de Chicago qui traverse toute la ville, pour descendre jusqu'aux limites des quartiers sud. Lors de ces virées, il a dû passer un bon nombre de fois devant les trottoirs sur lesquels Michelle a appris à marcher. Dans les années 1960, les Robinson habitaient en effet un appartement sur South Park, dans une rue qui serait plus tard rebaptisée du nom de Martin Luther King. C'était un des quartiers ouvriers noirs traditionnels de la ville, la zone dans laquelle, pendant des années, les Noirs ont été ostensiblement cantonnés.

Obama a également eu un avant-goût de la politique en observant le système mis en place par Robert J. Daley qui favorisait certains Afro-Américains, et les rendait complices de la ségrégation et des mauvais traitements dont les autres étaient victimes. C'est un barbier de South Park, surnommé « Smitty », qui lui a expliqué pourquoi tant d'établissements affichaient le portrait d'Harold Washington, le premier maire afro-américain de la ville. « Avant Harold, c'était comme si on allait rester des citoyens de seconde classe pour toujours, lui raconta Smitty tandis qu'il lui coupait les cheveux. Aux Noirs les pires boulots, les pires logements. La brutalité rampante de la police. Mais voilà qu'un de ces Noirs débarque au moment des élections, et il est responsable d'un parti, et il nous fait mettre en rang, et il nous fait voter pour le ticket démocrate sans nous laisser le choix. Vendre notre âme pour une dinde de Noël. Laisser les Blancs nous cracher dessus dans la file d'attente. Et on leur a rendu la monnaie avec notre bulletin de vote. » Cela avait un nom, ont ajouté Smitty et un autre client : « la politique des plantations ».

Le père de Michelle aurait certainement pu lui raconter les mêmes choses. En plus de son travail, Fraser Robinson faisait du bénévolat* en tant que *precinct captain*, responsable politique de quartier pour le parti démocrate, maillon essentiel de la puissante machine électorale dirigée par Daley, qui était également président du parti démocrate central du Cook County, ce qui lui donnait sur le parti un contrôle à la fois politique et gouvernemental ; il pouvait se servir de l'un comme levier sur l'autre. Chicago est divisée en cinquante sections électorales et chaque section est dirigée par un conseiller, un élu local qui siège au conseil municipal et fait appliquer les lois, assisté des deux responsables locaux de parti, l'un démocrate, l'autre républicain. Le rôle du capitaine de circonscription était d'assister le responsable du parti. Figure de leader bien implanté dans son quartier, sa mission était d'amener les électeurs jusqu'aux urnes les jours d'élection, et, idéalement, de les faire voter selon les volontés de Daley.

Le travail idéal pour quelqu'un de convivial. Les voisins de Fraser Robinson vantaient son humour et sa vivacité, un trait de caractère qu'il a également transmis à sa fille, et il a certainement profité de ces années où il était en bonne santé pour s'adonner à ce qu'il aimait, son rôle politique de responsable populaire : arpentant les rues, distribuant des tracts, frappant aux portes, discutant avec les gens, rendant visite aux familles pour les mariages ou les enterrements. Le responsable de quartier* était l'homme à qui s'adresser quand il fallait déblayer la neige sur les routes ou faire arracher un arbre mort. Dans la plupart des villes, les citoyens qui paient leurs impôts sont en droit de s'attendre que ces services leur soient rendus sans qu'ils aient à demander, mais à Chicago, les habitants étaient souvent obligés de réclamer, et ce, afin qu'ils se sentent ensuite reconnaissants et redevables. Le responsable de quartier jouissait ainsi d'une grande autorité et d'un statut important.

« Le capitaine de circonscription maintient un contact permanent avec ses électeurs », telle est la définition proposée par John Stroger, Afro-Américain qui a commencé sa carrière en tant que responsable de quartier dans le South Side dans les années 1950 avant de devenir plus tard le premier président noir du conseil d'administration préfectoral du Cook County. « On était habitués à les voir sans arrêt, à partager leur vie, à compatir quand ils avaient des problèmes et à se réjouir avec eux quand ça allait bien. » Dans le Chicago de Daley, la politique devait être locale ; les gens ne sortaient pas de leurs quartiers parce qu'il était dangereux de s'aventurer ailleurs. « Toute la vie de la communauté tournait autour de l'Église et de la politique locale », raconte Stroger. Tout l'intérêt de cet amour entre bons voisins était de créer en fait un sentiment de dette pour inciter les gens à voter dans un certain sens. La population apprenait à faire confiance au responsable de quartier et donc à suivre ses instructions quand il s'agissait de choisir des candidats pour les bureaux locaux. Les gens ont bien des idées arrêtées quant au candidat qu'ils élisent comme président mais quand il s'agit de mesures pour lutter contre les moustiques en été, ils s'en remettent souvent au capitaine de circonscription. « En fait, ils votent pour lui, parce qu'il est là tous les jours, qu'il les aide au quotidien, leur fournit un service auquel ils devraient avoir accès en toute légitimité », explique James Taylor, qui, originaire de l'Arkansas, a débuté à Chicago comme responsable politique de quartier et éboueur, pour devenir finalement un responsable de parti influent.

« J'étais là, à leur expliquer à quel point ça me faciliterait les choses s'ils votaient pour tel ou tel candidat. Ils se rendaient aux bureaux de vote, et faisaient ce que je leur avais demandé. Je suis devenu le meilleur capitaine de circonscription de ma section. »

Bien voter, c'était ça l'objectif. Voter pour la machine en place. Voter pour Daley. Mais Robinson participait en fait à un système politique plus large qui était, au mieux, un moindre mal pour les Noirs. Le pouvoir œuvrait pour maintenir les citoyens afro-américains en vase clos, phénomène que Don Rose, consultant politique à Chicago depuis des années et historien du gouvernement de la ville, a défini comme « une conspiration massive* et progressive pour que [les Noirs] restent à leur place ». Sans aucun doute, Chicago était déjà en proie à la ségrégation bien avant l'arrivée de Daley au pouvoir, mais il s'est assuré que rien ne change. « Maîtriser les nègres*, telle était la politique non avouée de la ville », explique le chroniqueur Mike Royko dans *Boss*, son récit des années Daley à Chicago. Pendant son mandat, la ségrégation a persisté dans les écoles et les quartiers. Les banquiers refusaient de prêter de l'argent aux Noirs qui avaient la témérité d'oser convoiter les maisons des quartiers blancs. Les agents immobiliers suivaient le mouvement. La règle tacite voulait qu'aucun Noir ne puisse s'installer à plus d'un pâté de maisons du quartier historiquement noir. « Un Noir pouvait traverser* un quartier blanc, mais à condition d'être sur le chemin du prochain arrêt de bus ou des cuisines d'un restaurant, pour aller faire la plonge », renchérit Royko. Dans les années 1950, la plupart des restaurants ne proposaient pas de tables aux Noirs, la plupart des hôtels leur refusaient une chambre et le Loop était considéré comme une zone interdite. »

Et les préjugés ne se sont pas envolés avec le Civil Rights Act de 1964. Au contraire : au milieu des années 1960, Martin Luther King Jr., déjà très célèbre, essaya d'amener le mouvement des droits civiques au nord de Chicago, installant sa famille dans un appartement du ghetto pour en finir avec les taudis, protester contre les conditions de logement des Noirs et s'affranchir du système de ségrégation immobilière. Lors d'une marche pour les droits civiques, King reçut une brique sur la tête alors qu'il traversait un quartier exclusivement blanc. Alignés devant leurs maisons, les Blancs saluaient le passage des manifestants en criant des insultes racistes. L'animosité qui régnait dans la ville eut raison de King, qui prononça ces mots célèbres, disant que la seule ville où il avait craint pour sa vie était Chicago.

Chicago était différente des États du Sud. Les tensions racistes y naissaient de la présence massive de populations immigrées, souvent originaires d'autres pays, installées dans des quartiers qui, s'ils dégageaient souvent une impression de cohésion, inspiraient surtout une profonde xénophobie. « En règle générale, les Blancs* des quartiers sud détestaient les Noirs plus que les Blancs des quartiers nord, parce que les Noirs étaient plus près d'eux », explique Royko.

Daley préservait cet état de fait* en jouant du système politique qui récompensait une poignée d'Afro-Américains pour leur participation au maintien de leur communauté sous domination. Daley détenait le pouvoir et entretenait la ségrégation scolaire et immobilière, grâce, notamment, à la collaboration de six conseillers municipaux noirs – qu'on surnomma les Six Silencieux – ravis d'exécuter les ordres du maire, et de servir leurs intérêts personnels en perpétuant la ségrégation. Daley leur donnait des emplois à distribuer parmi les électeurs, et les Six Silencieux les utilisaient pour manipuler leurs concitoyens et maintenir Daley au pouvoir. Les responsables politiques de quartier représentaient une part essentielle de la force du maire. C'était vrai pour toute la ville, ils abattaient une tâche énorme dans toutes les sections, noires comme blanches, mais les électeurs afro-américains, pour qui le droit de vote était bien moins évident, étaient plus vulnérables à la pression. Le pouvoir allait parfois jusqu'à les menacer de les priver de certains services. « Les nègres étaient prévenus* : ils perdaient leurs allocations familiales, leur logement social, leur emploi de domestique, s'ils ne votaient pas démocrate », raconte Royko.

En tant que responsable de quartier, on pouvait espérer devenir fonctionnaire en échange de ses services. En fait, le travail « bénévole » était à peu près la seule façon d'en obtenir un. « Pour obtenir un emploi municipal*, il fallait arriver avec une recommandation du conseiller de votre section », explique Don Rose, décrivant un système dans lequel il était crucial d'avoir un protecteur qui veillait sur vous – votre souteneur. Daley avait un meuble rempli de dossiers avec la liste de tous les postes de la ville et on racontait qu'il connaissait par cœur tous les noms qui y figuraient. Un emploi municipal était parti-culièrement précieux pour un Noir parce que cela permettait de ne pas subir les caprices et le racisme du marché du travail classique. « C'étaient les années 1950 et le début des années 1960. Ce qui se rappro-chait le plus de la discrimination positive à cette époque, c'était ce genre de protection. On ne devenait pas riches, mais au moins on avait un boulot régu-lier », ajoute Rose.

« Il y avait quelques volontaires*, mais la majorité des gens devenaient [capitaines de circonscription] parce que leur travail en dépendait », raconte Cliff Kelley, un ancien conseiller municipal du South Side qui ne faisait pas partie des Six Silencieux mais connaissait bien la culture du pouvoir en place. « La plupart du temps, ajoute Kelley, l'engagement politique personnel et le poste occupé étaient deux éléments indissociables. »

Compte tenu de cette tradition, il est également probable que le travail au service des Eaux de Fraser Robinson ait été une récompense pour ses activités politiques. « Il était [de façon quasi certaine]* un employé sous protection », avance Leon Despres, conseiller de la cinquième section pendant des années, qui, quoique blanc, resta dans les mémoires comme « le seul nègre à siéger au conseil municipal », parce qu'il s'était opposé à la « Machine » Daley et s'était exprimé contre la ségrégation. Parce qu'il sait comment les choses se passaient dans les autres sections, Despres pense qu'il est plus que probable que « Robinson ait été un bon élément politique, et qu'il ait vu sa loyauté récompensée par ce formidable poste ». Le service des Eaux, où travaillait Fraser Robinson, était bien connu pour être un des secteurs où l'on plaçait les postes sous protection.

Robinson est resté dans ce service toute sa vie et a bénéficié de promotions anticipées. En 1968, après avoir commencé comme ouvrier de station, il est devenu « contremaître d'ouvriers », un poste de surveillance qui s'assortissait d'une augmentation de presque 200 dollars par mois, si l'on en croit les registres de la ville concernant son parcours professionnel. La même année, il reçut encore de l'avancement et devint « chauffagiste municipal », la tâche consistant à assurer la maintenance des chaudières de la ville. En 1969, nouvelle promotion, en tant qu'« ingénieur d'exploitation », responsable à la fois des chaudières, des turbines à vapeur, des pompes et des services du chauffage et de la climatisation, un travail qui requérait de réelles compétences. Ainsi en cinq ans, il bénéficia de trois promotions, de sorte que, fin 1969, il gagnait 858 dollars par mois, soit près de 10 000 dollars par an, un salaire honnête à l'époque, presque le double de ses débuts. En fin de carrière, il gagnait plus de 40 000 dollars par an.

Michelle Obama parle souvent, et avec émotion, de la valeur que son père accordait au travail. Son frère Craig et elle expriment les mêmes sentiments lorsqu'ils évoquent la formidable source d'inspiration que cela a représentée pour eux de voir Fraser Robinson se lever chaque matin pour aller travailler, alors que, la maladie progressant, cela devenait de plus en plus difficile pour lui. Malgré la canne dont il avait besoin pour marcher – plus tard les béquilles, et finalement le fauteuil roulant motorisé –, il n'a jamais arrêté de travailler.

« Mon père avait une sclérose en plaques*, il travaillait tous les jours et il se plaignait rarement », a raconté Michelle en 2007 à un journaliste à qui elle dressait le portrait de l'homme qui leur avait transmis, à son frère et à elle, leur sens du travail. « Il est mort en allant au boulot », a-t-elle ajouté, retraçant les circonstances de sa mort prématurée début 1991, alors qu'il avait une cinquantaine d'années. Il sortait de l'hôpital où il avait subi une opération de la hanche et il est mort brutalement à la suite de complications. « Il ne se sentait pas bien, mais rien n'aurait pu l'empêcher de monter dans sa voiture et d'y aller. »

Malgré toute la fierté que Michelle a tirée du dévouement de son père à son travail, elle en a sans doute retiré aussi des leçons sur la politique. Une partie de son scepticisme en la matière vient de ce qu'elle en a vu quand elle était enfant : le système vous achetait, vous protégeait, mais vous contrôlait aussi. « Si vous ne faisiez pas certaines choses, si vous n'aviez pas certains comportements, raconte Rose, vous pouviez dire adieu à votre salaire, [on] pouvait vous rétrograder, vous renvoyer même. » Ceux qui n'étaient pas suffisamment performants dans leurs missions auprès des électeurs s'exposaient à une réprimande musclée ou à un renvoi sans sommation. Ainsi en allait-il de la vie politique à Chicago. « Inconsciemment peut-être*, une partie du mépris de Michelle pour la politique pourrait bien être liée à la façon dont son père a été traité, et à ce qu'il a dû traverser », remarque Al Kindle, un consultant politique qui a grandi dans le South Side.

Et cela explique l'ambivalence de la communauté noire vis-à-vis du patronage de Daley : le système vous permettait de vous élever socialement, en vous donnant du travail et des avantages, mais il vous maintenait sous son joug. « On vous faisait comprendre que certains services ne devenaient accessibles que si vous vous montriez d'accord avec le pouvoir. Le robinet pouvait s'arrêter de couler à tout moment. Pour un jeune père de famille noir, la seule façon d'envisager les choses était de poser sur elles un œil désenchanté. Cela vous aidait, mais diminuait votre capacité de choix. » Il est donc possible que la fille et le fils de Robinson aient développé un certain dégoût vis-à-vis de la politique, tout en vouant un amour profond à leur père. « Notre famille était très cynique* vis-à-vis de la politique et des politiciens », résume Craig. Les choses commencèrent à changer quand ils firent la connaissance de Barack, dont la carrière politique était soutenue en partie par un groupe de personnes qui avait pour ennemi désigné Daley et dont le but avoué était de détruire ce système, la « Machine », comme ils l'appelaient.

2

À la fin des années 1960 et au début des années 1970, l'horizon des familles afro-américaines commença à s'éclaircir, et les Robinson connurent une assez longue période de transition et d'opportunités. Leur vie, comme celle de beaucoup d'autres, se transforma peu à peu. Après une existence soumise à la ségrégation, ils connurent des jours de plus grande liberté pour choisir où ils avaient envie de vivre ; leurs cols bleus, les seuls auxquels ils pouvaient aspirer jusqu'alors, se teintèrent de blanc ; ils purent quitter les écoles bondées et mal entretenues où on les parquait, pour de meilleures chances d'éducation. La famille Robinson* était suffisamment à l'aise financièrement pour quitter ce qu'on appelait la « ceinture noire » et s'installer dans le quartier plus privilégié du South Shore qui avait été exclusivement blanc. C'était une époque de grandes opportunités, et de grands bouleversements, pendant laquelle la famille de Michelle continuerait à représenter un élément stable de son existence.

Leur nouvelle maison était située au 7400 Euclid Avenue, au milieu d'une rue charmante avec des maisons en brique rouge paysagées et de petits immeubles élégants. Le pâté de maisons dans lequel ils vivaient était particulièrement agréable. Au nord, l'avenue croise la 74e Rue et dévie légèrement à l'ouest jusqu'à la 73e. Au sud, elle s'arrête à la 75e Rue, une artère commerçante très animée, bordée, de l'autre côté, par un vaste parc. Le pâté de maisons constitue donc un quartier à lui tout seul, l'endroit idéal pour des enfants qui peuvent jouer, faire de la trottinette ou du vélo en toute liberté.

La maison où elle a passé ses années d'adolescence est un pavillon, habitat typique de Chicago. Les familles en refaisaient souvent le grenier ou le sous-sol pour ajouter un étage et gagner en espace à vivre. Les Robinson louaient le niveau supérieur du pavillon qui appartenait à la tante de Michelle, professeure de piano. La mère de Michelle, Marian, raconte que très jeune, et déjà très travailleuse, Michelle, qui savait ce qu'elle voulait et avait une grande capacité de concentration, passait des heures à s'entraîner au piano sans qu'on lui ait rien demandé. Les quatre membres de la famille Robinson vécurent des années durant au premier niveau jusqu'à ce que, d'après les registres de la ville, la maison leur soit léguée dans les années 1980. Michelle et Craig dormaient dans le salon, divisé en deux par une cloison. Une des amies de Michelle* se souvient avoir joué aux Barbies dans sa chambre, Michelle avait la Barbie afro-américaine, Ken, une maison de poupées et des voitures ; sa chambre lui semblait minuscule, à peine plus grande qu'un placard, mais Michelle y avait quand même fait entrer une cuisinière pour enfants. Ils étaient peut-être à l'étroit, certes, mais ils avaient assez pour vivre sur un seul salaire. Il existe une longue tradition dans la communauté noire quant au travail des femmes – rester à la maison pour être épouse et mère à plein temps constitue rarement une option pour les femmes noires – mais grâce au poste d'employé municipal de Fraser, Marian Robinson pouvait se le permettre et n'hésita pas. Elle éduqua si bien ses enfants qu'ils savaient tous les deux lire avant d'entrer à l'école, bien que Craig se montrât plus docile que sa petite sœur. La famille Robinson n'a jamais caché que Michelle avait un caractère très indépendant, voire entêté ; c'est devenu une plaisanterie dans la famille. « Mes deux enfants étaient* très doués en lecture lorsqu'ils étaient jeunes, parce qu'ils adoraient lire, raconte Marian. J'ai appris à mon fils à lire, mais lorsque je me suis tournée vers Michelle pour lui enseigner à son tour, elle n'était pas prête, donc elle s'est contentée de m'ignorer. J'imagine qu'elle s'est dit qu'elle pouvait bien apprendre à lire toute seule, même si elle était encore trop jeune pour le formuler de cette façon. »

Le quartier de South Shore, où Marian Robinson vit encore aujourd'hui, était un quartier enviable à tous points de vue. Délimité par la 71e au nord et par la 79e au sud, South Shore longe le lac Michigan – d'où son nom – et continue sur encore trente pâtés de maisons à l'ouest. Côté nord, il est mitoyen de Woodlawn, un quartier moins peuplé qui a connu une transformation dans les années 1950, passant des Blancs aux Noirs, et a subi de plein fouet le déclin des services munici-paux, entretenant le mythe selon lequel l'arrivée des familles noires dégradait forcément un quartier. En fait, le plus souvent, c'était la ville elle-même qui précipitait le déclin en abandonnant intentionnellement ces quartiers, par la fermeture des banques, épiceries, et autres commerces, juste après le départ des Blancs. À l'extrême nord de South Shore, on trouve Jackson Park, un écrin de verdure où l'Exposition Colombienne se tint en 1893. Avec comme première conséquence la vente de terrains pour le développement de la zone de South Shore. Légèrement plus au nord, Hyde Park, quartier verdoyant, entoure l'université de Chicago. D'année en année, les relations entre l'université et les quartiers limitrophes au sud se sont dégradées ; dans les années 1950 et 1960, l'université était régulièrement en conflit ouvert avec Woodlawn. Les habitants de ce quartier, la plupart plutôt pauvres et vivant dans des maisons et des lotissements défavorisés, étaient particulièrement touchés par les déplacements qu'imposait l'université chaque fois qu'elle décidait de s'étendre de leur côté, ce qui arrivait régulièrement. Cette relation difficile a donné naissance à l'Organisation Woodlawn, fondée par Saul Alinsky, créée afin de résister aux incursions de l'université et protéger les citoyens les plus pauvres. Bien plus tard, Michelle aura à gérer les traces persistantes de cette hostilité entre étudiants et habitants, lorsqu'elle se chargera des relations entre la ville et les hôpitaux de l'université.

À l'époque de la constitution de Chicago*, South Shore était une zone de marais et de forêts. Les éleveurs allemands commencèrent à s'y installer dans les années 1860 et 1870, puis, dans les années 1880, la compagnie de chemin de fer « Illinois Central » fit construire une gare à l'angle de la 71e et de Jeffrey Boulevard, à environ cinq blocs de la maison des Robinson. La zone devait devenir une enclave commerciale. Dans les années 1920, le quartier explosa ; les Anglais et les Suédois laissèrent leur place aux catholiques irlandais, qui la cédèrent à leur tour aux Juifs. Ces deux derniers groupes avaient leurs propres tensions : le quartier revendiquait l'exclusivité du South Shore Country Club, construit sur le lac, près d'une plage publique du Rainbow Park. Les Irlandais vivant à Chicago pouvaient en être membres, mais pas les Juifs. Ni – mais cela va sans dire – les Noirs. Les membres du club étaient issus des classes moyennes, voire aisées, ils étaient compétents et instruits. Dans les années 1950, le pourcentage de Noirs dans la zone était de 1 %.

Au cours de la décennie suivante, les choses se mirent à changer. Difficile d'évaluer l'étendue de cette transition, à une époque où les frontières du centre étaient mouvantes, et où l'on ne savait plus vraiment quels quartiers appartenaient à qui. Chicago est souvent citée en exemple de ville divisée en quartiers, ce qui, d'après ceux qui y vivent, est une des raisons pour lesquelles la ville fonctionne si bien. « Chicago se porte mieux* que la plupart des grandes villes du pays », explique Abner Mikva, ancien juge fédéral et membre du Congrès américain, qui vit à Hyde Park et a été un soutien crucial dans la carrière de Barack Obama. La ville, insiste-t-il, « a vraiment poussé jusqu'au bout le principe des quartiers, plus qu'aucune autre dans ce pays ». Mais l'inconvénient, surtout à l'époque, était que les gens s'attachaient profondément à leur coin de terre, souvent ethniquement très homogène, et se montraient hostiles aux nouveaux arrivants.

Pour les citoyens noirs, pendant longtemps cela a signifié l'interdiction de certaines parties de la ville. « Toute ma vie – et je suis né dans cette ville* – choisir un endroit pour s'y sentir en sécurité m'a toujours inspiré un sentiment de consternation, une certaine hésitation », songe l'évêque Arthur Brazier, ancien pasteur de l'Église apostolique de Dieu, président fondateur de l'Organisation Woodlawn et, à ses heures, adversaire de double au tennis contre les Obama. Son fils, le Dr Dyon Brazier, qui a récemment hérité de son poste à l'Église apostolique de Dieu, et a environ dix ans de plus que Michelle, renchérit : « Il y avait des frontières raciales*, et tout le monde savait où elles se trouvaient. »

« Je me souviens de l'époque où South Shore a changé », raconte Stephan Garnett, Afro-Américain de Chicago qui a grandi dans une autre partie des quartiers sud, mais qui, enfant, rendait souvent visite à des proches de Woodlawn. « Je me souviens de mon oncle et ma tante* me disant : "Ne t'avise pas de traverser Stony Island" [la rue qui longe une des frontières de South Shore], parce que j'aurais été en danger physiquement. » Avec ses cousins, ils « y allaient quand même, c'était le seul moyen d'arriver au lagon de Jackson Park », un coin du parc où ils aimaient pêcher. Et tout cela était en train de changer.

« C'était, se souvient Arthur Brazier, une période d'intense agitation. »

La transition fut provoquée par de nombreux éléments : le vote puis l'application de lois égalitaires sur le logement. L'expansion et l'augmentation de la population noire. La peur répandue par les banques et les agents immobiliers. La réimplantation fomentée par le lobby immobilier à travers un procédé célèbre pour son retentissement et le vent de panique qu'il sema : une technique perverse et manipulatrice qui consistait pour l'agent immobilier aventureux et peu scrupuleux à vendre délibérément une maison à une famille noire, avant de parader dans les rues avec ladite famille et de rendre la vente publique. Ce qui semait inévitablement la panique parmi les propriétaires blancs qui se précipitaient immédiatement pour vendre leurs maisons avant que les cours ne s'effondrent, que les banques n'affichent complet – refusant des prêts à des quartiers entiers – et que les services municipaux ne désertent le quartier. Le même agent proposait à ces familles blanches de s'occuper de leurs maisons, et éventuellement de leur en trouver une en banlieue, récoltant au passage les deux commissions. Ce fut donc une combinaison de surpopulation, d'accroissement des opportunités, de peur, de cupidité et de racisme qui entraîna la progression des Noirs et la fuite des Blancs, tandis que les Robinson et leurs semblables poursuivaient le même rêve américain que ceux qui les avaient précédés dans South Shore. « Nous voulions élever nos deux enfants*, de quatre et cinq ans, dans un monde meilleur que celui dans lequel nous avions grandi », racontait une certaine Mrs Leonard Jewell dans le *Chicago Tribune* en 1967. Elle et son mari, tous deux Afro-Américains, venaient de s'installer dans une maison sur Euclid Avenue, à deux blocs des Robinson.

On se rend bien compte des changements en se plongeant dans les archives du *South Shore Scene*, le journal publié par la South Shore Commission, qui émergea en 1953 en tant qu'organisation civique. Dans les années 1960, ce groupe tentait de retenir les Blancs dans le quartier de Michelle, ou bien, comme le diraient certains, il tentait de limiter et de contrôler l'afflux des Noirs. « Les familles non blanches vivent désormais dans South Shore, elles y sont aussi bien locataires que propriétaires. Elles sont là. C'est un fait », écrivait l'un des leaders de la communauté, Robert Shapiro, en 1963, exhortant les familles à ne pas fuir leur maison simplement parce que des Noirs emménageaient à côté de chez eux. Le nouvel objectif de la communauté, continuait Shapiro, devait être d'« apprendre aux familles blanches et non blanches à vivre et œuvrer ensemble ». Shapiro était président de la South Shore Commission. À l'époque, la solution préconisée avait été baptisée « intégration réussie ». Elle consistait à demander aux Blancs de rester et à persuader les propriétaires de refuser de louer leurs biens aux familles noires jugées « indésirables ». Ainsi, les Afro-Américains qui arrivaient recevaient deux messages : Vous êtes les bienvenus, installez-vous, mais à condition que vous ne soyez pas trop nombreux et meniez une vie respectable.

En 1963 et 1964, le *South Shore Scene* publia plusieurs articles rapportant que la Commission avait engagé des poursuites contre plusieurs sociétés immobilières pour avoir semé la panique. Mais dans le même journal, on trouvait aussi des publicités pour un « Service de Recommandation de locataires », une organisation qui avait tendance à ne conseiller aux propriétaires que des familles blanches, dans l'espoir que certains Blancs resteraient et que les Noirs seraient tenus à l'écart du marché de la location. En 1965, le journal publia sa première photo d'un homme noir : il s'agissait d'un étudiant décoré d'une médaille d'excellence et de sérieux par un principal de collège. Cette même année, apparaît aussi une famille noire déménageant dans South Shore : un chimiste et sa femme enseignante. Et leur photo vient illustrer l'effort produit par la South Shore Commission pour organiser des visites de maisons, grâce auxquelles

« Blancs et Nègres de South Shore* se retrouvent pour prendre un café et bavarder », des rencontres dont le but était souvent de permettre aux Blancs de visiter les maisons de leurs voisins noirs et de constater qu'elles étaient aussi bien rangées et entretenues que les leurs. « Nous espérons que cela sera une nouvelle expérience pour les gens qui font ces visites », déclara un des organisateurs dans les tribunes du journal. En 1967, le *Scene* publiait sa première publicité mettant en scène un Noir. Mais dans le même numéro figuraient également, presque systématiquement, de subtils rappels des aspects négatifs de l'arrivée des Noirs. À la fin des années 1960, la Commission recommanda d'affréter des bus pour convoyer les enfants noirs hors de la zone et garantir une fréquentation majoritairement blanche des écoles du quartier. Un article du *South Shore Scene* expliquait que le but était d'éviter la « reségrégation » dans les écoles, c'est-à-dire que les écoles deviennent majoritairement noires. Le terme utilisé pour décrire le phénomène était *inundation*.

À l'aube des années 1970, la South Shore Commission s'était dotée d'un président noir, signe que, cette fois, la transformation était complète. En 1980, alors que Michelle avait seize ans, le quartier était devenu afro-américain à 96 %. Une transition raciale totale qui n'avait pris que deux décennies.

L'effort d'intégration réussie n'avait pas porté ses fruits, en revanche celui qui consistait à maintenir un certain niveau de classe et de moyens avait payé. En 1967, Bryn Mawr, l'établissement dans lequel Michelle fit toute sa scolarité jusqu'à la quatrième, reçut des fonds de la municipalité pour lancer un programme d'excellence. Michelle fut sélectionnée pour y participer dès le début du collège, termina son année de quatrième seconde de sa classe, en charge, à ce titre, de prononcer le discours de fin d'année devant ses camarades. En tant qu'élève du programme d'excellence, elle eut accès aux cours de biologie de Kennedy-King, une université publique locale. Elle put aussi apprendre le français. On peut dire, sans risquer de se tromper, que les écoles de South Shore étaient mieux équipées que celles du quartier que les Robinson avaient quitté, et que l'un des avantages essentiels du travail de Fraser est d'avoir permis à ses enfants de recevoir une meilleure éducation. Au début des années 1970, le A & P[1] local essaya de quitter South Shore, mais l'« Association des Citoyens Inquiets », soucieux de sauver la zone commerciale de leur quartier, réussit à le retenir. Plus frappant encore, après le départ des familles blanches, la South Shore Bank voulut abandonner les lieux et s'implanter dans le Loop, cc qui aurait compliqué la tâche de beaucoup de commerçants désireux d'obtenir des prêts. « Là où vous voyez un taudis*, je vois une communauté noire privée de banque », déclara le président de la South Shore Commission au *Chicago Tribune* en 1984 – et aux propriétaires par la même occasion. Mais la Commission lutta contre ce départ, et l'administrateur fédéral força la banque à rester dans le quartier dont elle tirait son nom. Ainsi, les Blancs eurent beau s'en aller, South Shore, grâce à l'activisme de la communauté, ne perdit ni ses magasins ni ses services, contrairement à beaucoup de quartiers noirs.

---

1. Chaînes de supermarchés populaires très répandus aux États-Unis.

« La zone, et ses 80 000 habitants, n'a pas connu le sort de Woodlawn, se félicitait le rédacteur en chef du *South Shore Scene* en 1978. La zone a survécu à un changement radical et dévastateur grâce aux efforts et à la détermination de ses habitants, de ses institutions financières et communales, impliquées, hier et aujourd'hui, dans le renforcement et l'amélioration de la communauté. »

Néanmoins, la fuite bien réelle des Blancs fut une des vérités difficiles à laquelle Michelle Robinson dut faire face dès l'enfance : lorsque les Noirs progressaient socialement, ils étaient répudiés par les Blancs. En 1949, Langston Hughes écrivit : « Lorsque je viens / Dans un quartier / Les gens s'en vont / Chaque étranger même / Qui peut s'en aller, s'en va / Pourquoi ? » La progression socio-économique de la famille Robinson s'accompagnait de la preuve physique que les Blancs ne voulaient pas vivre à côté d'eux et qu'ils assimilaient leur présence au déclin du quartier. Son frère Craig devait raconter* plus tard au *Providence Journal* que leurs parents leur disaient de ne pas se sentir désemparés ou abattus par les préjugés raciaux qui les entouraient. Craig, qui se souvient du départ de la dernière famille blanche alors que Michelle et lui étaient encore des enfants, explique que leurs parents leur parlaient souvent des relations entre les races et de la discrimination. Ils leur assuraient qu'« ils valaient autant que n'importe qui, et que ce qui comptait c'étaient le travail et la réussite », se souvient Craig. Fraser et Marian parlaient des préjugés, soulignant que « la vie n'est pas juste. Voilà tout. Et on n'a pas toujours ce qu'on mérite, mais il faut travailler pour obtenir ce qu'on veut. Et cependant, parfois, on ne l'obtient pas ;

même en travaillant dur et en se comportant bien, parfois, on ne l'obtient pas ».

« Cela me semblait toujours* tellement injuste, dit Craig. Mais c'est ce qui m'a préparé à affronter la vie. » Le message de leurs parents surpassait celui que le monde leur envoyait. « Quand vous êtes un gamin* noir et que vous grandissez dans un quartier blanc, les gens vous rappellent tout le temps, parfois sans méchanceté, parfois avec, que vous n'êtes pas assez bien, ajoute Craig. Une famille comme la nôtre, qui vous répète constamment que vous êtes intelligent, que vous êtes bon, que vous êtes charmant, que vous pouvez réussir, était un rempart à toute épreuve. En nous donnant confiance en nous, nos parents nous ont donné une petite longueur d'avance. »

Les Robinson ont également donné une longueur d'avance à leurs enfants en leur faisant comprendre que l'éducation permettait de contourner les préjugés. « La question scolaire* s'imposa très tôt dans notre maison, raconta Craig Robinson au *Hartford Courant*. Nos parents valorisaient l'effort intellectuel et la volonté de donner le meilleur de soi-même ; une fois conditionnés ainsi, on s'habitue et tout ce qu'on veut, c'est avoir les meilleures notes. » Fraser Robinson, dit Craig, était un homme « intelligent, travailleur* », il a élevé ses deux enfants pour qu'ils deviennent brillants, dans une atmosphère familiale fantastique, et il a réussi tout ça avec un salaire d'ouvrier ».

Cependant, même un enfant se rend compte des événements qui se déroulent autour de lui. « Difficile de passer à côté* », lance Jesse Jackson Senior, lui aussi propriétaire d'une maison dans South Shore. En 1968, la zone* « était devenue une forêt de panneaux "À vendre", » se souvient le consultant politique Al

Kindle. Il se rappelle que les gens mettaient le feu à leurs commerces pour récolter l'argent de l'assurance avant que la valeur de leur bien ne s'effondre. « Les conversations commençaient toujours de la même manière : "Nous étions la première famille noire", et, en même temps, chaque membre de la famille en question comprenait que tandis qu'ils devenaient la première famille noire, les Blancs se mettaient à partir. Les ramifications et la dynamique du mouvement étaient autour de nous. »

Stephan Garnett se souvicnt* de ses années d'école primaire dans un établissement public du South Side déserté par les Blancs, même s'il restait encore certains enfants. Un jour, il rentra chez lui et se mit à parler des « nègres » à ses parents, de leur saleté et de leurs mauvaises habitudes. Il avait appris le mot de ses camarades d'école mais ignorait sa signification. Ses parents le firent asseoir et lui expliquèrent, aussi gentiment que possible, que c'était de lui que ces enfants blancs parlaient. Garnett, devenu aujourd'hui un journaliste renommé, professeur à l'école de journalisme Medill de la Northwestern University, se rappelle avoir éclaté en sanglots. En grandissant, il entendit sa mère lui répéter que si « le racisme ne vous tue pas, il vous rend plus fort ». Et son père lui dire qu'il devait se considérer comme un « citoyen du monde ».

Sans aucun doute, les habitants d'Euclid Avenue étaient conscients de ce qui se passait. L'un des premiers Noirs du 7400 fut Terrance Thompson, un musicien, qui, à son retour du Vietnam, décida d'acheter avec ses parents un bâtiment constitué de trois niveaux, avec un appartement sur chaque niveau, situé juste en face du pavillon où devaient s'installer les Robinson. C'était une spécialité du South Shore, ces demeures divisées en plusieurs niveaux, dans lesquelles chaque appartement occupe un étage entier. Thompson vivait déjà avec ses parents et ses grands-parents dans une maison divisée en deux appartements mais, à l'étroit, ils avaient décidé de déménager. Homme affable et sociable, Thompson est un percussionniste né dans une famille de musiciens talentueux, appartenant à la scène jazz de la ville.

« Maman et papa* jouissaient d'une certaine célébrité », lâche-t-il un après-midi, debout dans la rue, devant leur maison. Son père, feu Marshall Thompson, était danseur de claquettes, et batteur attitré du House Jazz Club, un restaurant et night-club à la renommée mondiale jusqu'à sa fermeture dans les années 1970, où il jouait en compagnie d'Oscar Peterson. Sa mère, Earma Thompson, est une pianiste de jazz qui a enregistré plusieurs disques et accompagné les plus grands. Elle et Terrance furent invités au mariage des Obama, ce qui montre bien à quel point Michelle est restée proche du quartier de son enfance.

Terry Thompson raconte que ses parents et lui se sont installés ensemble dans leur nouveau logis. Le propriétaire blanc était heureux de leur vendre la maison, malgré la clause restrictive attachée à l'immeuble – moyen couramment utilisé pour garantir la ségrégation pendant des décennies – qui interdisait la vente à des Noirs. Le propriétaire ignora cette clause, parce qu'il voulait se débarrasser de la maison, ou avait oublié son existence ou était en désaccord avec celle-ci, ou bien encore parce qu'il savait qu'elle était devenue illégale. Thompson conserva l'acte de vente comme rappel du passé. « Après cela, nous avons essayé d'apprivoiser [nos voisins] », raconte-t-il.

Il déblayait la neige pour le couple âgé qui vivait à côté. Malgré cela, les familles blanches commencèrent à disparaître. « Nous ne savions pas exactement pourquoi ils partaient, dit-il. Rien dans leurs mots ou dans leur attitude ne le laissait prévoir. »

Earma Thompson se souvient* qu'après avoir signé l'acte de vente de leur demeure, « les familles blanches qui louaient les appartements du second et du troisième étage nous ont fait savoir qu'elles ne comptaient pas rester. Sans la moindre impolitesse ».

Ce fut aussi l'expérience vécue par Ola Credit, qui habite, aujourd'hui encore, derrière le pavillon des Robinson. Sa famille, dit-elle, devait être la cinquième à s'installer dans le pâté de maisons au milieu des années 1960. Elle se souvient d'une période de coexistence en bonne intelligence. « À peu près tout le monde ici* était blanc, et [ses enfants] jouaient avec leurs voisins, ils faisaient de la bicyclette et les gens leur souriaient et leur disaient bonjour. » À cette époque, le 7400 Euclid Avenue avait un *block club* très puissant. À Chicago, ces clubs rassemblent des voisins qui forment un groupe communal de base et se rencontrent pour discuter de sujets allant des décorations de Noël au problème des voisins qui ne tondent pas leur pelouse. Pendant quelques années le *block club* comprit encore quelques familles blanches. Puis, d'un coup, il n'y en eut plus une seule. « Lorsqu'ils étaient prêts à partir, ils disaient simplement : "Nous allons partir", raconte Credit. Il me semble qu'une fois nous avons même organisé une fête de départ. »

Une fois les Blancs partis, il y eut une certaine et légitime satisfaction à constater que le quartier demeurait inchangé, et qu'il n'y avait aucune dégradation. « Il est arrivé plus d'une fois* qu'en s'installant les Noirs fassent augmenter, et non chuter, la valeur de l'immobilier, remarque Jesse Jackson. Les Noirs s'installaient, ils avaient la possibilité de s'élever dans la société, ils allaient travailler tous les jours, et le quartier retrouvait une stabilité. » Tel un palimpseste, South Shore tente aujourd'hui de retenir les vestiges d'un passé proche et moins proche. Les paroisses noires célèbrent maintenant leurs messes dans des bâtiments qui servaient autrefois de synagogues ou d'églises grecques orthodoxes, et certaines entretiennent également des relations avec des paroisses jumelées du Sud que beaucoup d'habitants de Chicago considèrent encore comme le « pays ».

Quant aux nouveaux arrivants, ils étaient simplement contents de jouir d'un quartier si vaste et plus convenable, dans la plupart des cas, que l'endroit d'où ils venaient. « Mes enfants étaient heureux* de vivre dans un lieu si agréable, où ils n'avaient plus besoin de rentrer leurs vélos et pouvaient les laisser dans la rue toute la nuit », explique Sammie Jackson qui vivait lui aussi juste derrière la maison des Robinson.

Ainsi, quand Michelle eut dix ans, en 1974, le quartier respirait le confort et la sécurité, même si d'autres parties de la ville étaient moins accueillantes. « Lorsque vous grandissez* au sein d'une communauté noire, dans une famille chaleureuse, vous êtes conscients d'être noir, mais vous ne le ressentez pas, ajoute Stephan Garnett. Vous vous sentez accepté, vous êtes à l'aise dans votre quartier. » Il a lui aussi vécu son enfance et son adolescence dans un quartier noir stable de classe moyenne : « Je me sentais en sécurité, à l'abri du danger. Mes parents faisaient tout pour me protéger des frondes et des flèches qui me visaient. Au bout d'un moment, j'ai fini par croire que je vivais dans mon propre monde et je m'y sentais si bien ; aujourd'hui encore certains Afro-Américains éprouvent un profond malaise lorsqu'ils mettent le pied hors de ce monde et ils donneraient n'importe quoi pour pouvoir fréquenter une université historiquement noire. » Parce que, dit-il, une fois que vous avez quitté votre quartier, « la société ne vous laisse jamais oublier que vous êtes noir ».

La famille Robinson fonctionnait clairement comme une bulle protectrice. « Nous avons eu le meilleur exemple* qui soit de la bonne marche d'un foyer heureux », déclare Craig. Fraser était à la maison à l'heure du dîner, Marian partageait avec ses enfants le même franc-parler, mais aussi l'amour viscéral du foyer. Fraser, qui avant que sa maladie ne l'en empêche, était un boxeur accompli et un grand nageur, adorait le sport, et Craig était un joueur de basket-ball doué. Les deux hommes avaient pour habitude de plaisanter en prétendant qu'on pouvait deviner le caractère d'un homme à la façon dont il jouait au basket, théorie que Craig éprouva d'ailleurs sur Barack. Les enfants avaient des corvées assignées : ils faisaient la vaisselle à tour de rôle, et, le samedi, Michelle devait nettoyer la salle de bains. En plus du cercle restreint de la famille, Michelle avait, selon ses propres mots « des tas de tantes*, d'oncles, de cousins, de petits cousins, de cousins éloignés » qui venaient leur rendre visite. Une autre voisine, Johnie Kolheim, voyait les enfants Robinson depuis la fenêtre de son appartement situé dans la maison d'en face. Elle se souvient de Craig, grand et charmant, dans ses vêtements de basketteur. Michelle était « très soignée et terre à terre*. Elle ne m'a jamais fait l'impression d'une suiveuse », plutôt d'une enfant qui savait ce qu'elle voulait.

C'est aussi le portrait que sa mère fait de Michelle, une enfant concentrée et déterminée avec une forte personnalité. « Je dis toujours qu'à partir* d'environ neuf ans, Michelle s'est éduquée toute seule, a-t-elle déclaré au *Chicago Tribune*. Elle avait les idées bien en place très jeune. » Craig plaisante volontiers en racontant qu'ils jouaient au « bureau » et que Michelle faisait la secrétaire et lui le patron, mais qu'il n'avait jamais rien à faire parce qu'elle insistait pour se charger de tout. Il se rappelle aussi qu'elle détestait perdre aux jeux de société et était souvent contrariée quand elle regardait du sport à la télévision, parce qu'elle ne supportait pas de voir son équipe se faire battre. Plus tard, lorsqu'ils jouaient au basket ensemble, et que la partie devenait trop serrée, elle préférait abandonner. Elle était grande, comme son frère, et ravissante. « Elle a toujours eu de l'allure* », raconte Credit, leur voisine de derrière. La fille de Credit, qui avait un jour de plus qu'elle, jouait avec Michelle, et à la soirée de fin d'études de Michelle, c'est un neveu de Credit qui l'a accompagnée au bal de promotion. Credit a toujours pensé que Michelle deviendrait mannequin, car c'était une jeune fille élégante, au maintien parfait.

« Elle se comportait toujours convenablement, et se montrait respectueuse envers les adultes, elle était souriante, bien élevée et toujours calme. Mon fils, qui était plus jeune, avait pris Craig pour modèle. » Les petits Robinson, dit-elle, étaient des exemples pour les autres enfants.

Credit se souvient également de Fraser Robinson comme d'un homme toujours souriant, malgré la maladie qui le rongeait. « Il avait des béquilles, et c'était triste de le voir dans cet état. Mais il marchait et affichait toujours le même sourire, la même bonne humeur. Il plaisantait – il n'a jamais perdu son sens de l'humour. » Leurs enfants gravitent peut-être dans des sphères différentes, mais les Robinson sont restés attachés à leurs voisins de longue date. « Ils sont comme ma famille : j'ai traversé avec eux la maladie, la mort, les remises de diplômes, les mariages », raconte Credit qui assista plus tard au mariage de Barack et Michelle à la Trinity United Church of Christ. Credit put profiter de ce moment en compagnie dc toute la société chic de Chicago.

En fin de compte, les Robinson menaient une existence confortable. Marian Robinson devait dire plus tard dans une interview au *New Yorker* qu'ils n'avaient jamais eu l'impression de se priver. « Si la télévision tombait en panne* et que nous n'avions pas de quoi la faire réparer, nous pouvions toujours en racheter une à crédit, tant que nous avions de quoi payer les mensualités à temps. » Le samedi soir, la famille jouait aux dames chinoises, au Monopoly et autres jeux de société. Une fois par an, ils se rendaient à la Dukes Happy Holiday Resort, à White Cloud, dans le Michigan, une résidence afro-américaine sympathique où ils passaient leurs congés. Barack Obama décrirait plus tard la famille Robinson comme tout droit sortie de *Leave it to Beaver*[1], une famille

---

1. *Leave it to Beaver* est une série américaine diffusée entre 1957 et 1963 qui mettait en scène les tribulations d'une famille heureuse et sympathique, les Cleaver. Les parents, Maman June et Papa Ward et leurs deux garçons, Wally et Beaver, incarnaient l'idéal familial des années 1950.

nucléaire modèle où les parents s'entendaient bien et les enfants étaient aimés et soignés tout en comprenant qu'on attendait d'eux qu'ils fassent des études et réussissent, où les proches ne cessaient d'aller et venir, restaient dîner, jouaient du jazz ou racontaient leurs meilleures anecdotes. La mère de Michelle, Marian, était, selon un ami de la famille, « le sel de la terre », pleine de bon sens et d'autorité. Et les enfants respectaient tant leur père que leur plus grande terreur était de le décevoir. De temps à autre, leur mère leur administrait une punition physique, mais leur père se contentait de les… regarder. « Le décevoir, c'était pire que tout, raconta Michelle à *Newsweek*, on en aurait hurlé. »

Au fil des ans, cependant, Michelle comprit que tous les membres de sa communauté ne s'en sortaient pas aussi bien qu'elle. « On ne grandit pas* dans le South Side en ignorant qu'il existe des communautés pauvres. Même si vous ne vivez pas dans l'un de ces quartiers, vous n'en êtes jamais loin », explique Stephan Garnett. La ville faisait en sorte que l'ensemble des logements sociaux soit construit dans les quartiers noirs, et pas ailleurs ; et dans South Shore même, certaines locations étaient réservées à des familles dont les revenus étaient inférieurs à ceux des voisins de Michelle. À cette époque, certaines familles de South Shore avaient un revenu moyen de 23 000 dollars, d'autres de 9 000 dollars.

Les années 1970 connurent une scission dans South Shore, comme dans le reste de la ville. Certains membres de la communauté noire continuaient de prospérer, s'enrichissant plus encore grâce à la discrimination positive et à d'autres mesures visant à les aider à progresser dans la société, et à réparer les injustices du passé, pendant que d'autres restaient sur le bord de la route, victimes de la violence armée, noyés sous la criminalité, la drogue et tous les autres malheurs qui accompagnèrent le tarissement des emplois ouvriers en zone urbaine. La tendance apparut dans les années 1950 quand les abattoirs commencèrent à fermer. Dans les années 1960, les usines et les aciéries les imitèrent. Le fossé entre les pauvres et les plus aisés se creusa et devint de plus en plus évident. Ce déclin de la classe ouvrière est un des thèmes chers à Michelle Obama, car elle en a été personnellement témoin. Quand Barack Obama arriva à Chicago, en 1985, il eut pour tâche d'aider la communauté à progresser malgré la disparition des industries qui avaient forgé l'identité du South Side. Son travail, une lutte pénible et permanente, était de chercher, avec les leaders et les pasteurs locaux, une nouvelle façon de s'en sortir.

Michelle vivait au cœur de la communauté lorsque les fermetures d'usines se sont produites, et ce drame fait partie de son identité et de ses préoccupations majeures. C'est à peu près à ce moment, dit-elle, qu'elle a appris à être cette gamine brillante qui ne se faisait pas remarquer, il s'agissait, dit-elle, « de parler deux langues ». « Ce que j'ai appris, enfant*, explique-t-elle, c'est que si je ne voulais pas prendre une raclée tous les jours à la sortie de l'école, il valait mieux ne pas étaler mon intelligence devant ceux qui se battaient contre toutes sortes de difficultés. » Le truc, c'est « d'être malin sans que ça se voie ». Les critiques lui ont reproché son pessimisme et son ingratitude par rapport à la prospérité de son enfance, mais elle n'oublie pas qu'elle a été témoin d'une inégalité profonde. « Nous sommes devenus une nation* de gens qui luttent chaque jour et parviennent à peine à s'en sortir, a-t-elle lancé dans une église de Caroline du Sud en janvier 2008. Les gens sont de plus en plus enfermés dans cette lutte, et ce phénomène n'a jamais cessé d'empirer. »

Cette sensibilité, cette proximité avec ceux dont la vie est allée en empirant alors qu'elle s'améliorait pour elle, l'habitent depuis un bon moment. Dans sa thèse de fin d'études, « Les Noirs issus de Princeton et la communauté noire », la question de la dette des Noirs à forts revenus envers les moins chanceux était une préoccupation majeure. Pour illustrer et nourrir sa thèse, elle envoya des questionnaires aux anciens diplômés noirs de Princeton, leur demandant notamment s'ils préféraient passer du temps avec des Blancs ou avec des Noirs, et quels sentiments ils éprouvaient vis-à-vis des Noirs qui avaient moins bien réussi qu'eux. « L'obligation d'améliorer la vie des classes inférieures noires, la culpabilité d'avoir trahi les classes inférieures noires, la honte ou l'envie vis-à-vis des classes inférieures noires, tels sont les sentiments que cette étude explorera », annonce-t-elle. Dans l'une de ces questions, elle interrogeait les anciens sur « leurs attitudes personnelles vis-à-vis des classes inférieures noires ».

« Quand vous pensez aux classes inférieures noires et à la vie qu'elles mènent, à quel point les affirmations suivantes s'appliquent-elles à vous ? » Parmi les réponses proposées, figuraient : « Je me sens fier d'avoir été assez fort pour échapper à cette existence ou ne pas y avoir échoué », et aussi « Je me sens coupable car j'ai l'impression de les trahir d'une certaine manière », de même que « J'ai honte d'eux » et « Leur situation est sans espoir ».

En fait, Michelle a vécu dans un monde où, d'une famille à l'autre, les gens avaient des perspectives fondamentalement différentes. L'endroit où elle a grandi offrait un foyer aux familles afro-américaines qui avaient le vent en poupe comme la sienne, mais aussi à celles qui dépérissaient. Et cette différence serait exacerbée par la discrimination positive, qui, malgré tous ses avantages, allait propulser de nombreux Afro-Américains prospères hors de leurs quartiers d'origine. Les gens s'en allaient. Du coup, même South Shore subit un certain déclin. Dans les années 1990, quand la ville se mit à démolir les logements sociaux les plus mal famés et les plus peuplés, leurs habitants avaient peu d'endroits où aller, et comme la plupart d'entre eux étaient noirs, ils s'installèrent dans les quartiers noirs alentour ou dans les banlieues noires. Ainsi, si le secteur le plus cher de South Shore, au bord du lac, est demeuré inchangé, d'autres zones en revanche ont vu leur criminalité monter en flèche. Le long d'une des grandes artères commerciales, non loin de la maison de la mère de Michelle, on compte désormais parmi les petits commerçants – coiffeur, barbier, laveries – bon nombre de rideaux de fer baissés. Le parking d'une ancienne boutique de foulards qui a périclité est désormais vide et couvert de tessons de verre. Les habitants essayent encore de maintenir l'ordre dans un quartier dont ils sont toujours fiers, mais ainsi que le formule Terry Thompson, « le genre de crime que nous connaissons aujourd'hui n'a jamais existé auparavant ».

Quant à Michelle, l'événement qui lui a fait quitter son quartier fut le lancement par la municipalité de programmes d'excellence permettant aux meilleurs élèves d'accéder à des lycées phares. Avec le scandale du logement, la ségrégation dans les écoles avait longtemps été une tache honteuse sur l'image de la ville et une plaie ancienne pour les citoyens afro-américains. « Pendant l'été 1963*, des manifestations gigantesques eurent lieu contre la ségrégation scolaire, elles culminèrent avec un boycott de l'école le même automne », constate Don Rose. Les écoles noires étaient bondées et bien moins équipées que les blanches, et la ville n'avait reculé devant rien pour être sûre que les enfants noirs y resteraient. Dans les années 1960, elle avait ainsi affrété les tristement célèbres « Willis wagons » pour maintenir les enfants noirs à l'écart. Ce surnom leur avait été donné, car, sous le régime scolaire du superintendant Benjamin Willis, tandis que les écoles noires débordaient et que les écoles blanches se vidaient, la ville fit venir des « classes roulantes » – des remorques en aluminium – pour abriter le surcroît d'élèves et les maintenir à distance des autres écoles. Même ainsi, les élèves blancs quittaient un à un les écoles municipales, leurs familles s'installant en banlieue.

De nombreuses villes à l'époque étaient placées sous la surveillance de cours fédérales dont le rôle était de garantir qu'elles prenaient les mesures nécessaires à la déségrégation. Au début des années 1970, Chicago voulut inverser ou juste affaiblir la fuite des Blancs, tout en offrant aux élèves noirs les plus méritants de poursuivre leurs études dans des écoles bien équipées. Ainsi, pile au moment où Michelle devenait adolescente, la ville ouvrit un lycée juste à côté de son quartier, où elle fut admise et où les enfants de différentes races étaient officiellement encouragés à se lier. Selon les récits de

74

plusieurs de ses camarades, Michelle s'adapta au changement avec élégance. Sociable comme son père, jamais suffisante, elle devint une jeune femme appréciée capable d'évoluer avec aisance au milieu d'étudiants de tous horizons.

3

Trente-trois des meilleurs éléments d'une *magnet school*[1] se tenaient sur une estrade. C'était en 1981, et les élèves de terminale de la Whitney M. Young Magnet High School, admis à la National Honor Society[2], étaient rassemblés pour une photo de fin d'année. Au début de leur scolarité, ils avaient été obligés, pendant leur semaine d'intégration, de se livrer à des actes ridicules comme porter un bonnet d'âne ou réciter des poésies dépourvues de sens debout dans le réfectoire. Ils avaient réussi à maintenir leurs résultats au plus haut niveau et avaient survécu, ou presque, à la dernière année. Dans quelques mois, ils prendraient des chemins différents, mais pour le moment ils étaient encore ensemble, Blancs et Noirs, filles et garçons, des jeunes venant de différents quartiers de Chicago, pour ces quelques heures de solidarité et de fierté justifiées. Au premier

1. *Magnet school* : école dont la structure et le programme d'études sont centrés sur l'égalité des chances.
2. National Honor Society : organisme créé en 1921 pour récompenser les meilleurs élèves.

rang était assise la présidente de l'année de la Honor Society, Santita Jackson, la fille du révérend Jesse Jackson, souriante et réservée, vêtue d'une jupe écossaise et d'un pull à col roulé. Leur sponsor, leur professeur de sciences, M. Takekawa, se tenait d'un côté, avec une veste écossaise et des lunettes. Au dernier rang, Christy McNulty, en chemisier à rayures, les cheveux flottant sur ses épaules, était près de son amie et néanmoins rivale politique, Michelle Robinson, portant un pull au décolleté en V.

Toutes les deux vivaient à South Shore. Christy faisait partie d'une des rares familles blanches restées dans le secteur, et s'était habituée à l'attention qu'elle provoquait quand elle marchait dans la rue où parfois les gens l'appelaient « Blanche-Neige ». Tout comme Michelle, elle prenait le bus puis le métro aérien pour se rendre au lycée, un trajet d'une demi-heure à deux heures, selon les trains et la météo, qui était particulièrement rude en hiver, avec le froid, la neige et le vent. Tout comme Michelle, elle s'était présentée au poste de trésorière de sa classe, et Michelle l'avait battue, d'une seule voix, se souvient-elle encore.

Christy ne lui en tint pas rigueur. Les deux jeunes filles s'entendaient bien, comme c'était le cas pour la plupart des étudiants de Whitney Young. À tel point que, juste avant qu'on ne prenne la photo, Michelle avait posé sa main sur l'épaule de Christy. « Ce fut un geste spontané*, se souvient Christy, caractéristique de sa personnalité. Elle s'est toujours montrée positive, amicale et ouverte. Je ne l'ai jamais vue faire preuve de discrimination. »

Tout le lycée était ainsi. Sur cette photo, élèves blancs et noirs se tiennent par l'épaule, formant un groupe multiracial souriant, debout sur l'estrade, les bras entrelacés. En dépit des tensions raciales que connut Chicago à la fin des années 1970 et dans les années 1980, Whitney Young formait une bulle de bonne entente et de fraternité, un lieu où les étudiants s'estimaient tant les uns les autres qu'ils intitulèrent leur annuaire « Le Cercle des amis ». À en juger par les souvenirs des anciens, Whitney Young constituait une expérience en diversité qui marchait. L'école offrait ce qui était alors en Amérique un terrain éducationnel inhabituel : bien qu'ouverte à tous, les étudiants afro-américains y étaient majoritaires. Ils pouvaient étendre leurs liens sociaux malgré leur supériorité numérique, privilège que la majorité des écoles supérieures et des campus universitaires réservait aux Blancs qui le tenaient pour acquis.

Le but de Whitney Young, comme des autres *magnet schools*, était de réunir des étudiants de toutes origines pour leur offrir des équipements nombreux, et un niveau d'études élevé, en particulier dans le domaine des arts et des sciences. Les élèves pouvaient également suivre des cours de première année à l'université de l'Illinois qui était proche. L'école devait son nom au défunt Whitney Moore Young Jr., Afro-Américain originaire du Kentucky, leader des droits civiques, qui avait été directeur exécutif de l'Urban League, poste où il avait lutté pour que les Noirs jouissent des mêmes opportunités que les Blancs à l'école et sur leur lieu de travail. Le bâtiment avait été construit dans la partie ouest du centre-ville, une zone excentrée, sur un terrain dont personne n'avait voulu.

Pour s'y rendre, Michelle devait emprunter le métro aérien puis traverser une zone peu agréable composée d'usines, de sièges de syndicats, et d'immeubles parfois abandonnés. Certains portaient encore les traces des dégâts causés par les émeutes et les incendies qui suivirent l'assassinat de Martin Luther King, en 1968. Rien de tout cela ne se produisit dans South Shore, ou dans les quartiers sud, car les leaders locaux furent capables d'étouffer la révolte. Mais de nombreuses violences explosèrent dans d'autres secteurs. Le maire, Daley, s'aliéna une grande partie de la population afro-américaine, ainsi que de nombreux Blancs, en donnant à la police l'ordre de « tirer pour tuer ». Une coalition indépendante de Noirs et de Blancs progressistes se rassembla alors dans le but de briser la « Machine », et forma un mouvement indépendant qui aboutit à l'élection d'Harold Washington en 1983.

Whitney Young ouvrit ses portes en 1975. Michelle Robinson s'inscrivit peu après, et fut la première de sa famille à y entrer. « Mes parents n'avaient pas reçu d'éducation supérieure*, et ignoraient ce dont nous avions besoin, expliqua-t-elle plus tard à un journaliste. Mais ils étaient bien décidés à nous tenir à l'écart des établissements du quartier. » L'école de South Shore n'était qu'à un pâté de maisons, pourtant Craig avait déjà été envoyé à Mt Carmel, un lycée privé d'où sortaient un grand nombre d'excellents joueurs de basket, au nombre desquels il figurait. Quitter le quartier représentait un défi pour Michelle. Âgée de treize ans, elle fit preuve d'un esprit d'aventure assez extraordinaire en choisissant un collège qui se trouvait à plusieurs kilomètres de chez elle.

« À l'époque, quitter son quartier* pour aller au lycée était une chose complètement nouvelle, explique

Dagney Bloland, un professeur d'anglais. C'était un quartier industriel avec des usines, souvent abandonnées. Il n'y avait pas de magasins, les églises étaient peu fréquentées. Venir ici était une véritable expérience. Il fallait vraiment placer l'éducation au-dessus de tout. »

Cela montre aussi le désir des parents d'évoluer socialement. Marion et Fraser Robinson savaient que seule l'instruction pouvait assurer à leurs enfants plus d'autonomie, de véritables choix professionnels, et élargir l'éventail de leurs relations. Elle influencerait leur mode de vie et la façon dont ils élèveraient leurs propres enfants. Dans les écoles et sur les lieux de travail, de nouvelles opportunités commençaient à s'ouvrir aux Afro-Américains, qui dépassaient de loin celles à laquelle les Robinson et les gens de leur génération avaient eu accès.

Byron Brazier, pasteur de l'Église apostolique de Dieu, décrit cette période, les années 1970, comme l'une de celles qui ont eu le plus grand impact psychologique sur de nombreux jeunes Afro-Américains. Au milieu des années 1960, après la loi sur les droits civiques, se mit en place la politique de discrimination positive. Les changements qui en résultèrent* eurent un profond effet sur Brazier, et tous ceux qui, comme lui, purent entrer dans un univers professionnel jusque-là réservé aux Blancs. Brazier, qui mena une carrière enviable au sein d'une entreprise, avant de prendre l'habit, se souvient que ces années 1970 donnèrent à un grand nombre de jeunes Noirs « une impression de possibilité, de facilité d'accès. Les portes s'ouvraient enfin ». Pouvoir étudier à Whitney Young signifiait aussi découvrir de nouveaux horizons.

« C'était une école* fréquentée par les Afro-Américains les plus brillants », raconte le consultant politique Al Kindle. Y être admis n'était pas une mince victoire. À l'époque, il était plus difficile pour un Noir que pour un Blanc d'entrer à Whitney Young. Au début, l'établissement se voulait racialement équilibré, avec 40 % de Blancs, 40 % de Noirs, 10 % de Latinos, 5 % d'autres races et 5 % d'admis selon le bon vouloir du principal. Il fallait attirer des étudiants de tous les quartiers, sélectionner les meilleurs, et atteindre un équilibre racial.

Mais en 1976, l'ensemble de la population des lycées était composé de 51 % de Noirs, 37 % de Blancs et 10 % de Latinos. Pour atteindre son quota de 40 % de Blancs, Whitney Young devait attirer un nombre disproportionné d'étudiants blancs alors que ceux-ci disposaient d'établissements de bon niveau dans leurs quartiers. « Ils ont vraiment tout mis en œuvre afin de réussir cette intégration », se souvient Christy McNulty, mais ils ont échoué. En 1987, une équipe d'assesseurs extérieurs a estimé qu'à Whitney Young, « la population blanche avait décliné d'environ 34,2 % en 1980 et de 18 % en 1986 ».

Pourtant, l'école disposait de sa propre station radio, d'une piscine de taille olympique, de cours de très haut niveau. Mais tous ces avantages n'étaient pas suffisamment intéressants pour certaines familles. Un grand nombre d'entre elles envoyait leurs enfants dans des écoles catholiques ou d'autres établissements privés, et ils se battaient en général pour conserver leurs élèves.

Par voie de conséquence, une sorte de discrimination positive était appliquée aux Blancs qui bénéficiaient de mesures moins rigoureuses pour leur admission.

Aujourd'hui, la renommée de Whitney Young est telle que des étudiants de toutes ethnies veulent y entrer. Ce n'est pas étonnant : selon Mark Grishaber, proviseur adjoint, tous les élèves de 2008 ont été admis dans l'université de leur choix.

Malgré la sélection de départ, Whitney Young bénéficiait d'une atmosphère détendue. Les étudiants étaient encouragés à réfléchir aux sujets les plus importants. On y trouvait de nombreux clubs, et les possibilités de montrer ses qualités de leader étaient nombreuses. L'établissement offrait des cours très intéressants à ceux qui se préparaient à des études universitaires. L'ensemble de la communauté se donnait pour but d'atteindre le plus haut niveau académique.

Tolérance et unité étaient de mise. Whitney Young proposait une classe spéciale pour les sourds et les malentendants, ce qui sensibilisait les étudiants aux besoins de ceux qui souffraient de certaines infirmités. De plus, ceux qui avaient choisi d'entrer dans cette école venaient souvent de familles progressistes. Les élèves faisaient preuve d'un certain esprit d'aventure. « C'était une configuration unique : il ne s'agissait pas simplement d'un groupe de jeunes qui provenaient de quartiers différents. Il s'agissait d'un véritable engagement et les parents savaient que leurs enfants allaient bénéficier d'un environnement plus riche », raconte Dagney Bloland.

Christy McNulty se souvient de très peu de ségrégation à l'intérieur du lycée. Même si l'équipe de natation était blanche, et le groupe de danse essentiellement noir, la plupart des clubs et équipes étaient mixtes. L'école prônait les mélanges. Et la plupart des élèves choisissaient la mixité. « C'était d'ailleurs assez amusant, de retour à la maison vous retrouviez les vôtres, mais à l'école vous alliez à la découverte des autres », se souvient McNulty.

Les camarades de classe de Michelle se souviennent d'elle comme d'une jeune fille chaleureuse, concentrée, plus calme qu'on ne l'aurait cru étant donné son franc-parler pendant la campagne présidentielle. Christy McNulty se rappelle que, pour le poste de trésorière, elles avaient dû prononcer un discours devant tous les élèves rassemblés. Et Michelle avait fait un gros effort pour prendre la parole devant un millier de personnes. Robert Mayfield, un autre condisciple, garde le souvenir d'une jeune femme équilibrée et sans prétention qui l'avait aidé à tenir son rôle de délégué de classe. Il supposait qu'elle avait aujourd'hui le même effet bénéfique sur Barack Obama. Il y avait bien quelques coteries fondées sur les résultats, des intérêts communs ou des capacités athlétiques, mais Michelle « naviguait gracieusement » d'un groupe social à l'autre.

On ne la détournait pas aisément de ses études. « Il était évident qu'elle avait des objectifs, et qu'elle réussirait, dit son ancienne camarade de classe Michelle Ealey Toliver. Ce n'était pas une fainéante comme certains étudiants. Elle faisait partie des meilleurs élèves. Elle s'était fixé un chemin, et le suivait, concentrée. » Dans son autobiographie, *Les Rêves de mon père*, Barack Obama reconnaît avoir consommé de l'alcool et de la cocaïne avec ses copains à la très chic Punaho School de Hawaii. Michelle a mené une existence beaucoup plus stricte dans son lycée public où les principales distractions étaient des défilés de mode ou des courses en chaussettes. Une autre camarade de classe, Ava Griffin, se souvient que les blagues restaient raisonnables, comme le jour où un groupe d'étudiants disséquaient des utérus de truies en cours de biologie et que des embryons atterrirent dans les bocaux de condiments à la caféteria, provoquant une bataille mémorable. « Mais Michelle se tenait à l'écart* de ce genre de choses », dit Griffin.

Elle n'hésitait pas cependant à se défendre si elle estimait qu'on lui avait fait du tort. « Michelle a toujours su se faire entendre*, raconta sa mère, Marian Robinson, au *New Yorker*. Elle ne supporte pas l'injustice, et le dit. » Son frère Craig se souvient de l'avoir entendue se plaindre des cours de français à Princeton, où l'on ne pratiquait pas assez l'art de la conversation. Comme Craig vivait sur le même campus que sa sœur, sa mère lui conseilla « de faire comme s'il ne la connaissait pas* ». De même, à Whitney Young, quand un professeur de dactylographie ne lui donna pas le A qu'elle méritait, Michelle protesta avec véhémence. « Elle ne cessait de le harceler*, déclara Marian Robinson à *Newsweek*. J'ai fini par l'appeler pour lui expliquer que Michelle ne laisserait pas tomber. » Tout au long de sa vie, Michelle a refusé d'accepter ce qu'elle considère comme une injustice.

À cette époque, elle se lia d'amitié avec les enfants de notables. Santita Jackson, qui vivait dans un quartier plus chic de South Shore, est l'une de ses plus proches amies. « Il était clair qu'elles avaient* un certain lien spirituel », se souvient le révérend Jesse Jackson Senior, décrivant Michelle comme une jeune fille « déterminée, une battante… Elle croyait en son destin ».

Comme dans toute école, il y avait aussi des coteries fondées sur le quartier dont vous étiez originaire. Michelle Ealey Toliver se rappelle que des jeunes venant du même quartier que Michelle avaient formé l'un de ces groupes, tandis que ceux provenant d'une communauté afro-américaine plus importante en avaient formé un autre. « Il existait une rivalité amicale entre l'Ouest et le Sud. Ce dernier représentait le groupe socio-économique le plus aisé, nombre d'étudiants étant des enfants de politiciens ou de gens importants, comme Jesse Jackson. Le plus drôle, dit-elle, c'est que les étudiants les plus fortunés s'habillaient de façon décontractée tandis que les autres s'efforçaient d'être plus élégants. » Sur la photo de fin d'année, Michelle porte un jean et une chemise, la main sur la hanche et le sourire aux lèvres. Quand Michelle s'était offert un sac à main de marque avec l'argent de ses baby-sittings, sa mère s'était étonnée du prix*, mais sa fille lui avait expliqué que Marian aurait beau s'acheter dix sacs bon marché, elle n'en aurait besoin que d'un seul.

Michelle fut qualifiée pour la National Honor Society, ce qui prouvait qu'elle avait d'excellents résultats. Mais les notes ne suffisaient pas, il fallait également rendre des services à la communauté. Dans un discours à New Lenox, dans l'Illinois, pendant la course au Sénat américain de son mari, Michelle expliqua à un groupe d'étudiants qu'elle avait été classée trentième-deuxième. Selon sa mère et son frère, ces résultats lui avaient demandé beaucoup d'efforts ; elle réussissait parce qu'elle travaillait dur. Craig raconte qu'il allait jouer au basket, alors que sa sœur étudiait, qu'à son retour, elle bossait encore pendant qu'il allait regarder la télévision. Craig réussissait plus facilement que sa sœur aux examens. « Michelle était toujours déçue*, a dit sa mère. Elle a toujours eu des problèmes avec les examens, alors elle travaillait énormément pour compenser. Je suis sûre que c'était psychologique, car elle étudiait beaucoup, alors que son frère était du genre à passer ses examens les mains dans les poches. Quand on vit avec quelqu'un comme ça, même si on réussit, on a envie de faire aussi bien, voire mieux. » Michelle critique souvent ce système scolaire fondé essentiellement sur les examens, alors qu'elle n'excellait pas dans ce genre d'exercices.

De son éducation, elle garde surtout une impression de découragement. « Peu de personnes croyaient en moi* », dit-elle à Chicago, lors d'un déjeuner en l'honneur d'un programme, High Jump, qui soutenait des enfants doués dépourvus de moyens financiers. « J'ai réussi malgré tout, leur dit-elle, alors que tout le monde vous dit de ne pas viser trop haut, évoque toutes sortes d'obstacles, vous interdit de faire ci ou ça. » Dans certains discours, elle se décrit en général comme une femme qui n'était pas supposée arriver là où elle est parvenue. « Toute ma vie, je me suis retrouvée confrontée à des personnes qui n'attendaient rien ou pas grand-chose de moi, déclara-t-elle à Madison, dans le Wisconsin. Il y a toujours eu quelqu'un* pour me dire ce que je ne pouvais pas faire. J'ai demandé Princeton. On m'a mise en garde, mes résultats n'étaient pas assez bons. J'ai pourtant été admise. Ensuite, j'ai voulu aller à Harvard, là encore, j'ai entendu que c'était sans doute un peu trop dur pour moi… Je ne sais même pas pourquoi on me disait ça. »

Cela s'applique-t-il à ses années de lycée ? L'adjoint du proviseur de Whitney Young, Marc Grishaber, dit que la plupart des professeurs qui se trouvaient à l'école en même temps que Michelle ne se souviennent pas d'elle. Dans un discours à Chicago, elle racontait qu'elle avait demandé les universités de la Ivy League, et qu'on lui avait conseillé de choisir aussi d'autres établissements en cas de refus, juste pour être tranquille. Mais à New Lenox, dans l'Illinois, elle expliqua que personne ne lui avait jamais parlé* de Princeton ou d'Harvard, ni même d'aller à l'université. Ce qui demeure toutefois dans ces différentes versions, c'est le souvenir d'avoir été découragée ou ignorée. Selon Robert Mayfield, les conseillers de l'établissement étaient compétents. « La plupart nous poussaient à persévérer, et c'est ce que nous avons fait en général. » Seule une conseillère, une Blanche, avait la réputation de se montrer moins encourageante vis-à-vis des Afro-Américains. « C'était un problème de génération, explique-t-il. Cette femme n'avait pas évolué avec son temps. Michelle s'est peut-être retrouvée face à elle. » Si c'est le cas, elle en a gardé un mauvais souvenir qui allait s'ajouter ensuite aux manques d'encouragements reçus ailleurs, en tant qu'Afro-Américaine et en tant que femme. Elle a tellement été marquée par cette expérience qu'elle se décrit souvent comme le produit d'écoles de quartier, traitant les *magnet schools* comme le résultat indésirable d'un système éducatif qui a échoué, le genre d'endroit où vous devez « resquiller » pour entrer.

Selon ses dires, Michelle s'était présentée à Princeton parce que Craig s'y trouvait. Il avait été accepté en partie pour ses talents de basketteur, et deviendrait d'ailleurs l'un de leurs meilleurs joueurs. Initialement, il voulait aller à l'université de Washington qui lui avait offert une bourse. Mais Fraser Robinson connaissait la valeur d'un diplôme de Princeton, et lui avait vivement reproché de penser uniquement aux frais scolaires. « Si tu choisis* un établissement en fonction des frais de scolarité, je serai vraiment déçu », lui avait dit son père. « Mes parents ont toujours été clairs à ce sujet, confirme Michelle. Ils nous ont toujours dit de choisir la meilleure école et de ne pas nous soucier de l'argent. » Sa mère travailla comme secrétaire en partie pour contribuer à leurs frais d'éducation. Les Robinson savaient qu'une université comme Princeton les ferait entrer dans une nouvelle catégorie socio-économique. « Vous ne travaillez pas à Wall Street*, si vous ne sortez pas de Princeton, désolé, mais c'est ainsi », dira plus tard Craig. Évoquant également comment, au début, tout lui semblait très intimidant là-bas. Il avait pris un bus pour se rendre de New York à Princeton, avec un sac et une valise, alors que les autres étudiants arrivaient en voiture, chargés de tas d'effets personnels.

« J'ai été dépassé* par Princeton, dira-t-il plus tard. J'étais tellement en retard, et je n'avais même pas un fan. » Le premier semestre fut si difficile qu'il appela son père à la rescousse. « Il m'a dit que je ne serais pas le numéro un de Princeton, mais que je ne serais pas non plus le dernier. Ses propos ont remis les choses en perspective. Je me suis senti mieux après. »

Craig et Michelle se sont vraiment demandé si cela valait la peine d'utiliser leurs super diplômes de la Ivy League pour poursuivre une carrière lucrative au sein d'une entreprise ou bien s'ils devaient choisir un travail qu'ils aimaient et qui serait plus gratifiant.

Après avoir joué en professionnel en Europe pendant plusieurs années, Craig obtint un MBA à l'université de Chicago et travailla ensuite dans plusieurs entreprises. Il savoura sa richesse puis comprit que ce travail ne le rendait pas heureux. « J'ai presque honte* de l'admettre, affirmera-t-il plus tard au *New York Times*. J'avais une Porsche 944 turbo ainsi qu'un break BMW. Qui a un break BMW ? C'est la voiture la plus stupide du monde. Pourquoi acheter un break à 75 000 dollars ?... Tous ces trucs ne m'ont pas rendu plus heureux. » À l'âge de trente-sept ans, Craig a décidé de quitter l'univers des banques d'investissement pour devenir entraîneur de basket, un travail qu'il aime. Il a récemment quitté son poste à l'université de Brown pour le même poste, à Oregon State. Qu'il ait passé tant de temps à Wall Street donne une idée de la pression que pouvaient ressentir les étudiants qui bénéficiaient d'une bourse, et se devaient de choisir une profession bien rémunérée, pression qui s'exercerait sur Michelle aussi.

Lorsqu'elle lui rendit visite à Princeton, elle se dit que si Craig avait pu entrer dans cet établissement, elle pouvait en faire autant. « Je le connaissais*, je connaissais sa façon d'étudier, et je me suis dit : Pourquoi pas moi ? »

Un tel choix allait la propulser dans un environnement très différent, encore plus performant que Whitney Young, mais beaucoup moins intégrant. « Beaucoup de mes camarades afro-américains se rendirent compte, une fois à la fac, que dans le monde extérieur, la séparation et la discrimination étaient importantes, dit Christy McNulty. À Whitney Young, ils pouvaient se présenter à tous les postes, il n'y avait aucune limite... Une fois à l'université, ils subissaient une sorte de choc culturel, surtout quand il s'agissait de la Ivy League. »

Comme le dit Byron Brazier : « L'Amérique connut une période de croissance dans les années 1970, en particulier dans ses relations avec la population afro-américaine. Une période pendant laquelle nous avons beaucoup appris les uns des autres. »

Les années 1980 allaient se révéler légèrement différentes.

4

À la fin de l'été 1981, quand Michelle arriva dans le New Jersey, sur le campus de Princeton, avec ses tours néo-gothiques grises et ses terrains sportifs à la douce odeur de pelouse fraîchement tondue, les Afro-Américains représentaient moins de 10 % du corps étudiant. En première année, il n'y avait que quatre-vingt-quatorze Noirs sur plus de mille élèves. L'établissement n'avait jamais été pionnier en matière d'évolution raciale. Woodrow Wilson, président de l'université en 1904, notait que « l'esprit et la tradition du lieu sont tels qu'aucun négro n'a jamais demandé à y être admis, et il semble peu probable que cela arrive jamais ». En 1936, Bruce M. Wright*, afro-américain, fut admis par erreur ; quand il arriva sur le campus, on lui demanda de partir. Comme le fait remarquer l'historien James Axtell dans *The Making of Princeton University*, quand le candidat malheureux trouva le courage, trois ans plus tard, de demander des explications au directeur, celui-ci attira son attention sur le nombre élevé d'étudiants sudistes, et lui fit remarquer « qu'un membre de sa race se serait senti isolé ». Plus tard, le doyen de la chapelle lui dit que « le problème de race est au-delà de toute solution en Amérique. Ne perdez pas votre temps à combattre le système ici ».

L'établissement avait toujours été très exclusif, grouillant de clubs, comme toutes les écoles de la Ivy League, et probablement aussi la plupart des universités privées. Mais c'était particulièrement vrai de Princeton où la vie sociale avait toujours été dominée par ces *eating clubs*, ces vastes maisons au style architectural différent qui longeaient la large Prospect Avenue. Ils fonctionnaient comme des fraternités : des garçons, et parfois des filles, issus de la bonne société, étaient sélectionnés selon une procédure très complète, au cours de laquelle les candidats se voyaient bombardés de questions et faisaient ensuite l'objet de longues discussions entre membres. Une fois admis, les étudiants restaient au sein de leur club et y prenaient aussi leurs repas. Pour ces étudiants de milieux aisés, il n'y avait que très peu de choix en matière de repas, et ne pas être admis dans l'un de ces clubs avait de réelles répercussions. Ne pas y être admis était une réalité de la vie, surtout pour certains. Dans les années 1950, un grand nombre de clubs se firent remarquer en refusant leur entrée aux Juifs. Au début des années 1980, trois d'entre eux refusèrent des femmes.

Mais dans ces années-là, la plupart avaient abandonné leur système de sélection, et s'ouvrirent au point d'admettre des étudiants par un système de loterie. Une jeune fille tenace, Sally Frank, déposa une plainte pour discrimination qui eut pour résultat l'acceptation des femmes dans les trois derniers clubs encore entièrement masculins, l'un en 1986, les deux autres en 1990. À la même époque, l'université fit construire un ensemble de collèges résidentiels qui offraient aux étudiants un lieu de vie où ils pouvaient prendre leurs repas, réduisant ainsi la domination des clubs sur la vie sociale de l'université.

Le campus était en pleine évolution quand Michelle y fit ses débuts. Les forces du libéralisme des années 1960 et les changements dus aux lois sur les droits civiques entraient en collision avec le conservatisme naissant de l'ère Reagan, sans parler des tendances réactionnaires de certains anciens élèves. À Princeton, l'inscription des Afro-Américains s'accrut pendant le mandat du président Robert Goheen, qui nomma un administrateur noir, Carl Fields, afin d'aider les étudiants de couleur à s'adapter plus facilement. À l'époque où Michelle arriva, le président de Princeton, William Bowen, un architecte, était ouvertement partisan de la discrimination positive.

À cette époque, un débat faisait rage à travers le pays au sujet de ce que Lyndon Johnson entendait exactement par « discrimination positive ». Jusqu'à quel point les écoles pouvaient-elles prendre la race en ligne de compte ? Ce n'était pas très clair. L'argument en faveur de cette action consistait à dire qu'elle rendait justice, qu'elle permettait de compenser la discrimination, passée et présente, au cours de laquelle les étudiants noirs s'étaient vu refuser une égalité des chances dans le monde professionnel, mais aussi de l'éducation. Bien sûr, toutes sortes d'arguments anciens se faisaient entendre au sujet des races, et des examens, des scientifiques arguaient du fait qu'en moyenne les résultats des Afro-Américains étaient inférieurs en raison de différences innées, tandis que d'autres localisaient la cause dans des facteurs externes tels que la discrimination, la pauvreté, le manque de moyens des écoles, et des examens biaisés. À cette époque, on assista également à d'intenses disputes dans les milieux intellectuels – des conservateurs érudits rédigeaient des livres déplorant l'assouplissement des canons littéraires dans le but d'y inclure des femmes et des écrivains issus des minorités. Ce fut une époque d'acrimonie, de ressentiment et de retranchement.

Princeton joua un rôle notable dans ce débat. En 1978, trois ans avant l'arrivée de Michelle, la Cour suprême des États-Unis statua sur un cas notable, celui d'Allan Bakke, un Blanc qui avait posé sa candidature à l'école de médecine de l'université de Californie, à Davis, qui réservait seize de ses cent places pour les minorités. Bakke avait été rejeté tandis que des étudiants de couleur ayant des notes inférieures aux siennes avaient été admis. Le rejet de Bakke cristallisa le ressentiment des Blancs qui pensaient que les gains des minorités se faisaient à leur détriment. Bakke argua du fait que le système de sélection raciale de l'université violait son droit constitutionnel à une égalité de protection. Dans l'affaire Regents of The University of California *versus* Bakke, la Cour suprême statua en faveur de Bakke, et reconnut qu'une admission fondée sur de stricts critères raciaux était anticonstitutionnelle. Mais dans le même temps, la Cour déclarait qu'un genre différent de discrimination positive *était* acceptable et que les institutions pouvaient considérer la race comme un critère parmi d'autres.

La Cour était influencée en partie par les écrits de William Bowen, de Princeton, qui recommandait une « approche holistique » des admissions. Il entendait par là une approche où la race du candidat pouvait être considérée au même titre que d'autres critères, certains plus concrets que d'autres : les performances en classe, mais aussi sur les terrains de sport, les qualités de leader, le lien familial avec l'école. C'est cette vague forme de discrimination positive qui fut retenue par la Cour dans l'affaire Bakke et les décisions qui en découlèrent. Michelle se retrouva donc sur un campus où les théories de la discrimination positive étaient en plein développement, à une époque où le débat revêtait une urgence particulière. La bataille fut lancée et planifiée à Princeton même.

Princeton justifiait sa politique d'admission « sensible à la race » par le fait que la diversité servait un but éducationnel. Si des étudiants de différentes races et des deux sexes convergent sur le campus et se heurtent les uns aux autres comme des molécules, ils apprendront à vivre dans une société pluraliste. Vu ainsi, les préférences raciales aidaient les universités à remplir leur mission éducative. Ainsi que Lewis Powell, membre de la Cour suprême de Justice, l'écrivit à propos du cas Bakke : « Les gens n'apprennent pas* grand-chose quand ils sont entourés de leurs semblables. » La défense avait choisi l'angle de la liberté académique, arguant que les universités devraient être capables de décider qui elles voulaient admettre et pourquoi.

Il va sans dire que certains anciens élèves montèrent au créneau et attisèrent la flamme. En 1972, l'année où* Bowen devint président, émergea un groupe d'étudiants inquiets qui s'appelait The Concerned Alumni of Princeton (CAP). Ils se battaient contre tous les développements post-années 1960 incluant le libéralisme notable de la faculté, le soutien à l'avortement et à la contraception, les préférences accordées aux minorités. « Ces gens n'aimaient pas le changement* et pensaient que l'ancien Princeton était très bien comme il était, se souvient Bowen. Ils refusaient les arguments en faveur de l'évolution de Princeton vers ce qu'il est devenu aujourd'hui. »

Je suis aussi allée à Princeton, en 1978, trois ans avant Michelle, jeune sudiste blanche originaire du sud-ouest de la Virginie, à la frontière des Appalaches, fille d'avocat. Je n'avais jamais entendu parler d'un sport appelé aviron, ni de ces écoles chic du Nord-Est qui envoyaient traditionnellement leurs élèves vers Princeton. Je n'avais jamais rencontré de jeunes qui avaient grandi à New York et fréquentaient des écoles où la cour de récréation se trouvait sur les toits, ce qui me semblait terriblement exotique. Pas plus que ces camarades fortunés dont les familles avaient un nom si ancien qu'il était attribué à un dortoir. Princeton était rempli d'étudiants remarquables, à l'esprit ouvert, et dans l'ensemble c'était ceux-là qui dominaient. Mais toute jeune femme qui s'aventurait sur un campus offrant depuis peu une éducation mixte risquait de se heurter aux vestiges des vieilles institutions sexistes, certaines n'ayant jamais eu de femmes ou de personnes de couleur comme président, et à des professeurs qui n'étaient pas franchement accueillants. J'avais été frappée de voir, lorsque j'étais serveuse au club de la faculté, mon propre conseiller de première année, un spécialiste de Shakespeare, inviter un de ses étudiants à déjeuner alors qu'il ne me l'avait jamais proposé. Ma colocataire était juive et sujette à des commentaires tels que : avait-elle « l'air » juif ou pas, comportement qu'elle n'avait jamais rencontré auparavant. C'était comme de se retrouver dans un club fermé qui venait juste d'assouplir sa politique d'admission et avait du mal à s'y habituer. Les étudiants afro-américains se souviennent de journaux glissés sous leur porte dont les éditoriaux clamaient que leur présence sur le campus abaissait la qualité intellectuelle de l'université.

Ces opposants formaient un petit groupe, mais ils savaient se faire entendre. Et il ne s'agissait pas seulement d'anciens élèves. Dinesh D'Souza, diplômé de Dartmouth, qui débarqua sur le campus pour s'occuper de *Prospect*, un mensuel conservateur d'anciens élèves publié par CAP, était ainsi un critique virulent de la « culture noire », qu'il décrivait comme pathologique et inférieure. Il gagnait sa vie en s'attaquant à la discrimination positive ainsi qu'aux autres changements apportés par le libéralisme. Ce groupe conservateur se sépara en 1987. Mais leur âge d'or coïncida avec les années que Michelle passa à Princeton. Pas vraiment un accueil chaleureux pour une jeune fille noire du South Side de Chicago.

Dans son dortoir, dans sa chambre même, Michelle a dû très vite comprendre qu'elle n'était plus dans le cocon chaleureux de Whitney Young. Ses camarades de lycée n'avaient pas été envoyés à Princeton parce que leurs parents croyaient en la diversité et l'intégration. L'une de ses nouvelles amies*, Catherine Donnelly, était une Blanche de La Nouvelle-Orléans, fille d'une mère célibataire, Alice Brown, qui avait pris un emploi dans une école privée afin que sa fille puisse y entrer et augmenter ainsi ses chances d'aller dans une bonne université. Catherine et Michelle avaient toutes deux beaucoup travaillé pour intégrer Princeton. Mais quand Alice Brown découvrit que sa fille partageait sa chambre avec une Noire, elle passa la nuit à téléphoner à droite et à gauche afin que sa fille puisse en changer.

« Maman a fait toute une histoire* lorsque je lui ai parlé de Michelle, reconnaîtra plus tard Catherine Donnelly, aujourd'hui avocate. J'ai vraiment eu honte. » Plus tard, Donnelly et Brown accorderaient des entretiens aux journaux. Brown exprimerait ses regrets et déclarerait que son attitude avait été ridicule : elle avait voulu protéger sa fille de l'influence d'une jeune femme qui allait peut-être devenir la First Lady du pays.

Dans certains de ses entretiens, Catherine Donnelly confia qu'à son avis Michelle ne s'était aperçue de rien. Catherine ne partageait pas les préjugés de sa mère. Elle appréciait Michelle, qui était très aimable, et racontait des histoires intéressantes sur Chicago, mais le dortoir était petit et plein à craquer. Quand une chambre plus grande se libéra, quelques mois plus tard, Donnelly déménagea. Elle eut peu de contacts avec Michelle par la suite. « Michelle a commencé très tôt* à fréquenter des étudiants noirs, dit-elle au *Boston Globe*. Je regrette aujourd'hui de ne pas avoir insisté davantage afin que nous soyons amies, mais d'un autre côté, elle ne m'a pas invitée non plus. »

C'est ainsi que les choses se passent souvent. Lasses de se côtoyer sans vraiment se connaître, certaines personnes finissaient par se retirer dans leur propre groupe social. Comme le fit Michelle à Princeton. Elle a écrit dans sa thèse que pour la première fois elle avait pris conscience de la couleur de sa peau. « Même si mes camarades et professeurs blancs essayaient de se montrer aussi libéraux et ouverts que possible à mon égard, j'ai souvent eu le sentiment de ne pas vraiment appartenir à ce campus. Comme si j'y étais en visite. Peu importent les circonstances, quand j'étais en contact avec des Blancs à Princeton, j'avais souvent l'impression que, pour eux, je serais toujours d'abord une Noire, une étudiante ensuite. »

Dans sa thèse, Michelle exprime aussi sa conviction selon laquelle l'université ne faisait pas assez d'efforts pour soutenir les besoins des étudiants noirs. « Il y a peu d'étudiants noirs présents, mais l'Université subvient rarement à leurs besoins sociaux et académiques, car elle préfère se concentrer sur les Blancs qui représentent l'essentiel de leurs effectifs », écrivait-elle.

Elle notait que de nombreux clubs et institutions sur le campus servaient à maintenir le statu quo : « Il est souvent difficile pour les étudiants noirs de s'adapter à l'environnement de Princeton ; et il y a malheureusement peu de groupes de soutien adéquats susceptibles de les aider et de les conseiller alors qu'ils ont du mal à passer de leur environnement habituel à celui de Princeton. » Il y avait seulement cinq professeurs noirs titulaires à la faculté, et le programme des études afro-américaines était à la charge du plus petit des départements de l'université, ne disposant pas de personnel suffisant, et offrant seulement quatre cours durant le premier semestre de 1985. Et il n'y avait qu'une organisation reconnue sur le campus spécifiquement destinée aux intérêts sociaux et intellectuels des étudiants noirs et originaires du tiers-monde. Elle disait aussi que les orateurs du campus étaient rarement choisis dans l'idée qu'ils pourraient attirer les communautés de couleur. Les Noirs étaient donc obligés de former des groupes séparés, tels que The Organisation of Black Unity et The Princeton University Black Thoughts Table.

Elle n'était pas la seule à penser ainsi. En raison de l'opposition qu'ils rencontraient, certains étudiants noirs contestaient aussi les admissions selon des critères raciaux. Leur insatisfaction les conduisit dans le bureau d'Eugene Lowe, un Afro-Américain qui obtint son diplôme en 1971 et devint doyen des étudiants en 1983. Sa position le plaça au cœur des dissensions de l'époque. « Les étudiants de couleur* venaient nous voir pour nous dire : "Vous nous avez amenés ici pour éduquer la majorité blanche ; nous sommes des cobayes", se souvient Lowe, aujourd'hui adjoint du président de la Northwestern University. J'y ai vraiment beaucoup réfléchi. J'ai souvent entendu ces propos. Je pense qu'ils sont dus à une intensification de la conscience de soi reconnue comme un ingrédient éducatif pour une communauté plus large. » Pour certains étudiants, être considérés comme une opportunité pédagogique par des Blancs renforçait leur sentiment de différence. Lowe respectait leur point de vue même s'il n'était pas du même avis. Il pensait, et pense toujours, que tous les étudiants de toutes les ethnies étaient là pour s'éduquer les uns les autres. Tous étaient des cobayes.

Mais l'université leur a répondu, ou du moins a essayé. « Nous avons tous appris à nos dépens* que tout cela n'avait rien de facile », dit Bowen, qui travaille désormais à la Andrew E. Mellon Fondation où il continue à écrire sur la culture universitaire et à défendre la discrimination positive. « Beaucoup pensaient qu'il suffisait d'admettre des minorités, et que tout irait bien, explique-t-il. L'université apprenait lentement ; des erreurs ont été commises et il a fallu mettre en place des soutiens. »

L'un de ces soutiens fut le Third World Center ouvert en 1971, conçu pour donner aux étudiants de couleur, Noirs et Latinos, une « adresse sur le campus », selon les termes de Lowe. Le centre, situé au carrefour d'Olden Street et de Prospect Avenue, se voulait une alternative aux clubs. Il était essentiellement destiné aux conférences et aux rencontres entre étudiants, mais certains formèrent aussi une cantine, faisant à tour de rôle les courses et la cuisine. Le nom était une véritable déclaration politique, une expression de solidarité envers les populations de couleur à une époque où, sur de nombreux campus, les activistes essayaient de persuader les institutions d'arrêter de soutenir le gouvernement sud-africain et l'apartheid. Pourtant, il paraissait incongru à certains dans la mesure où « tiers-monde » était synonyme de pauvreté et de sous-développement. « C'était un peu embarrassant* pour moi, cela sonnait tellement rattrapage », dit Robin Givhan, une ancienne élève afro-américaine, aujourd'hui critique de mode au *Washington Post* ayant remporté le Pulitzer. En 2002, on changea le nom du centre qui s'appelait désormais le « Carl A. Fields Center for Equality and Understanding », centre pour l'égalité et la compréhension, nom qui suggère plus clairement que tous les étudiants y sont les bienvenus.

Michelle passa le plus clair de son temps au Third World Center. Ses meilleures amies étaient Angela Acree et Susan Alele, une jeune femme de Silver Spring, dans le Maryland. Elles devinrent « inséparables », notait un article de *Newsweek*. Toutes trois parlaient souvent de la discrimination raciale qui prévalait sur le campus, et plus particulièrement de cette façon qu'avaient certains étudiants blancs de les croiser en faisant comme s'ils ne les voyaient pas.

Michelle et ses amies n'étaient pas les seules dans ce cas : un certain nombre de leurs camarades de classe se trouvèrent dans des situations où on leur fit clairement prendre conscience de leur race. « C'était la première fois qu'on me faisait me sentir noir à ce point, et c'était très déplaisant », se souvient John Harris, diplômé en biologie moléculaire, venu sur ce campus dans l'espoir d'y trouver des étudiants de tous horizons, et qui persévéra, même s'il avait le sentiment de nager à contre-courant.

« Je saluais des étudiants et ils continuaient à m'ignorer, alors que j'étais en face d'eux, en train de leur parler, dit-il. Les gens faisaient des commentaires soit ouvertement racistes, soit très blessants, mais de toute façon choquants. Ils faisaient des blagues racistes puis se tournaient vers moi, ou vers une autre personne différente d'eux en disant : "Ne le prends pas mal, ce n'est pas de toi que je parle." Bien sûr que c'était blessant, comment aurais-je pu ne pas me sentir concerné ? Certains étudiants sont même venus me frotter la tête pour se porter chance. »

Lisa Rawlings, une camarade de Michelle qui avait étudié dans un lycée public renommé de Baltimore et avait obtenu un diplôme d'ingénieur à Princeton, a connu une expérience similaire. « On a vraiment le sentiment* de ne pas être à sa place. Comme Michelle, c'était la première fois que j'affrontais de tels préjugés. Je n'avais pas l'habitude qu'on me demande quels étaient mes résultats, sous-entendant que je n'avais pas le niveau nécessaire pour être admise. Je savais aussi que si j'allais me promener seule, ou avec d'autres Noires dans le quartier de Prospect, j'avais toutes les chances de m'entendre appeler "Brown Sugar". »

Cependant, Rawlings dit aujourd'hui qu'elle devrait assumer davantage son expérience à Princeton. « Mon expérience aurait-elle été différente si j'avais été membre d'un *eating club* ? Si j'avais profité de cette opportunité pour rentrer en contact avec les étudiants non issus de minorités ethniques ? J'ai choisi d'être avec ceux avec qui je me sentais à l'aise et, vous savez, j'assume ce choix. »

Pour Michelle, le Third World Center était très attirant. Elle prit certains repas à Stevenson Hall, un lieu peu onéreux désigné par ses membres comme *the poor man's eating club*, le club des pauvres. Mais elle passait la plupart de son temps libre au centre, où, entre autres, elle suivit un séminaire sur le dernier des Scottsboro, nom du groupe de neuf Noirs originaires de l'Alabama qui furent accusés à tort d'avoir violé deux femmes blanches dans les années 1930, et une autre sur Rosa Parks. Elle s'occupait aussi d'une garderie pour les enfants des employés de l'université. Il existait à Princeton une vraie séparation, comme dans beaucoup de villes universitaires, entre habitants et étudiants ; ces derniers avaient peu de contact avec la population de Princeton, afro-américaine en grande partie. Le Third World Center mettait un point d'honneur à faire le lien entre les deux communautés, ce qui était inhabituel.

Michelle avait toujours aimé les enfants, et s'occuper d'eux devait certainement lui plaire. La directrice du centre de l'époque, Czerny Brasuell, connaissait bien Michelle, parce que son fils Jonathan considérait Craig et Michelle comme un grand frère et une grande sœur. « Elle était, raconte-t-elle, très patiente. » Une personne dont on se sentait proche, qui était à l'écoute. Brasuell, qui dirige les affaires multiculturelles à Bates College, poursuit : « Elle savait créer de véritables liens*. Ce qu'on dit d'elle, et de son attitude envers ses propres enfants, correspond tout à fait à la jeune femme que j'ai connue à l'époque. Michelle était l'une des personnes les plus en empathie que j'aie jamais rencontrées, elle possédait cette capacité de ressentir ce qu'on lui disait, cette capacité de comprendre. » Elle dit qu'elle reconnut plus tard cette aptitude exceptionnelle en voyant Michelle faire un discours à Cincinnati, remarquant sa capacité à se concentrer sur chaque personne qui venait lui parler.

Braswell se souvient aussi à quel point Michelle et Craig étaient attachés à leurs parents, et comme il était important qu'ils soient fiers d'eux. Fraser Robinson était un « exemple extraordinaire, se souvient Braswell. Il était plus qu'un modèle. Une sorte de phare, et la fierté qu'il sentait chez ses enfants, l'importance que revêtait pour eux le regard de leurs parents étaient autant de signaux qui les guidaient ». Marianne Robinson était « ce que les gens appellent le sel de la terre, ce genre de femmes. Quand elle disait "stop", vous cessiez toute conversation. C'est l'impression que j'ai toujours eue, les enfants avaient le plus grand respect pour elle ».

La présence de Craig fut d'un grand soutien pour Michelle quand elle arriva à Princeton en première année. Elle bénéficia de sa position de star de basket, qui lui donna une certaine stature et lui permit d'avoir tout de suite une vie sociale bien remplie. « Elle connut beaucoup de monde grâce à lui », dit Rawlings, qui se souvient de Michelle comme d'une jeune femme « mûre, travailleuse, intelligente, qui ne s'intéressait pas aux commérages et à ce genre de choses ». Mais Craig s'inquiétait parfois, sa présence pouvait limiter la vie amoureuse de Michelle, on savait qu'il veillait sur sa sœur, et il pouvait mettre mal à l'aise : « Ma sœur et moi* sommes très proches, nous l'avons toujours été. D'une certaine façon, sans le vouloir, j'étais devenu gênant, me dit-il en 2007. Ses deux premières années à Princeton correspondirent à la fin de mes études, et je crois que les garçons n'osaient pas l'inviter à sortir, elle était tout à fait en mesure de s'occuper d'elle-même, mais vous comprenez, quand la fille a un frère, vous avez intérêt à savoir ce que vous faites. Je gênais indirectement. » Plus tard, Craig ferait remarquer que le modèle paternel avait placé la barre si haut que Michelle était toujours déçue. « Elle a présenté très peu de ses petits amis à la famille, la plupart n'ont même pas atteint ce stade. »

Michelle, si concernée par les problèmes raciaux, écrivit sa thèse sur le sujet en dernière année – sans doute la plus lue et analysée de toute l'université ! Ses détracteurs se sont empressés de conclure que Princeton-Educated Black and the Black Community – les Noirs sortis de Princeton et la communauté noire – constituait un argument mal dissimulé en faveur du séparatisme racial. Dans un article pour le magazine *Slate*, Christopher Hitchens tirait cette conclusion du fait qu'elle citait le nationaliste noir Stokely Carmichael. Je pense qu'il a tort. Michelle invoque Carmichael non parce qu'elle partage son point de vue, mais pour se servir de sa définition du « *séparatisme* ». Elle évoquait d'autres références sur le thème de « *l'assimilation* » qu'elle explorait également. Elle voulait réaliser une étude sur les anciens étudiants noirs de Princeton afin de déterminer s'ils s'étaient sentis plus à l'aise avec des Noirs ou des Blancs avant, pendant et après Princeton. En général, il est difficile de comprendre ses conclusions, car certaines parties de son texte sont denses et pompeuses. Il faut se rappeler que les thèses de fin d'année sont de courts instantanés des capacités de l'étudiant, et ne représentent absolument pas le profil intellectuel de l'adulte en pleine maturité. Bête noire de tous, source de soucis et de cauchemars, cette thèse est souvent rédigée au dernier moment.

J'ai lu la sienne plusieurs fois, compatissant avec toute personne qui voit ainsi exhumé, critiqué, analysé, ce qu'il était à vingt ans. Son texte, écrit dans une petite chambre d'étudiante, dans l'urgence, sur un sujet recommandé par son conseiller, se retrouvait cité, et décortiqué, bien des années plus tard, dans un contexte totalement différent, par les opposants politiques de son mari qui voulaient sa défaite ! Qui l'aurait cru ? Moi, ce qui me frappe surtout dans cette thèse, c'est qu'elle représente le fruit du travail d'une jeune femme qui réfléchissait beaucoup à son passé et au présent et, à l'époque déjà, était capable de réévaluer ses idées.

Elle y explique la façon dont elle a été transformée par Princeton, et pas toujours dans le bon sens. « Au cours de ces premières années à l'université, une chose était devenue claire pour moi : j'étais membre de la communauté noire, j'avais des obligations vis-à-vis de cette communauté, et je mettrais toutes mes compétences présentes et futures à son service », écrit-elle. En sortant de Princeton, elle n'en était plus si sûre. « Il est possible que ces premières années passées dans l'atmosphère essentiellement blanche d'une université de la Ivy League aient instillé en moi certaines valeurs conservatrices. Par exemple, alors que j'entamais ma dernière année à Princeton, je me suis vue lutter pour atteindre les mêmes buts que mes camarades blancs : entrer dans une école prestigieuse, obtenir un emploi bien rémunéré dans une entreprise renommée. Mes buts, après Princeton, n'étaient plus aussi clairs. » Son passage à Princeton lui a fait goûter aux privilèges des classes supérieures et a rendu le prestige et l'argent plus attrayants.

Après avoir étudié l'évolution des anciens élèves noirs, Michelle avait compris que la vie la conduirait dans un univers encore plus dominé par les Blancs, et cela ne l'enthousiasmait pas. « En choisissant d'aller à Princeton, j'acceptais un avenir où je serais intégrée ou assimilée dans une structure culturelle et sociale blanche, sachant qu'on me permettrait seulement de rester à la périphérie ; je ne serais jamais au cœur de cette structure sociale », concluait-elle, avec cette phrase dont on peut apprécier aujourd'hui toute l'ironie.

« Cette découverte m'a poussée à souhaiter mettre mes compétences au service de la communauté noire. » Par cette phrase, elle semblait prête à renouveler son engagement envers cette communauté. Elle avait souffert de l'exclusion à Princeton, et avait sans doute toutes les raisons de craindre que cela ne se reproduise plus tard dans sa vie. Mais elle examina soigneusement les données de son étude, et revint sur certaines de ses anciennes idées. Elle conclut que les Noirs qui se sentaient à l'aise avec les Blancs n'étaient pas pour autant moins dévoués au bien-être de la communauté noire.

Elle révéla aussi à quel point les anciens élèves avaient bénéficié de leurs études à Princeton : ses statistiques montraient que 71 % avaient fait une carrière qui les situait dans une classe socio-économique supérieure à celle de leurs parents.

Ce qui la frappait surtout, c'est que, durant leur séjour à Princeton, les étudiants noirs allaient chercher du réconfort auprès de leurs semblables, ce qu'ils n'avaient jamais fait avant, et ne feraient plus après. Elle en conclut que les étudiants afro-américains de Princeton se languissaient de leurs parents et du refuge qu'ils offraient. Au lycée, « les élèves pouvaient toujours échapper à ces frustrations quand ils rentraient chez eux ; la famille, la vie à la maison les aidaient à supporter les problèmes et les tensions qu'ils rencontraient dans un milieu essentiellement blanc ». En l'absence de parents, de frères et sœurs, les étudiants se tournaient les uns vers les autres.

L'on perçoit dans sa thèse la nostalgie d'une jeune fille qui se sent loin de chez elle. Plus tard, au cours d'une interview, Marian Robinson expliquera ne pas avoir compris ce que Michelle vivait à l'université. Celle-ci se trouvait dans un milieu que sa mère ne connaissait pas du tout, à quoi bon se confier ? Ce phénomène était d'ailleurs courant à l'époque. Décrivant l'impact de la discrimination positive, Byron Brazier rappelle qu'« à cette époque on ne pouvait pas compter sur ses parents pour vous aider à traverser cette épreuve, car ils ignoraient tout de ces sujets. Les jeunes vivaient dans des mondes différents au même moment. Ils devaient se débrouiller à leur façon ».

Il est important de souligner aussi que tous les étudiants afro-américains ne se sentaient pas comme des étrangers, ou choisissaient d'évoluer uniquement au sein de leur communauté. Sharon Fairley, de la promotion 1982, qui vit à Chicago et appartient au cercle d'amis des Obama, garde d'excellents souvenirs de Princeton. Elle faisait des études d'ingénieur, jouait dans un club de théâtre, se sentait heureuse, chez elle. Elle avait l'impression*, cependant, comme elle ne fréquentait pas uniquement les gens du Third World

Center, d'être dans un entre-deux bizarre, et qu'on lui demandait à tout instant de choisir.

De même, Robin Givhan explique que si elle a choisi d'aller à Princeton, c'était pour rencontrer des gens venus de tous les horizons, et qu'en ce qui la concerne l'université avait répondu à ses attentes. « J'ai toujours eu le sentiment que le Third World Center était pour bon nombre d'étudiants le centre de leur univers social, dit-elle. Certains étudiants noirs s'inscrivaient à d'autres clubs, et entraient dans un univers social plus vaste, mais d'autres ne se sentaient à l'abri qu'au Third World Center. J'y allais moi aussi*, c'était ma façon de dire, oui, je suis noire, je le sais, mais je n'ai jamais voulu que ma vie se réduise à ça. Sinon, je serais allée à Howard ou Spelman. J'ai choisi Princeton parce que je voulais élargir mon horizon, rencontrer des gens différents. » Un conférencier du centre lui avait donné l'impression que si elle n'avait pas les mêmes croyances que lui, et si elle n'agissait pas comme lui, elle reniait sa race. « Je suis revenue en larmes dans ma chambre et j'ai raconté ce qui s'était passé à la camarade sino-américaine qui vivait avec moi. Elle m'a regardée et elle m'a dit : "Les étudiants sino-américains tiennent le même genre de propos." »

Givhan dit qu'elle comprend les pressions et les obligations qui s'imposaient à Michelle. Elle-même avait grandi à Detroit dans un quartier transformé par la fuite des Blancs, et elle savait à quel point sa communauté, qui l'avait nourrie, avait été fière de son admission. Quand elle rentrait chez elle, se souvient-elle, le pasteur de l'église que fréquentait sa famille annonçait : « Robin arrive de Princeton. » Elle était sûre que Michelle avait été conditionnée dans le même sens, elle était responsable d'elle-même, mais aussi de sa communauté. Elle avait sans doute entendu cette phrase : « À celui à qui il est beaucoup donné, il sera beaucoup demandé. » Michelle Obama utilise effectivement cette phrase dans ses discours.

L'université était pour beaucoup une période de réflexion sur la manière dont cet endroit vous changeait ; certains étudiants se demandaient s'ils avaient encore une place ou non dans la communauté d'où ils venaient, et ce qu'ils devaient à cette communauté. Selon Martin Bressler*, professeur de sociologie à Princeton, Michelle « était troublée par ces questions. Tous finissaient par se demander : "Qui suis-je ?" ». Howard Taylor, ancien président* du Centre des études afro-américaines, déclare : « Michelle se demandait essentiellement quel bénéfice pouvaient apporter à la communauté noire ses études à Princeton. Et si au contraire elles la séparaient de la communauté noire. »

« Pour Michelle, Princeton a été un grand moment de questionnement sur son identité, explique Charles Ogletree, son conseiller à Harvard. Le problème était de savoir si elle avait gardé l'identité que lui avaient donnée ses parents afro-américains, ou si cette éducation élitiste l'avait transformée en une personne différente. Quand elle arriva à Harvard, elle avait répondu à cette question. Elle pouvait être à la fois une jeune fille brillante et noire. »

Czerny Brasuell vit Michelle devenir de plus en plus confiante au cours de ses quatre années d'études. « Je ne dirais pas que Michelle était timide. Juste réservée Mais je l'ai vue apprendre à s'exprimer plus facilement, à dire ce qu'elle pensait. » Chrystal Nix Hines*, une camarade de Michelle, devenue la première éditrice noire du *Daily Princetonian*, le quotidien tenu par les étudiants, a vécu cette expérience en direct. Lorsque le journal publia un article qualifiant un homme politique noir d'une manière que Michelle jugea inadéquate, celle-ci vint lui dire calmement : « Tu dois faire en sorte que ce genre d'incident ne se reproduise pas. »

Mais Brasuell n'eut jamais l'impression d'une Michelle nourrissant le sentiment d'une injustice raciale. « Elle ne portait pas sa race* comme un fardeau, dit Brasuell, et je trouve que c'est un commentaire étrange à son sujet… Dans cette société, si certains pensent que la race est un fardeau, c'est parce qu'on a fait en sorte que leur race devienne un fardeau. »

Brasuell se souvient aussi d'avoir aidé Michelle à choisir sa carrière future. Les étudiants de Princeton ressentaient une forte pression sociale qui les conduisait à passer des entretiens avec des banques, des entreprises, à s'inscrire en droit. Ce que fit Michelle, non pas à cause de ses parents, mais parce qu'elle le souhaitait vraiment, se disant sans doute que la loi lui permettrait de changer les choses. « C'est la génération qui a lu *Ne tirez pas sur l'oiseau moqueur* », explique Brasuell.

Cette dernière conseilla à Michelle de réfléchir, peu convaincue que c'était le bon choix. « Cela n'avait rien à voir avec ses capacités. Mais il s'agissait d'études très particulières. Il y a un énorme fossé entre ce qu'on voit à la télévision ou ce qu'on lit dans les livres, et la réalité. J'étais sûre qu'une fois à Harvard elle comprendrait ce que je voulais dire. D'ailleurs, plus tard, Michelle me téléphona et me confia ce qu'elle n'aimait pas en me disant : "Si c'était à refaire, je ne suis pas sûre que je recommencerais". » Michelle dira plus tard qu'elle regrettait de ne pas avoir attendu une année avant de se lancer dans le droit.

Mais elle s'accrocha. « Non seulement, elle était loyale, en empathie avec les gens, pleine de respect pour eux, mais surtout, elle n'était pas du genre à abandonner, dit Brasuell. Elle entra à Harvard en sachant que ce choix serait décisif dans sa vie. » Et c'est ce qui se produisit.

5

Lorsqu'elle arriva à la Harvard Law School, à l'automne 1985, Michelle, alors âgée de vingt et un ans, se montra moins extravertie et moins radicale que ses pairs, tout en conservant sa volonté d'engagement pour le changement social. « Elle n'a jamais été ouvertement politique* », raconte sa camarade de classe, Peggy Kuo, même pendant cette période marquée par toutes sortes de débats culturels. Sur ce campus où activistes au franc-parler et majorité silencieuse de conformistes se mêlaient, Kuo fait remarquer que « ceux qui se souciaient des questions de justice sociale finissaient par se retrouver ». C'était le cas de Michelle. Et quand elle n'était pas en cours, elle travaillait pour des personnes pauvres qui avaient besoin d'aide juridique.

De nombreux débats portaient sur les mêmes sujets qu'à Princeton, comme le mode d'admission par exemple. Derek Bok, président de Harvard, était un allié de Bowen avec lequel il avait forgé une politique nationale de discrimination positive ; les conséquences se faisaient encore sentir. À Harvard, « il y avait toujours des problèmes à ce sujet, raconte Kuo, jeune femme d'origine asiatique. On sentait encore le ressentiment des Blancs parce que vous preniez une place qui aurait pu être occupée par un Blanc la méritant davantage ». La faculté était également divisée au sujet des Critical Legal Studies (CLS), un mouvement dans le domaine de la pensée juridique né à Harvard dans les années 1970. Le CLS soutenait que la loi, loin d'être un instrument de changement social, devait au contraire servir à conserver le statu quo, perpétuant ainsi le contrôle des riches et des puissants sur les pauvres et les minorités. Certains membres de la faculté étaient tellement outrés par le CLS qu'ils quittèrent l'école. En mai 1986, Paul M. Bator, professeur à Harvard depuis vingt-six ans, tint une conférence publique à New York, critiquant le mouvement du CLS. Il déclara que la réputation de Harvard en sortait ternie, et qu'il la quittait pour l'université de Chicago.

La question des postes universitaires avec possibilité de titularisation pour les minorités et les femmes posait aussi problème. En 1988, une photo du corps professoral montre une assemblée d'hommes blancs portant des lunettes, parfois un nœud papillon, et des complets avec gilets, tous d'un âge avancé. Cela ne reflétait nullement la composition du corps étudiant, et c'était un sujet de discussion depuis longtemps. Au printemps 1988, le bureau du doyen fut occupé par plusieurs manifestants qui réclamaient une plus grande représentation des minorités. Michelle participa à ce mouvement de protestation, et ce fut sans doute la seule fois. Dans l'ensemble, elle gardait un profil bas, se souvient Kuo. Elle avait le sentiment que Michelle avait des idées progressistes, mais qu'elle n'était pas du genre à escalader les barricades.

« J'ai toujours eu l'impression qu'elle soutenait nos actions, mais elle ne se mettait pas au premier plan, dit Kuo. Je crois qu'elle avait des idées très arrêtées, qu'elle gardait pour elle, sauf quand il était nécessaire qu'elle prenne la parole. »

Une partie de cette réticence vient sans doute du caractère de Michelle. Et peut-être d'une certaine crainte de trop attirer l'attention du professeur. Mais il y avait également une question de conformisme. Harvard semblait plus actif et engagé que Princeton ; il y avait sans arrêt des manifestations pour telle cause progressiste ou telle autre. Il existait aussi un petit groupe, puissant, d'étudiants conservateurs appartenant à la Federalist Society. Pour Kuo, la plus puissante des idéologies était d'essayer d'en avoir une. Pourtant les étudiants qui avaient des idées engagées étaient la risée de ceux qui n'en avaient pas.

Les discussions en classe étaient assez calmes, mais en dehors, les étudiants se faisaient traiter de « fascistes », de « communistes », de « féministes », ou de tout autre nom d'oiseaux en raison de ce qu'ils avaient dit en cours. L'atmosphère n'avait rien de sympathique. Les conformistes se tenaient au fond de la classe et jouaient au « Turkey Bingo », un jeu conçu dans le but de railler les étudiants ayant des convictions et qui fonctionnait ainsi : chaque fois qu'un étudiant connu pour ses opinions utilisait un mot prévisible, disons femme pour une féministe, le joueur de « Turkey Bingo » marquait un point. C'était une manière de souligner à quel point ces personnes supportaient mal qu'on ait des opinions.

« Un jeu très méchant et marqué socialement, explique Kuo. C'était sans doute l'une des raisons justifiant le silence de Michelle en classe. Et le mien d'ailleurs. » Quand Michelle prenait la parole, c'était le plus souvent pour contester les propos d'un professeur qui ne tenait pas compte de la façon dont telle ou telle loi pouvait affecter les Afro-Américains.

À Harvard, comme à Princeton, Michelle devint membre de plusieurs organisations afro-américaines. Comme le *BlackLetter Journal*, fondé en 1982 « par un groupe d'étudiants en droit déçus du petit nombre d'étudiants issus des minorités représentés dans les principaux journaux, et particulièrement la *Harvard Law Review* ». Le but du journal était de « propager les textes juridiques ainsi que les idées ayant un impact direct sur la communauté minoritaire ». Michelle était également membre de la Black Law Student Association.

Mais elle passait le plus clair de son temps libre à Gannett House, un bâtiment néo-classique, le plus ancien du campus. Quelques années plus tard, Barack Obama passerait aussi de nombreuses heures dans cet établissement dont les étages supérieurs étaient réservés aux bureaux de la *Harvard Law Review*. À la fin de sa première année, Obama fut choisi comme éditeur de la revue, un poste prestigieux et convoité. En 1990, il survécut à une compétition encore plus difficile et fut élu directeur de la revue, le premier Afro-Américain à ce poste, un succès remarquable qui lui valut l'attention des médias nationaux. Pour les étudiants qui travaillaient à cette revue, et encore plus pour son directeur, ces postes éditoriaux étaient un bon moyen d'influencer les théories du droit, et menaient à toutes sortes de carrières prestigieuses, y compris à la Cour suprême.

Contrairement à son futur mari, Michelle travaillait dur à l'étage inférieur du bâtiment qui abritait le prestigieux, mais moins élégant, bureau de l'aide juridique. « Il y avait un petit côté* "ceux d'en haut, ceux d'en bas", se souvient Dave Jones, un ancien camarade de classe devenu député en Californie. Il n'y avait pas beaucoup d'interaction entre les deux sauf quand on se croisait dans l'entrée : ils se rendaient à l'étage alors que nous avions rendez-vous au sous-sol avec des clients pauvres. » Le bureau d'aide juridique était dirigé par des étudiants qui s'engageaient à passer au moins vingt heures par semaine à aider les personnes démunies. Un énorme engagement qui s'ajoutait à leurs heures d'études. Cependant, pour beaucoup, c'était un soulagement de sortir de classe, et de se rendre utiles aux côtés d'autres étudiants qui partageaient le même esprit de solidarité.

Le bureau accueillait tous les étudiants, sans distinction de race. Ces derniers ne recherchaient pas des positions privilégiées, ils étaient là pour aider ceux qui avaient besoin d'un conseil juridique et ne pouvaient pas s'offrir un avocat. « C'est ce que j'ai fait de plus passionnant* et de plus mémorable pendant mes trois années à Harvard. J'adorais aller au bureau d'aide juridique », se souvient Ronald Torbert, président du bureau pendant sa troisième année. Les étudiants s'occupaient de toutes sortes de cas. « Nous fournissions un service juridique à la population pauvre de Boston, de Cambridge, du Suffolk et du Middlesex, dit Torbert. Nous gérions des cas de litiges entre propriétaire et locataire, nous avions un département divorce qui permettait aux femmes de régler leurs propres problèmes. » Ils faisaient beaucoup de droit familial, traitant aussi des problèmes de garde d'enfant même si le logement représentait l'essentiel de leur travail : des gens qui devaient être expulsés mais n'avaient pas reçu la notice en temps voulu ou qui avaient été maltraités par leur propriétaire. Un sujet familier pour Michelle, qui venait d'une ville où le logement avait été un problème pour la communauté afro-américaine. Les étudiants paraissaient aussi devant la Cour, sous la surveillance d'un avocat assermenté.

En général, ils travaillaient seuls, sans supervision. « On s'était inscrit en droit pour faire ce genre de travail, et c'était pour nous la possibilité de nous exercer sur des cas concrets, réels, poursuit Torbert qui croisa souvent Michelle. Elle se montrait toujours souriante, aimable, mais ce qui m'a frappé presque immédiatement, c'est de voir à quel point elle était sérieuse. Elle était très mûre, très brillante, et s'occupait des problèmes les plus difficiles entre propriétaires et locataires. Elle était d'une grande rigueur professionnelle et se souciait vraiment des gens qu'elle tentait d'aider. » Son collègue Dave Jones évoque ces mêmes qualités : « Elle venait d'un quartier de Chicago où elle avait côtoyé de près les problèmes de ceux qui vivaient dans des conditions difficiles, et je pense que c'est ce qui l'a poussée à travailler au bureau d'aide juridique. »

Torbert, aujourd'hui vice-président et conseiller général de Barton Malow, une société de construction dans le Michigan, remarque aussi que Michelle attendait beaucoup des autres : « Elle ne se laissait pas facilement impressionner, c'est sûr, vous jugiez que vous aviez vraiment bossé comme un fou et elle vous regardait, l'air de trouver cela tout à fait normal. »

En troisième année, les étudiants devaient décider de ce qu'ils comptaient faire du reste de leur vie. Ou du moins de leur futur immédiat. Michelle s'était toujours intéressée à ce que serait sa vie après l'université. C'était le sujet de sa thèse à Princeton. À Harvard, elle participa, pour la Black Law Students Association, à l'organisation d'une journée, devenue annuelle par la suite, où tous les anciens élèves afro-américains venaient parler de leur carrière, dans le service public, le gouvernement, ou le privé. « C'était une façon de se rappeler que nous avions des devoirs. Nous avions eu le privilège d'entrer à Harvard, ce qui nous avait ouvert beaucoup de portes, et nous avait permis de mener de brillantes carrières, de gagner beaucoup d'argent, mais nous avions la charge de transmettre un peu de ce que nous avions reçu », dit Torbert. Et Michelle « était en grande partie à l'origine de cette journée ».

Les étudiants qui travaillaient au bureau d'aide juridique poursuivaient souvent cette activité d'une manière ou d'une autre plus tard, dans leur travail. « Nous parlions beaucoup de nos choix, et y réfléchissions énormément. Entrer dans une grosse boîte offrait un excellent apprentissage, permettait d'avoir de l'expérience. Mais le service public était aussi attirant », dit Torbert. « Et pourtant, comme l'explique Neil Quinter, une camarade de classe, le processus était tel qu'il vous orientait vers les grosses boîtes. » Les sociétés privées venaient sans cesse interviewer les étudiants, leur proposant beaucoup d'argent. Michelle devait rembourser des prêts étudiants. Et elle finit par aller travailler dans le secteur privé, un choix conventionnel qu'elle déconseillera plus tard aux Américains.

Les parents de Michelle contribuèrent financièrement à l'album photo de la promotion 1988, ce qui leur permit d'écrire un message au dos, espace réservé aux mécènes. La plupart des familles rédigeaient des banalités du genre « Nous sommes très fiers de toi » et « Toutes mes félicitations, mon fils, et bonne chance à la plus prestigieuse des écoles de droit ». Les Robinson firent preuve d'humour comme toujours. Leur message suggérait que, bien que s'étant montrés d'un grand soutien, ils n'étaient pas du style à flatter l'ego de leur fille. Pour célébrer la fin de ses études dans l'une des plus prestigieuses facultés de droit du pays, Fraser et Marian Robinson écrivirent : « Nous savions que tu réussirais il y a quinze ans déjà, quand nous n'arrivions pas à te faire taire. »

6

C'est un ancien élève de Princeton, Stephen Carlson, un Blanc, qui s'est démené pour aider Michelle à débuter dans sa carrière juridique – ce qui est assez drôle après toutes les critiques soigneusement répertoriées de cette dernière sur certains aspects de son ancienne université. Bien qu'il se décrive* comme « un conservateur moyen », Carlson soutient la diversité, exècre le racisme et pense que le réseau des anciens élèves de Princeton, d'une fidélité à toute épreuve, peut, et doit servir à faire avancer le progrès social en apportant son aide à tout étudiant diplômé qui en fait la demande.

Comme l'atteste sa visite au Career Services, Michelle n'a pas hésité à faire appel à ce réseau dès sa première année à Princeton. Dans les années 1980, le centre d'orientation professionnelle n'était qu'un service universitaire assez poussiéreux et peu fréquenté, avec des rayonnages d'ouvrages tels que *De quelle couleur est votre parachute ?*[1], et un espace réservé aux

1. Guide pratique de Richard Nelson Bolles, remis à jour chaque année, destiné aux personnes qui recherchent un emploi ou veulent changer de carrière.

entretiens. On y trouvait également un classeur contenant les coordonnées des anciens élèves prêts à aider les étudiants vivant ou travaillant dans leur région. Carlson avait proposé ses services aux étudiants de Chicago. Issu d'une banlieue cossue, d'obédience républicaine, membre associé d'un cabinet juridique, Sidley Austin LLP, il avait intégré Princeton en 1969, l'année même où l'on avait autorisé un petit groupe de femmes à s'y inscrire. D'autres furent admises par la suite, et il épousa l'une d'entre elles. Il appréciait davantage les réunions d'anciens élèves de sa femme que les siennes, car il les trouvait plus variées. Loin d'être un réactionnaire qui regrettait le bon vieux temps où l'on se retrouvait entre gentlemen pour prendre des gin tonics sur la pelouse, Carlson pensait que tout l'intérêt de l'université consistait à côtoyer et rencontrer des gens que l'on n'avait guère l'occasion de croiser autrement

Une fois son diplôme en poche, Carlson comprit qu'un des aspects positifs du corporatisme légendaire de Princeton était qu'on pouvait s'en servir pour aider de nouveaux venus à se lancer dans le monde de l'entreprise. « Cela faisait partie de nos obligations en tant qu'anciens élèves. Au cours des années, je me suis entretenu avec tous ceux qui en avaient exprimé le désir. Je sais, quand on est étudiant, et même lycéen, on n'aime pas trop recevoir des conseils, mais ça ne fait jamais de mal d'entendre plein de gens vous parler de ce qu'ils font. »

Carlson fit plus que cela. Il examina attentivement la requête de Michelle. Dans une lettre qu'elle lui écrivit en 1984, elle lui demandait si son cabinet proposait des stages d'été pour une étudiante de première année. Il lui répondit en lui expliquant que Sidley ne prenait que des stagiaires déjà licenciés en droit. Mais il lui envoya une liste des organismes juridiques de Chicago, lui suggérant que les services publics étaient plus susceptibles d'engager des étudiants de premier cycle. Il ne sut jamais ce qu'elle avait fait cet été-là, mais ne l'oublia pas. Deux ans plus tard, estimant qu'elle avait dû passer sa licence et devait entamer son deuxième cycle, il chercha son adresse et lui écrivit donc chez sa mère pour lui proposer de discuter de son avenir, si elle était toujours décidée à poursuivre ses études juridiques. « Elle a fini par me répondre que, oui, elle était inscrite à Harvard, et serait ravie de discuter avec moi. » Carlson l'emmena donc déjeuner chez Yanni, un restaurant grec, et ils s'entretinrent du droit, et de ce qu'on pouvait en faire.

Carlson ne se souvient pas s'ils discutèrent des mérites respectifs des cabinets privés et des organismes de service public ou de défense des droits civiques. Mais le juriste, qui avait souvent eu ce genre de conversation avec des recrues potentielles, a un point de vue précis sur le sujet : il existe de nombreuses façons de défendre le bien public. « On peut y contribuer en choisissant l'endroit où l'on va vivre, et le métier que l'on fera. » Ainsi, bien qu'il eût grandi dans une banlieue chic, Carlson s'était installé en ville, dans South Loop, parce que c'était, à son avis, son devoir de citoyen de « marcher la nuit dans les rues de Chicago », et de prouver, par cet acte simple, sa foi en une Amérique urbaine à une époque de désaffection des villes, alors que la réhabilitation des centres n'avait pas encore rendu cette position aussi facile à défendre. Il répéta sans doute à Michelle qu'il aimait tellement son métier – avocat spécialisé en droit privé traitant des atteintes à la vie privée, des ruptures de contrats, de la direction des entreprises – qu'il avait chaque jour le sentiment de faire l'école buissonnière. En deuxième année à Harvard, Michelle effectua un stage d'été chez Sidley & Austin. « L'un de ceux qui s'occupaient de recruter les étudiants de Harvard, explique Carlson, est venu me raconter que Michelle [Robinson] avait dit que si elle avait choisi Sidley, c'était en partie parce que Steve Carlson avait été aussi gentil avec elle. » Carlson était ravi qu'elle soit là.

Comme la plupart des cinquante et quelques stagiaires engagés par le cabinet, Michelle passa l'été 1987 à assister à des matchs de base-ball, des déjeuners et des cocktails ; comme beaucoup, elle se vit offrir un poste à plein temps chez Sidley après l'obtention de son diplôme, et elle l'accepta. Le salaire de départ y était d'environ 65 000 dollars par an.

Cependant, elle n'emprunta pas la voie tradition-nelle du contentieux commercial ou des lois antitrust, et se laissa recruter par les juristes moins rébarbatifs de la « branche marketing* », aujourd'hui secteur de la propriété intellectuelle. Ces avocats représentaient des personnes morales qui vendaient des biens au public, il pouvait s'agir d'agences de publicité, de fabricants d'automobiles, de producteurs de bière… Sidley comptait parmi ses clients le pittoresque organisateur de combats de boxe Don King, dont les apparitions faisaient toujours sensation dans les couloirs générale-ment feutrés du cabinet. La branche marketing « avait au sein du cabinet la réputation d'être un peu plus gla-mour », assure Brian Sullivan, qui y travaillait à l'époque et exerce à présent dans le Vermont. « Les gens y étaient un peu moins collet monté. » Sullivan se souvient de Michelle comme d'une jeune femme qui avait « plutôt les pieds sur terre », et il se demandait combien de temps elle allait « rester avec ces farfelus ».

Le terme « farfelu » est, bien entendu, très relatif. Il s'agissait toujours d'avocats en complet cravate qui travaillaient d'arrache-pied. Néanmoins, certains juristes appartenant à cette branche pensent que Michelle les a rejoints parce qu'ils se montraient cordiaux, détendus, et qu'ils traitaient les affaires les plus intéressantes. « C'était, sans conteste, la spécialité* la plus amusante du cabinet, raconte Mary Carragher, chargée alors de superviser Michelle. Nous étions les plus sympas et nous nous occupions des meilleures affaires. Cela tournait toujours autour de la culture populaire. On peut faire des choses très ennuyeuses en droit, et notre spécialité était – et à mon avis, est encore – de loin la plus passionnante. » Il s'agissait également d'une branche assez restreinte où de jeunes avocats pouvaient rapidement acquérir de véritables responsabilités et où l'on trouvait un nombre de femmes relativement important. L'une d'elles, Mary Hutchings Reed, avocate joviale et sociable qui n'avait pas ménagé ses efforts pour faire avancer le statut des femmes vers les plus hauts échelons des professions juridiques, devenue plus tard écrivain, fera de Michelle un personnage important de *Courting Kathleen Hannigan*, roman qui explore les difficultés d'une femme cherchant à entrer dans un grand cabinet d'avocats dans les années 1980 et 1990.

« Je l'aimais beaucoup* », dit Reed, qui a quitté Sidley en 1989 et est aujourd'hui conseillère chez Winston and Strawn. Elle se rappelle Michelle comme d'une jeune femme élégante, dotée d'un solide sens de l'humour et qui ne se laissait pas intimider par ses aînés, une juriste posée et assurée toujours prête néanmoins à reconnaître son ignorance quand elle ne savait pas quelque chose. Michelle avait beaucoup à apprendre, mais, se remémore Andrew Goldstein, autre avocat du cabinet, elle n'hésitait pas à tenir tête aux autres lorsqu'elle n'était pas d'accord avec eux sur la façon d'aborder un problème ou quand elle avait une idée différente à exprimer. « Michelle… on n'avait pas envie* de la sous-estimer. » Ils s'arrangeaient pour lui confier des affaires qui correspondaient à ses centres d'intérêt ; quand l'occasion se présenta de s'occuper de la carrière télévisée naissante de Barney le Dinosaure, qui attendait encore de s'imposer dans le cœur et l'esprit des petits Américains, ils eurent tous le sentiment que ce client était fait pour elle. « Michelle avait quelques notions dans le domaine de l'intérêt public, relate Goldstein, qui travaille maintenant pour le cabinet Freeborn & Peters, alors on lui a dit : Ça y est, c'est la télévision publique et c'est toi qui t'y colles. » Le cabinet avait pour tâche de gérer la protection de la marque déposée, la distribution des jouets en peluche et autres produits estampillés Barney, et de négocier avec les chaînes de télévision publiques qui voulaient diffuser le programme. « Elle avait très peu d'expérience en la matière, se rappelle Goldstein, mais elle s'y est attelée et a fait un excellent travail. »

Dans ce concert d'éloges, une personne fait entendre* une voix légèrement discordante, le patron du service marketing, un avocat du nom de Quincy White que tout le monde dans l'équipe surnommait affectueusement « Q ». White, aujourd'hui à la retraite, se souvient qu'il a lui-même recruté Michelle et s'est efforcé de lui trouver le travail le plus intéressant pos-

Michelle Robinson Obama, au centre, avec d'autres élèves du lycée Whitney M. Young. (Avec l'aimable autorisation du lycée Whitney M. Young.)

Michelle exécutant un ballet pour un spectacle du lycée. (Avec l'aimable autorisation du lycée Whitney M. Young.)

© Polaris

Michelle à la remise du diplôme de l'université de Princeton.

Ci-contre : Michelle Robinson et Barack Obama le jour de leur mariage en 1992.

Ci-dessous : Barack et Michelle arrivant au Bal des Légendes, cérémonie organisée par Oprah Winfrey récompensant les femmes ayant ouvert la voie aux arts, divertissements et droits civiques, en mai 2005 à Santa Barbara, Californie.

Michelle et Barack Obama avec leurs filles, Malia et Sasha,
sur le perron de leur maison à Hyde Park.

En famille,
le 28 août 2008,
à Denver, Colorado,
le jour où Barack Obama
a accepté l'investiture
du parti démocrate.

© Polaris

Michelle en campagne
avec Oprah Winfrey
à Manchester,
New Hampshire,
en décembre 2007.

© Scott Tufankjian / Polaris

Avec Hillary Clinton
au dîner annuel
de Jefferson Jackson
en novembre 2007.

© Jason Redd / Reuters / Corbis

La famille accompagne Barack, le seul Afro-Américain membre du
Sénat américain, alors qu'il prête serment devant le vice-président Dick
Cheney en janvier 2005.

Barack et Michelle enlacés après qu'elle l'a présenté lors d'une réunion de campagne à Atlantic, Iowa, en août 2007.

À Nashville, Tennessee, le 7 octobre 2008, Michelle serrant
les mains du public après le deuxième débat présidentiel.

Michelle faisant la lecture aux écoliers pendant sa campagne
à Monticello, Iowa, en novembre 2007.

Michelle penchée sur l'épaule de Barack alors qu'il apporte la touche finale à son discours du Super Tuesday de l'hôtel Hyatt à Chicago.

© Morry Gash / AP / SIPA

L'étreinte pleine d'émotion et de tendresse du nouveau couple présidentiel, le 4 novembre 2008, à Chicago.

sible, en partie parce qu'il voulait agir pour son bien et la voir progresser, mais aussi parce qu'elle semblait en permanence insatisfaite. « C'était, raconte-t-il, sans doute l'avocate la plus ambitieuse qu'il m'ait été donné de rencontrer. » Elle voulait assumer tout de suite de véritables responsabilités, et n'avait pas peur de protester si elle n'obtenait pas ce qu'elle estimait mériter. Dans les grands cabinets, les jeunes avocats frais émoulus de l'université se voient surtout attribuer les tâches les plus ennuyeuses et les points de détail. Il existait toutes sortes de règles obscures et néanmoins importantes concernant ce qui pouvait, ou ne pouvait pas, être dit ou fait dans la promotion d'un produit, et, au sein de la branche marketing, il revenait à tous les juristes – et pas seulement aux derniers arrivés – de revoir les scripts des spots publicitaires télévisés pour s'assurer de leur conformité. Par rapport au travail des avocats d'affaires en général, il y avait pis. « Travailler dans la publicité est plus amusant que de passer toute une année à lire des dépositions sur des poursuites en matière de lois antitrust, ou d'éplucher des documents en vue d'une grosse fusion », commente White, mais c'était tout de même une tâche ennuyeuse et relativement subalterne.

Trop ennuyeuse pour Michelle, en tout cas. Selon White, elle se plaignait du manque d'intérêt que présentait le travail qu'il lui réservait. Il lui confia donc le dossier des bières Coors, qu'il considérait comme leur client le plus excitant. Mais même là, ajoute-t-il, « elle m'a court-circuité pour aller se plaindre à la direction qu'on ne lui donnait pas de travail suffisamment important. La personne concernée est venue me voir en me disant : "Au fond, elle se plaint d'être traitée comme une jeune juriste engagée depuis un an." Et nous sommes convenus qu'elle était effectivement une jeune juriste engagée depuis un an. J'avais huit ou neuf autres employés dans mon service et je ne pouvais pas me permettre de faire du favoritisme. » De toute façon, même s'il lui avait fait bénéficier d'un traitement privilégié, White n'est pas certain que cela l'aurait calmée : « Rien de ce que j'aurais pu lui proposer n'aurait satisfait son ambition de changer le monde. »

« Je ne me suis pas fait souvent court-circuiter », commente White, qui vit à présent dans le Michigan. Ce n'était pas une démarche courante de la part d'un jeune employé, et il pense que c'était assez caractéristique de la personnalité de Michelle. « Elle était extrêmement ambitieuse », dit-il, et elle cherchait « quelque chose qui la stimule davantage, un challenge plus important… Attendre cinq à sept ans pour devenir associé me paraît en général un bon plan de carrière, mais pas pour [elle]. Il y a trop d'occasions à saisir ailleurs… qui aboutissent plus vite que ça. »

Cette description correspond bien à l'image de la lycéenne Michelle Robinson qui protestait auprès de son professeur de dactylo parce qu'elle n'avait pas obtenu la note qu'elle estimait avoir méritée, ou de l'étudiante de Princeton qui se plaignait de ce que ses professeurs ne lui enseignaient pas convenablement le français. Ce portrait est aussi parfaitement cohérent avec celui de la jeune femme qui ne se laissait pas impressionner par la somme de travail que pouvaient fournir ses collègues de l'aide juridique à Harvard. Abner Mikva, qui a rencontré Michelle à la fin des années 1990 alors qu'il rentrait à Chicago après un séjour à Washington, ne dissimule pas son amusement en entendant ces descriptions. « Cela ne me surprend pas* du tout, dit-il. C'est de toute évidence quelqu'un qui aime prendre des décisions et s'impliquer dans des affaires aussi excitantes qu'importantes. J'imagine sans peine que rédiger des mémos pour les autres juristes… ce ne devait pas être sa tasse de thé. »

À cet égard, elle avait sans doute beaucoup en commun avec Barack Obama, dont l'ambition politique était déjà manifeste pour ceux qui l'ont connu à Harvard où il obtint son diplôme de droit en 1991, se lançant aussitôt dans son ascension vers de plus hautes fonctions. Michelle était comme lui, impatiente, motivée et pressée de pouvoir exercer une influence sur le monde.

Malgré l'ambiance conviviale qui régnait au sein de l'équipe marketing, les nombreux repas pris ensemble au restaurant, ses collègues savaient relativement peu de chose sur la vie privée de Michelle. Sidley & Austin est situé sur le Loop, non loin des quais, mais Michelle habitait toujours le petit pavillon d'Euclid Avenue. Comme de nombreuses Afro-Américaines de sa génération, elle menait une vie très compartimentée, elle travaillait dans un quartier de la ville et habitait dans un lieu opposé.

Ses collègues de Sidley n'ont jamais su, par exemple, que son père, Fraser Robinson, était mort en 1991. Ce fut pourtant un drame d'une portée psychologique et affective considérable. Michelle aimait profondément son père et, adulte encore, ne pouvait s'empêcher d'aller se pelotonner sur ses genoux. Elle a déclaré que la mort de son père lui avait fait prendre conscience de la brièveté de l'existence, et lui avait appris que : « Si l'on ne prend pas plaisir* à ce qu'on fait chaque jour, à quoi bon ? »

Si elle parlait très peu de sa famille, il y a cependant un aspect de sa vie privée qui n'a pas pu passer inaperçu : la naissance de son idylle avec Barack Obama.

C'est en été 1989 qu'il entra comme stagiaire à Sidley & Austin. Il venait seulement de terminer sa première année de droit à Harvard, et c'était en soi déjà remarquable car le cabinet prenait rarement des stagiaires à ce niveau d'études, cela constituait une véritable distinction. Martha Minow, professeur de droit à Harvard, confia à son père, Newton Minow, principal associé à Sidley & Austin, que Barack était sans doute l'étudiant le plus doué qu'elle eût jamais eu. Michelle en entendit parler et trouva cela plutôt agaçant ; selon elle, les gens s'émerveillaient évidemment de ce qu'un Noir puisse s'exprimer correctement et se montrer aussi compétent. En entendant son nom et en apprenant qu'il avait été élevé à Hawaii, elle avouera plus tard qu'elle s'attendait qu'il soit « ringard, bizarre et peu engageant* », et qu'elle avait résolu de le trouver antipathique.

« Il paraissait du genre trop poli* pour être honnête, confia-t-elle au journaliste du *Chicago Tribune,* David Mendell, lors d'un entretien qu'elle lui accorda quand il écrivait sa biographie de Barack Obama, *Obama : From Promise to Power*. J'étais déjà sortie avec des Noirs précédés par une réputation similaire, et je me suis dit que c'était encore un de ces beaux parleurs qui avaient le chic pour embobiner les gens. Et puis nous avons déjeuné ensemble. Il portait un vilain veston et une cigarette accrochée au coin de la bouche, et j'ai pensé : C'est reparti – un beau mec, baratineur, je connais ça par cœur. » Craig a mentionné bien des fois les critères très élevés de Michelle lorsqu'il s'agissait de choisir un petit ami, et des obstacles que les prétendants éventuels devaient franchir. « Elle rencontrait des types*, sortait avec une fois ou deux, et en restait là. »

Le cabinet la chargea de conseiller et de superviser Obama, ce qui la mit dans une position embarrassante ; elle a souvent raconté qu'elle avait refusé sa première demande de rendez-vous, trouvant « nul » de sortir avec lui alors qu'ils étaient les deux seuls Noirs* du cabinet. En fait, comme le firent aussitôt remarquer Newton Minow et d'autres, Michelle et Barack n'étaient pas du tout les seuls juristes de couleur de la société. Sidley & Austin s'efforçait en effet de faire preuve de progressisme social. Il y avait un associé noir au cabinet, Charles Lomax, et de nouveaux avocats afro-américains arrivaient chaque année, dont certains suivirent Michelle dans la branche de la propriété intellectuelle. « Je me souviens de l'un des membres* du comité directeur nous parlant de la décision d'engager Charles Lomax, soulignant combien il était important de pouvoir montrer en exemple des gens qui ont réussi et occupent des places prépondérantes au sein de cabinets d'avocats installés alors qu'ils sont issus des milieux les plus variés », se remémore Carlson. Malgré tout, les Noirs ne devaient pas être très nombreux, et Michelle avait certainement l'impression que Barack et elle étaient le point de mire.

Elle dit aussi avoir résisté un certain temps à ses avances, et même lui avoir présenté d'autres femmes avant d'accepter de sortir avec lui. Elle expliquera plus tard : « L'été où j'ai rencontré Barack*, j'avais déclaré à ma mère : "Les garçons sont ma dernière préoccupation… Je veux me concentrer un peu sur moi". » Mais si elle a hésité, cela n'a certainement pas duré très longtemps. Pendant la période où ils ne sortaient pas officiellement ensemble, Newton Minow et sa femme, Jo, sont tombés sur eux au stand de pop-corn d'un cinéma. « Ils étaient un peu gênés, je crois* », raconte Minow en riant. D'autres assurent qu'il n'était pas étonnant qu'elle ait succombé. Quand on voit l'impression que produit Obama sur les militants politiques, « on imagine sans peine*… à quel point il devait faire jouer son charme naturel quand il cherchait à séduire quelqu'un », commente Carragher. Goldstein jugeait de son côté que Michelle cherchait à séduire Barack tout autant, et qu'elle ne manquait pas de ressources pour cela. « Elle est tout aussi charismatique que lui », déclare-t-il.

Ses collègues s'aperçurent rapidement qu'elle était amoureuse. Durant ce fameux été, Carragher se souvient que parfois, vers dix-sept heures trente, soit l'heure creuse au cabinet, elle allait voir Michelle pour lui parler d'un cas ou lui apporter du travail, et qu'il lui arrivait d'apercevoir depuis le pas de la porte Barack, installé sur un coin du bureau de la jeune femme. Michelle était assise à sa place et tous les deux bavardaient, visiblement ravis et transportés. « Tout indiquait clairement qu'il lui faisait la cour », raconte Carragher, qui s'éloignait alors sans bruit, pour ne pas les déranger.

Michelle finit par se confier à elle, lui racontant tout ce qu'elle avait appris sur lui. Il était évident que les origines et l'enfance peu ordinaires d'Obama l'intriguaient, et elle rapportait pièce par pièce toutes les informations à mesure qu'elle les recevait. « Je n'arrive pas à croire qu'il a une *grand-mère blanche qui vient du Kansas* ! » dira un jour Michelle à Carragher.

« Elle avait noté tout un tas de petites choses sur lui, explique cette dernière. Elle apprenait à le connaître en fait et paraissait totalement séduite. » Et l'héritage mixte de Barack n'y était pas pour rien. « Avec cette grand-mère blanche, il avait reçu une éducation très particulière, alors que sa vie à elle, d'après ce que j'ai pu lire, était plutôt simple et ordinaire. Le parcours de Barack la stupéfiait… Elle était très amoureuse. Mais gardait la tête froide. Même lorsqu'ils étaient ensemble, elle se montrait très réservée. »

Michelle et Barack se sentaient tous les deux attirés par ce qu'il y avait de différent chez l'autre. Barack a écrit que Michelle, grande, soignée, toujours impeccable, posée et volontaire, l'avait tout de suite impressionné. Il fut touché par ce qu'il discerna chez elle de vulnérabilité, le sentiment qu'un faux pas suffirait à faire fuir sa bonne étoile, « comme si, au fond*, elle savait combien les choses sont cn réalité fragiles, et que si elle lâchait prise, ne serait-ce qu'un instant, tous ses projets partiraient aussitôt à vau-l'eau ». Il a également écrit qu'il trouvait ses racines terriblement attirantes, sa grande famille très unie avec tous ces oncles, ces tantes et ces cousins. Obama avait, lui, eu une enfance déracinée : après le départ de son père, il ne le revit qu'une fois, à l'âge de dix ans, et les retrouvailles avaient été assez tendues. Sa mère, américaine, intellectuelle et nomade, était elle aussi absente la plupart du temps, partie en mission de recherche anthropologique de terrain. Mis à part un séjour de quatre ans en Indonésie, Obama avait passé la majeure partie de sa jeunesse dans une tour d'Honolulu avec ses deux grands-parents maternels blancs. Il devait donc avoir l'impression que Michelle avait profité dans son enfance d'une charge affective incroyablement riche en grandissant dans une famille traditionnelle aimante, avec un frère aîné attentionné, une tante pianiste et des cousins éparpillés dans toute la ville, au sein d'une des plus grandes communautés noires des États-Unis.

Gerald Kellman, qui fut le premier à engager Barack et à le faire venir à Chicago pour travailler comme animateur social dans le South Side, fut le témoin de l'attirance, voire de la fascination qu'éprouvait Obama pour la communauté noire à laquelle il a, d'une certaine façon, délibérément choisi d'appartenir. Kellman estime que cela a dû jouer un rôle non négligeable dans l'attrait que présentait Michelle pour lui. Il fait remarquer qu'Obama a décidé dans son premier livre de méditer sur son père noir plutôt que sur sa mère blanche. « Cela va dans le sens* de ce qu'il a choisi pour l'avenir – le fait qu'il ait décidé d'épouser Michelle, la personne idéale pour l'aider à établir ce type de racines, et la personne avec qui il pourrait partager sa carrière. »

L'attirance d'Obama pour Michelle sera également une source de fierté pour de nombreuses femmes de couleur ; sur theroot.com, un site Web dirigé par la Washington Post Company et consacré aux questions afro-américaines, Kim McLarin a parlé de l'approbation manifestée par beaucoup de Noires en apprenant qu'Obama, qui était sorti avec une Blanche, avait choisi de passer sa vie avec une Afro-Américaine – « une des nôtres ». « Je suis ravie* », écrivait-elle en expliquant que « la belle Michelle permet de démentir d'une façon concrète et efficace la croyance encore bien trop ancrée chez la majorité des Noires américaines à peau sombre que nous ne sommes pas assez jolies, pas assez désirables, pas dignes d'être aimées ». La commentatrice politique afro-américaine Debra

Dickerson* a fait remarquer que son mariage avec Michelle avait aidé Obama à établir sa crédibilité auprès des dirigeants politiques noirs de la ville ; avoir Michelle à ses côtés allait l'aider à réfuter l'objection soulevée par ses détracteurs et ses adversaires selon laquelle un homme qui avait des origines aussi variées, sans parler d'une mère blanche, n'était « pas assez noir ».

Il est donc intéressant, alors même que Barack semble avoir été attiré par le côté stable et bien enraciné de Michelle – sans parler de son physique, de sa forte personnalité et, on peut le supposer, des conseils qu'elle lui prodiguait en matière de vêtements –, que celle-ci ait été au contraire séduite par le côté exotique du jeune homme, par le fait qu'il soit différent de tous ces beaux parleurs de couleur dont elle avait fini par se lasser. On ressent chez elle une soif d'ouverture, une attirance pour un homme qui ne ressemblait à aucun de ceux qu'elle avait connus jusque-là, mais possédait cependant le caractère moral et le sens de la justice sociale qui comptaient tant pour elle, et qu'elle avait appréciés chez son propre père. Elle raconte souvent que, très tôt dans leur relation, il l'a emmenée dans le sous-sol d'une église où il devait rencontrer un groupe avec qui il travaillait en tant qu'animateur social, et qu'elle avait été subjuguée par sa passion et sa volonté de venir en aide aux Afro-Américains pauvres. Le message qu'il délivra alors était en gros le même que celui d'aujourd'hui. Dans certains discours, elle décrira par la suite comment il avait retiré veston et cravate pour dire à un public principalement composé de grands-parents qui élevaient leurs petits-enfants, que tous les gens sont liés les uns aux autres, quels que soient leur statut social ou leur race. Elle rit encore du fait que le premier film qu'il l'ait emmenée voir ait été

Do the Right Thing de Spike Lee, comme s'il avait voulu se donner une image de Noir branché.

Beaucoup plus tard, Michelle confirmera le sentiment de Carragher que Barack lui paraissait étranger, et que sa différence faisait partie intégrante de son charme. Comme elle le déclara en 2007 au *Hyde Park Herald* : « C'est exactement ce qui m'a émerveillée* quand je l'ai rencontré. Sur le papier, nous n'aurions pu être plus différents. Il est moitié noir, moitié blanc, a grandi à Hawaii et vécu en Indonésie. J'avais entendu parler de lui et m'étais dit qu'il serait sûrement bizarre. » On remarquera que, dans cette interview, elle ne dit pas qu'il est noir mais utilise l'expression, *moitié noir, moitié blanc*, le décrivant donc comme biracial. Elle utilisa cette distinction pour insister sur le besoin d'intégration des diverses communautés, comme si c'était précisément ce qu'Obama et elle représentent. « Dès qu'on se retrouve avec des gens différents, on se dit automatiquement que, bon, ils ne me ressemblent pas du tout et nous n'avons rien en commun. Mais, comme il le souligne dans son livre, nous avons bien plus de choses en commun que de différences. Ses grands-parents sont natifs du Middle West et les valeurs du Middle West sont le travail, le respect des autres et le respect de la parole donnée. Nous avons tous les deux à cœur de faire de notre mieux et d'agir comme il faut. »

La mère de Michelle le considéra aussi comme un homme peu ordinaire. Répondant à un journaliste de la télévision publique de Chicago, Marian Robinson reconnut qu'elle avait eu au départ quelques appréhensions au sujet de cette relation. Interrogée sur le fait qu'il soit métis, elle avoua que cela l'avait « un petit peu » inquiétée mais pas autant que s'il avait été blanc.

« Si les unions mixtes m'inquiètent, c'est à cause des difficultés que cela pose et non par préjugé ou quoi que ce soit de ce genre. C'est très difficile. » D'après Craig, Barack est venu dîner et il a plu à toute la famille, qui l'a ensuite beaucoup plaint en se disant que Michelle ne le garderait pas longtemps, comme ses prédécesseurs. « Il était très, très discret*, se souvient Craig. La façon dont il parlait de sa famille m'a bien plu parce que c'était la façon dont nous-mêmes parlions de notre famille. Je me disais : "Il est bien, ce type. Dommage, ça ne va pas durer". » Craig se plaît à raconter* que Michelle lui a demandé d'emmener Barack sur un terrain de basket pour tester son caractère. Il s'est exécuté et a pu lui faire ensuite un rapport positif : Obama était sûr de lui et assez bon joueur, mais sans tirer la couverture à lui ni être un as du ballon. Plus tard cette année-là, Michelle rencontra la famille de Barack lors d'un voyage à Honolulu pour Noël. La sœur de Barack, Maya Soetoro-Ng, se souvient : « Michelle s'est tout de suite* laissé convertir par nos rites de Noël bon enfant et décontractés », qui consistaient en tournois acharnés de Scrabble et solides petits déjeuners avec œufs et pancakes.

À ce moment-là, il était déjà clair pour les collègues de Michelle que le couple partageait espoirs et ambitions. « Je suis certaine qu'il* lui a parlé de ses rêves dès le premier instant où ils ont commencé à discuter, quand ils ont pris cette glace ensemble, tout au début, raconte Martha Minow. Je ne sais pas pour la présidence, mais le service public, la politique, il en parlait déjà quand il était étudiant. Il n'a jamais eu d'autres objectifs. »

Michelle a confié à Carragher que Barack voulait écrire un livre, projet auquel il ne s'attaquerait en fait que quelques années plus tard. Et, comme tous les jeunes de vingt ans et quelques, ils essayaient d'envisager comment changer le monde. « Nous discutions beaucoup* sur la façon la plus efficace de faire bouger les choses », expliqua Michelle au *Daily Princetonian*, suggérant que leur engagement à vouloir tirer la communauté vers le haut les avait liés, et qu'ils croyaient pouvoir agir plus efficacement s'ils œuvraient ensemble. « Nous voulions tous les deux agir sur la société à une échelle plus vaste que ce que nous pouvions faire individuellement, et nous voulions le faire en dehors des grandes sociétés commerciales. » On est loin encore des promesses de Bill Clinton qui proposait, avec sa femme Hillary en First Lady, d'en avoir deux pour le prix d'un, mais l'on voit clairement que leurs objectifs professionnels et personnels ne faisaient qu'un. Michelle ne s'intéressait peut-être pas beaucoup à la politique, néanmoins elle partageait avec son futur mari un véritable désir d'action civique et de changement social.

Cependant, alors qu'elle découvrait* et vantait les merveilleuses qualités d'Obama, Carragher se rappelle qu'elle avait aussi repéré un défaut. Un jour qu'elle énumérait les formidables mérites de son nouveau petit ami, Michelle avait pris un air malheureux pour ajouter : « Mais il fume. »

Elle fera tout pour le faire arrêter et ne parviendra à ses fins qu'en faisant de la cigarette une condition à l'entrée d'Obama dans la course à la présidence.

Il paraissait déjà évident pour certains collaborateurs de Sidley que Barack avait l'étoffe d'un président. Goldstein se souvient de conversations autour de la fontaine d'eau où l'on énumérait ses réussites, et prédisait qu'un tel CV ne pouvait mener qu'à un endroit.

« Ce type sera le premier président noir », augura un collègue de Sidley. Mary Hutchings Reed comprit parfaitement l'intérêt d'Obama pour les affaires publiques : « Je crois qu'on peut dire sans se tromper que l'homme avait des ambitions politiques. » Elle avait le sentiment que Michelle entendait ce qui se disait, partageait cette perception du potentiel d'Obama et était au courant de ses objectifs. Il ne fait aucun doute que sa façon de s'exprimer dans le sous-sol de cette église l'avait convaincue qu'il était homme à pouvoir déplacer les foules, et probablement les montagnes.

Pourtant, Michelle soutient qu'elle n'avait pas saisi, au début de leur relation, les intentions politiques de Barack. « Lorsque nous sortions*, nous ne discutions pas à proprement parler de politique, nous abordions les grands problèmes de ce pays », m'a-t-elle dit alors qu'elle me décrivait leurs premiers rendez-vous lorsque je l'ai interviewée, en été 2007. C'est plutôt surprenant dans la mesure où Obama ne faisait mystère de ses intentions avec personne d'autre. Le politologue Robert Putman, professeur à Harvard, qui l'a connu après ses études de droit, le décrit comme « d'une ambition manifeste* et sympathique ». Newton Minow, qui l'a rencontré en même temps que Michelle, nous dit : « Je crois qu'il se voyait* avec une carrière politique avant même que je le connaisse. » Craig se plaît aussi à évoquer* l'une des premières fois où Michelle invita Barack à une réunion de famille, et où il le prit à part pour l'interroger sur ses projets, et le briefer sur les personnalités et les manies des membres de la famille. Lorsque Craig lui demanda ce qu'il comptait faire dans la vie, Obama lui répondit : « Je crois que j'aimerais bien enseigner pendant quelque temps, et peut-être même me faire élire à des fonctions officielles. » Craig avait cru qu'il parlait d'un poste de conseiller municipal, mais Obama le détrompa : « Il m'a dit qu'en fait, le moment venu, il aimerait se présenter au Sénat américain. Et puis il a ajouté : "Peut-être même, à un moment, devenir candidat à la présidence." Et moi, j'ai rétorqué : "Bon, tout ça, c'est bien beau, mais n'en dis pas un mot à ma tante Gracie." Je voulais lui éviter de lâcher quelque chose qui pourrait le mettre dans l'embarras », ajouta Craig, faisant allusion à la suspicion familiale à l'égard des hommes politiques.

Lorsque j'ai fait part de cette anecdote à Michelle, elle a ri comme si elle ne l'avait jamais entendue auparavant. « Il aurait tout aussi bien* pu lui dire : "N'en parle pas à Michelle !" » plaisanta-t-elle, sous-entendant par là qu'elle partageait la méfiance de la famille pour la politique et ne s'était pas doutée que Barack entretenait de telles aspirations. « Elle savait où elle* mettait les pieds », dira ensuite Craig, ajoutant que Barack n'avait jamais caché ses ambitions. Selon les souvenirs de certains collègues, elle visait même très haut pour lui. « Michelle était une fonceuse », commente un avocat de Sidley persuadé qu'elle avait su depuis le début que cet homme irait loin. Peut-être admirait-elle et réagissait-elle aux qualités qui allaient faire de lui un brillant homme politique, tout en émettant des réserves sur la politique elle-même. « L'histoire est remplie de gens* attirés par des individus qui faisaient de la politique, alors qu'eux-mêmes n'aimaient pas les politiciens », relève Al Kindle.

Barack est ensuite retourné à Harvard, et le couple a poursuivi sa relation, malgré l'éloignement, pour se marier trois ans après leur premier rendez-vous.

Michelle raconte*, non sans humour, comment, pendant toute cette période, Barack freinait des quatre fers à l'idée du mariage, considérant qu'il s'agissait d'une institution dépourvue de sens et que la seule chose qui importait était ce qu'ils éprouvaient l'un pour l'autre. Et puis, un soir, il l'avait emmenée chez Gordon, un restaurant chic de Chicago, et elle avait remis la question du mariage sur le tapis. Il avait répondu par sa tirade habituelle, et avait poursuivi sa critique de l'institution jusqu'au moment de commander le dessert. Lorsque celui-ci arriva, il y avait une petite boîte sur l'assiette, et, dans la boîte, une bague de fiançailles. « Ça t'en bouche un coin, non », lui dit alors Barack. Elle a avoué à un journaliste du *Chicago Sun* qu'elle ne se souvient ni du dessert ni même si elle l'a mangé : « J'étais vraiment sous le choc et un peu embarrassée aussi, parce qu'il m'en avait effectivement bouché un coin. »

Ils se marièrent en 1992, à la Trinity United Church of Christ, et la cérémonie fut célébrée par le révérend Jeremiah Wright, que Barack avait connu lorsqu'il travaillait comme animateur social. Michelle portait une robe lui découvrant les épaules. Ils donnèrent une réception au South Shore Cultural Center, ancien club de loisirs d'où étaient autrefois exclus Noirs et Juifs. Ils passèrent leur lune de miel sur la côte ouest et vécurent chez la mère de Michelle, Euclid Avenue, pendant quelques mois, avant de prendre un appartement dans un immeuble sans ascenseur de Hyde Park. C'est le quartier d'une des communautés les mieux intégrées de la ville, et l'on y trouve le QG géographique et spirituel de la coalition progressiste libérale qui s'était présentée contre le maire Richard J. Daley.

L'année précédant leur mariage, Michelle quitta Sidley & Austin, et l'exercice du droit des affaires. Newton Minow relate* que Sidley proposa à Barack Obama un poste à plein temps dès la fin de ses études à Harvard, et qu'Obama annonça alors son intention de se lancer dans la carrière politique pour décliner la proposition. Minow, qui avait en son temps occupé des fonctions politiques – il avait été notamment président de la Federal Communications Commission (haute autorité de l'audiovisuel aux États-Unis) sous le président John F. Kennedy –, lui répondit affablement que le service public offrait une carrière admirable, et que le cabinet ferait tout son possible pour l'aider à faire avancer ses projets politiques.

« En fait, je ne suis pas sûr que vous allez avoir envie de m'aider », rétorqua Barack en le priant de s'asseoir parce qu'il avait des choses plus désagréables encore à lui annoncer. « Je me suis dit, mais qu'est-ce qu'il raconte ? » déclare Minow, qui obtempéra alors que Barack lâchait : « J'emmène Michelle avec moi. » Minow se souvient d'avoir commencé à bredouiller : « Espèce de sale pourri… » Et puis qu'Obama l'a interrompu d'un : « Pas de panique, nous allons nous marier. »

En vérité, le fait est que Michelle n'avait nul besoin de quitter Sidley simplement parce qu'elle épousait Barack. Après Harvard, Barack revenait à Chicago, elle aurait donc très bien pu rester à son poste. « Du point de vue du cabinet, nous avons considéré cela comme une vraie perte, dit Minow. Nous pensions qu'elle finirait par devenir avocate associée et jouerait un grand rôle parmi nous. » Loin d'avoir été écartée ou entravée – expériences qu'elle redoute par-dessus tout –, Michelle avait au contraire été désignée, au bout de quelques années seulement, pour être une future associée.

Elle s'est expliquée dans de nombreuses interviews sur les raisons de son départ : principalement l'examen de conscience suscité par la mort de son père, et par la fin tragique, en 1990, de sa grande amie de Princeton, Suzanne Alele, morte d'un cancer avant d'avoir trente ans. Michelle se souvient qu'Alele avait toujours suivi son cœur et ses penchants naturels, faisant ce qui lui semblait juste plutôt que ce qu'on attendait d'elle. Et elle rapporte qu'elle a résolu à cette époque de suivre la même voie. C'était un peu de la même veine que ce qui était arrivé à Craig, quand il travaillait à Wall Street, et avait décidé de tout lâcher pour devenir entraîneur. Il est également possible que Barack lui ait laissé entrevoir que la vie ne se résumait pas à un gros salaire. Lui-même n'avait cessé de remettre en question le fait de travailler dans un cabinet d'avocats, ne fût-ce que pour un été, s'inquiétant de ce que cela pouvait l'entraîner à « renoncer à ses idéaux de jeunesse et se soumettre aux dures réalités de l'argent et du pouvoir ». À la mort de son père, Michelle a raconté au *New York Times* : « J'ai regardé autour de moi* et j'ai eu la révélation que je devais mettre toutes mes compétences au service de la communauté qui m'avait faite. Je voulais entreprendre une carrière motivée par la passion et pas seulement par l'argent. »

Lorsqu'elle confie cela au journaliste du *Chicago Sun-Times*, en 2004, elle avoue aussi un sentiment lancinant de culpabilité à jouir d'une telle réussite matérielle quand d'autres, qui avaient les mêmes origines qu'elle, la même éducation, étaient loin d'être aussi bien lotis. Elle se souvient de s'être demandé :

« Puis-je aller aux réunions* de famille dans ma Mercedes et me sentir à l'aise alors que mes cousins se battent pour garder un toit sur leur tête ? » Il faut ajouter à cela qu'elle n'était pas passionnée par son travail au cabinet, comme la majorité de ses collègues. En expliquant en 2008 à *Newsweek* son départ, elle déclarait : « Je ne voyais pas beaucoup* de gens si heureux que ça d'être là. Ils estimaient mener une vie agréable. Mais se réveillaient-ils prêts à sauter du lit pour filer au travail ? Non. »

C'est assez lapidaire et cela implique que tous ces collègues qui l'appréciaient tant faisaient en fait du sur-place en exerçant une profession qui ne les emballait pas. La plupart ne lui en veulent pas. « Je comprends* », dit Reed, qui, contrairement à la description de Michelle, semble avoir aimé se lever tous les matins pour essayer de faire entrer les femmes dans les allées du pouvoir, et l'a fait avec entrain et bonne humeur. Mais elle concède : « Ici, nous faisons de la publicité. On peut se dire qu'on travaille pour la défense du consommateur américain », poursuit-elle, mais « quand on travaille dans un grand cabinet juridique comme celui-ci, parfois… on n'arrive pas à trouver du sens dans ce qu'on fait ».

« Au début, c'est amusant, intéressant et nouveau, et puis, au bout de quelques années, on se rend compte que c'est un peu toujours pareil », reconnaît Carragher, qui est partie en 1992 et a maintenant son propre cabinet. Elle fait remarquer que beaucoup de jeunes avocats s'essayent aux grands cabinets puis décident que cela ne leur convient pas. « Il n'est pas surprenant qu'elle soit passée quelque temps par là. Quand on sort parmi les premiers d'une grande école, on se fait recruter par tous les plus gros cabinets juridiques du coin. Et il faut un moment pour se demander : "Suis-je vraiment à ma place ici ?" »

Après le départ de Michelle, la plupart de ses collègues l'ont tout simplement perdue de vue. Deux ans plus tard, Carragher l'a croisée sur Michigan Avenue, alors que Michelle était devenue directrice générale d'une association à but non lucratif, Public Allies, qui prépare les jeunes à travailler dans le secteur social. Elle lui a donné sa carte, et semblait très heureuse. Puis Carragher l'a de nouveau rencontrée à la fin de l'automne 2006, lors d'un déjeuner de collecte de fonds pour l'hôpital St Jude's ; Michelle était alors devenue la femme d'un sénateur américain considéré par beaucoup comme présidentiable, et Mary était accompagnée par sa propre fille âgée de onze ans. « J'ai l'impression que j'avais onze ans quand je vous ai rencontrée », plaisanta Michelle, s'émerveillant a posteriori de son manque d'expérience. Carragher la présenta également à sa mère, et Michelle déclara aimablement : « Mary a été mon guide et m'a appris énormément de choses. » La mère de Carragher, qui, selon elle, est un peu dure d'oreille, répondit alors : « Oh oui, c'est ce que Mary m'a dit ! » Carragher ne savait plus où se mettre, et Michelle, raconte-t-elle, a éclaté de rire.

« Quelle vie incroyable vous avez », commenta Carragher. À quoi Michelle lui répondit : « Je sais. »

Mais Michelle n'a pas simplement quitté le monde du droit des affaires ; elle n'a eu de cesse de le rejeter. Barack et elle insistent sur le fait qu'ils ont quitté l'Amérique du profit pour se consacrer au service public. « Nous avons renoncé* au monde du profit, et c'est ce que nous demandons principalement aux jeunes de faire. Ne vous tournez pas vers l'Amérique des affaires », prône-t-elle lors d'un discours à des femmes dans l'Ohio, poursuivant ainsi : « Vous savez, devenez enseignants. Travaillez pour la communauté. Soyez travailleurs sociaux. Devenez infirmiers. Voilà les métiers dont nous avons besoin, et nous encourageons les jeunes à les entreprendre. Mais si vous faites le choix, comme nous l'avons fait, de sortir de l'industrie de l'argent pour entrer dans celle de l'aide sociale, sachez que les salaires ne seront pas les mêmes. » Dans une église baptiste de Cheraw, en Caroline du Sud, en janvier 2008, elle dit : « Nous n'avons pas besoin* d'un monde plein d'avocats d'affaires et de gérants de fonds spéculatifs. » À Rhode Island, en 2008, alors qu'elle parlait du fait que Barack avait choisi de travailler comme avocat dans la défense des droits civiques plutôt qu'à Wall Street, elle lance : « Quand on a reçu* le don de la plaidoirie, on ne le vend pas au plus offrant ! » Elle répète souvent que Barack aurait pu gagner beaucoup plus d'argent dans des cabinets privés, comme bon nombre de juristes qui travaillent à Washington pour faire appliquer tel ou tel règlement fédéral. Virtuellement, tout juriste œuvrant à la Federal Communications Commission ou à la Securities and Exchange Commission ou au U.S. Justice Department est en droit de quitter le service public pour gagner davantage. Michelle sous-entend donc que les Obama méritent un éloge particulier alors que les fonctionnaires du service public sont nombreux à avoir choisi, eux aussi, de renoncer aux salaires du secteur privé.

Cela n'a pas échappé à Carlson, le juriste qui avait pris le temps et la peine de relever les noms des organismes potentiels susceptibles d'engager des stagiaires à l'époque où Michelle Robinson était jeune étudiante à Princeton. Sans son intervention, il est tout à fait possible que Michelle n'aurait jamais été tentée par Sidley & Austin et n'aurait peut-être jamais rencontré Barack Obama. Les propos de Michelle dans *Newsweek*, selon lesquels ses collègues de Sidley n'appréciaient pas leur travail, sont, dit-il aujourd'hui, ce qui l'a le plus profondément déçu concernant Michelle.

Parce que, pour lui, ce n'est pas vrai.

« Je suis très content* de ce que je fais, assure Carlson. Je pense même que la plupart de mes collègues le sont également, et que la majorité d'entre nous voient en quoi nous pouvons chercher à améliorer la vie des gens. » Si elle était restée dans le secteur privé, Carlson estime que Michelle aurait pu agir pour le bien public en ayant valeur d'exemple, en montrant à quoi pouvait parvenir une Afro-Américaine. « Une femme comme Michelle… apporterait une énorme contribution au service public en montrant l'exemple de quelqu'un qui a réussi et qui s'épanouit dans le secteur privé. »

Et il n'est pas d'accord avec elle lorsqu'elle rejette l'Amérique des affaires. « Les gens qui ne veulent pas entrer dans l'Amérique des affaires, quoi que puisse recouvrir cette expression, ne sont pas obligés de le faire et peuvent choisir d'autres chemins, mais il ne faut pas sous-estimer le bien qu'a pu engendrer le monde des affaires américain. Michelle Obama a elle-même formidablement profité du fait qu'il existe un monde des affaires en Amérique. Barack Obama a considérablement profité du fait qu'il existe un monde des affaires en Amérique. C'est pour ça que l'opinion publique est en faveur de ce pays et que l'on y vient du monde entier. On sait que ce pays présente pas mal d'avantages. Nous comptons tous sur l'Amérique des affaires. »

De plus, c'est ce même monde qui a aidé à financer la campagne d'Obama, et ce par le biais de nombreux hommes d'affaires et financiers afro-américains dont la réussite témoigne de ce que ce secteur peut apporter à quelqu'un, n'importe qui, du moment qu'il est motivé et intelligent. « Je crois que Michelle a sous-estimé l'importance qu'il y a à servir d'exemple », répète Carlson. Il est en effet convaincu qu'une Noire ayant accédé aux plus hautes positions envoie un message à tout le monde.

Mais alors, il se met à rire. Elle pourra tout autant avoir valeur d'exemple « quand elle sera à la Maison-Blanche », se rassure-t-il.

7

Pendant que Michelle faisait ses études à Princeton, un événement majeur se produisit à Chicago. En 1983, Harold Washington fut élu à la mairie, devenant ainsi le premier maire noir de la ville. Ce fut une victoire formidable pour la communauté afro-américaine, tant sur un plan matériel que psychologique, comme l'apprit ensuite Barack Obama de la bouche de son coiffeur. La paix raciale ne s'installa pas pour autant dans la ville. Pendant son premier mandat*, Washington dut s'engager dans un combat au long cours contre le conseil à majorité blanche, combat qui se révéla si vicieux que le maire menaça un jour d'exclure son principal opposant, le premier conseiller Ed Vrdolyak, en faisant mine de le frapper. Une autre fois, Vrdolyak poussa tellement à bout un supporter de Washington, Walter « Slim » Coleman, depuis sa place au conseil municipal, que celui-ci sauta par-dessus la rambarde et en serait venu aux mains s'il n'avait été retenu par les huissiers.

Mais, pour reprendre les termes de Judson Miner, juriste blanc et conseiller de Harold Washington, le mandat de ce dernier prouvait au moins une chose :

il était désormais évident* pour tout le monde qu'un Noir pouvait diriger Chicago sans que la ville s'écroule. Lorsqu'il brigua son second mandat, Washington progressa parmi les électeurs blancs ; ils furent moins nombreux à voter contre lui. La mort soudaine de Washington, victime d'une crise cardiaque à son bureau en 1987, fut un coup terrible, mais ses mandats avaient changé la dynamique raciale de la ville.

Ce ne fut pas évident tout de suite. Barack me raconta qu'après la mort de Washington, il avait été déçu par l'éclatement de la coalition multiraciale progressiste qui avait soutenu le maire, remplacé alors par un conseiller quelconque pris dans le vieil appareil. « J'étais, comme beaucoup*, impressionné par l'efficacité avec laquelle il avait su mobiliser la communauté et imposer le changement. J'étais frustré par l'incapacité à construire une organisation susceptible de prolonger cet élan et de produire [des résultats]. » Là, Obama ajoute : « D'une certaine façon, je méprisais la politique. Je trouvais plus intéressant de mobiliser les gens pour demander des comptes aux hommes politiques. »

Cette attitude explique en partie ce que Barack décide de faire après avoir obtenu son diplôme de droit à Harvard en 1991. Toutes les portes lui étaient ouvertes, il aurait pu travailler n'importe où. Abner Mikva, ancien membre du Congrès américain et juge auprès de la cour d'appel fédérale pour le district de Columbia, lui avait proposé de travailler avec lui, et quand Obama déclina son offre, Mikva dit en riant qu'il a imaginé que Barack devait être un de ces « Noirs snobinards » qui ne voulaient travailler que pour un juge noir. Michelle avait, elle aussi, trouvé étonnant qu'il ne veuille même pas devenir l'assistant d'un juge de la Cour suprême. Elle souligne que Barack est allé à Harvard parce qu'il avait compris, en travaillant comme animateur social, que s'il voulait faire changer les choses, il lui fallait saisir comment les lois étaient élaborées.

« Il est nécessaire d'avoir* de bonnes bases en droit, alors il fait son droit, mais il ne veut pas devenir juriste, m'a confié Michelle. Il a été rédacteur en chef de la *Harvard Law Review*, et il refuse de devenir assistant à la Cour suprême, ce qui aurait été le parcours normal. Cela ne lui a même jamais traversé l'esprit. Et moi, j'étais là et je savais ce que ça représentait : "Tu ne veux pas bosser avec eux ? Tu te fous de moi !" Et lui, il me répond : "Non, ce n'est pas pour ça que j'ai fait du droit. Si on veut faire bouger les choses, ce n'est pas en tant qu'assistant à la Cour suprême qu'on va y arriver." Il n'y avait que le changement, il n'y a toujours eu que le changement. Depuis le début, il a cette idée : comment contribuer à faire changer ce pays. »

Obama préféra donc entrer dans le cabinet juridique spécialisé dans la défense des droits civiques de Judson Miner, mais il passa d'abord six mois à s'occuper d'une campagne, Project Vote, destinée à promouvoir l'inscription sur les listes électorales des Afro-Américains économiquement faibles. Cette opération rappelait fortement l'action du père de Michelle, Fraser Robinson, responsable politique de son quartier, qui arpentait les rues du South Side en exhortant les gens d'abord à voter, puis à voter démocrate. La campagne Project Vote fut un tel succès qu'elle contribua à l'élection de Bill Clinton dans l'Illinois, et permit à Carol Moseley Braun de devenir la première femme noire élue au Sénat américain. Barack commença alors l'écriture de son premier livre, *Les Rêves de mon père : l'histoire d'un héritage en noir et blanc*[1]. Obama signa le contrat de l'ouvrage après que sa nomination à la rédaction de la *Law Review* eut suscité des articles élogieux dans la presse nationale. Miner s'amuse cependant du fait que les éditeurs – lui supposant d'office des origines emblématiques – attendaient le récit d'un jeune Noir sorti héroïquement du ghetto. Au lieu de quoi, Obama leur avait fourni l'autobiographie complexe d'un garçon métis, et sans père, qui avait grandi à Hawaii et en Indonésie avant de partir sur le continent trouver son identité noire au sein de paysages américains variés. Miner raconte qu'à l'occasion d'une série de déjeuners, Obama l'a interrogé sur les relations raciales sous le mandat d'Harold Washington, lui demandant comment il avait ressenti le fait de travailler sous la direction d'un Noir. Le cabinet de Miner était spécialisé dans la défense des droits civiques, incluant le droit de vote et les problèmes de discrimination, et se battait souvent contre la ville. Le cabinet, Davis, Miner, Barnhill & Galland, n'était pas très important et ne rapportait pas beaucoup, indique Miner, mais il était prestigieux et connu pour engager des éléments pleins d'avenir. De plus, Miner – ainsi que Newton Minow et Abner Mikva – serait à même de présenter Obama à tout un réseau de soutiens et de contacts politiques qui comprenaient des Afro-Américains, des dirigeants juifs, des progressistes, des libéraux bon teint, des personnalités politiquement engagées. Miner souligne* que lors de

---

1. Traduction de Danièle Darneau (Presses de la Cité, mars 2008).

ces déjeuners, « Obama se montrait clairement intéressé par la fonction gouvernementale ».

Alors que Barack cherchait à pénétrer dans la coalition progressiste de Chicago, Michelle s'engageait
dans l'équipe du maire, considéré par beaucoup de ces
mêmes progressistes avec suspicion. Pendant sa dernière année au cabinet Sidley & Austin, Michelle
envoya des lettres aux conseils généraux des universités pour essayer de trouver un domaine juridique
plus satisfaisant. En 1991, elle écrivit ainsi à Valerie
Jarrett, membre de haut niveau de la seconde administration Daley, issue d'une grande famille de Chicago.
Jarrett avait grandi à Hyde Park, et fait ses études dans
l'un des établissements privés les plus huppés du pays,
Laboratory Schools, affilié à l'université de Chicago.
Sa mère était psychologue pour enfants, et son père,
médecin pathologiste, fut le premier Noir à obtenir un
poste au département de biologie de l'université de
Chicago. Jarrett, titulaire d'un diplôme de droit de
l'université du Michigan, était directrice générale
adjointe de Richard M. Daley, fils de l'ancien maire de
la ville, et élu lui-même maire. Elle a tout de suite été
impressionnée par Michelle. « À la fin de l'entretien*,
je lui ai proposé un poste… Elle était à la fois sûre
d'elle, impliquée et extrêmement ouverte », dira par la
suite Jarrett. Mais avant d'accepter, Michelle l'invita à
venir dîner avec Barack et elle.

On raconte que Barack s'inquiétait déjà de l'effet
que pourrait produire sur sa carrière politique naissante
l'entrée de sa femme dans l'équipe de Daley. Sans être
le politicien de la « Machine » qu'avait été son père,
Richard Daley était en effet considéré par beaucoup
comme le représentant du pouvoir que les indépendants
combattaient depuis longtemps. « Cela ne pourrait

manquer* d'être considéré [d'un mauvais œil] à Hyde Park – quiconque travaillant pour Daley ne pouvait être qu'extrêmement suspect », commente le conseiller politique Don Rose, ce qui explique peut-être pourquoi Michelle n'est pas restée très longtemps en poste. Obama craignait aussi*, d'après son biographe David Mendell, qu'elle ne soit trop franche et cinglante pour survivre dans l'univers politique. Il estimait que si elle devait se lancer dans ce monde, il lui fallait quelqu'un pour la piloter. La notion de parrainage n'avait plus beaucoup cours dans le milieu des affaires, mais à Chicago, il n'était pas inutile d'avoir un guide. Jarrett accepta de dîner avec le couple, et se souvient encore de ce que lui dit alors Michelle : « Mon fiancé veut savoir* qui va me prendre en main et veiller à ce que je réussisse. » À la fin de la soirée, Jarrett demanda : « Alors, j'ai réussi le test ? » Barack sourit et lui répondit que oui.

Ce dîner allait servir de modèle. Alors que maris et femmes opèrent souvent professionnellement dans des secteurs qui ne se recoupent pas, Michelle et Barack forment une véritable équipe, prononçant chacun des discours pour le compte de l'autre, s'invitant mutuellement à participer à des comités, sans doute parce qu'ils partagent la même formation universitaire et professionnelle – grandes écoles, droit à Harvard – et se sont donné la même mission. Michelle dira plus tard : « Barack ne s'est pas* beaucoup appuyé sur moi pour faire carrière, et je n'ai pas du tout compté sur lui pour la mienne. » C'est vrai dans le sens où elle est une femme hautement qualifiée, dont les propres mérites suffisent amplement à lui permettre de trouver toute seule du travail. Pourtant, il serait plus juste de dire qu'ils sont tous les deux particulièrement soudés sur un plan personnel et politique, et qu'ils se sont beaucoup entraidés. « Fondamentalement, nous travaillons* bien ensemble parce que nous partageons les mêmes valeurs », déclarera Michelle au *Hyde Park Herald*.

D'un point de vue politique, Michelle s'est révélée, par bien des côtés, très précieuse pour Barack. Grâce à son travail d'animateur social, il avait déjà établi des contacts, et s'était fait connaître des dirigeants et des hommes politiques du South Side, mais Michelle, ayant grandi dans cet environnement, l'a aidé à étoffer et étendre encore cette réputation. « Beaucoup de gens* brillants ont du mal à travailler dans la communauté parce qu'ils ne viennent pas de là », a déclaré à *Newsweek* leur ami John Rogers. « Craig et Michelle peuvent le faire parce qu'ils en sont issus. » Elle connaissait certains leaders politiques du South Side ; son amitié avec Santita Jackson lui donnait accès à la maisonnée Jackson.

Parallèlement, grâce à sa propre ambition et à sa réussite professionnelle, Michelle offrait à Barack des contacts dans une nouvelle catégorie sociale en le présentant à certaines personnes qui allaient devenir des amis très introduits et d'importants soutiens financiers. En travaillant avec la municipalité, elle avait établi des relations avec des proches de Daley. Jarrett en est le plus bel exemple ; elle est devenue l'amie, la confidente, une personne extrêmement utile pour Barack. Sans doute l'une des femmes les plus influentes de Chicago, Jarrett sera membre du conseil d'administration de la Chicago Transit Authority (opérateur des transports publics de la ville) et de la Bourse de Chicago ; elle fait également partie du conseil du Centre médical de l'université de Chicago et est P-DG d'une importante société de gestion immobilière, Habitat

Company. Elle présidera aussi la commission de financement de la campagne d'Obama pour son élection au Sénat en 2004.

Michelle a également permis à Barack de rencontrer John W. Rogers Jr., originaire de Chicago, qui a fondé la première société de gestion financière à capitaux afro-américains et qui se révélera un formidable bailleur de fonds. Rogers avait joué au basket à Princeton avec Craig Robinson. À son tour, ce dernier présentera les Obama à Martin Nesbitt, président du conseil de la Chicago Housing Authority (direction immobilière de la ville), ancien coéquipier, qui allait devenir l'un des plus proches amis des Barack. Rogers et Nesbitt fourniront tous deux à Obama des entrées dans le milieu naissant des hommes d'affaires noirs de Chicago. La ville avait toujours abrité un groupe de riches familles noires, certaines ayant fait fortune dans les affaires et les médias, cantonnées au South Side. Mais ce groupe s'était développé et incluait à présent de nombreux Noirs jeunes et dynamiques originaires de Chicago. Don Rose explique que la ville s'était dotée d'une haute bourgeoisie noire, « qui comprenait un éventail assez large de professions, certaines étant plutôt politiques, d'autres économiques. Il y avait des juges, des avocats – dans les années 1980, le barreau de Chicago commença à intégrer beaucoup plus d'Afro-Américains, et les choses s'installaient. On trouvait des courtiers, des assureurs et des professionnels dans le domaine du savoir. En tant que diplômée de Princeton et de Harvard, [Michelle] s'est tout naturellement intégrée à cette catégorie ».

Les Obama se sont ainsi construit une vie enviable constituée d'amitiés aussi sincères qu'utiles avec des gens de toutes ethnies et religions. La thèse que

Michelle a rédigée à Princeton était dédiée à sa famille et à « tous mes chers amis » ; et, dans l'annuaire de l'université, elle assurait qu'« il n'y a rien de plus précieux en ce monde que les amitiés. Sans elles, on est démuni ». Barack et Michelle jouaient au golf avec Miner et sa femme le week-end, allaient au concert avec les Minow et entretenaient un tas de relations avec des gens qui partageaient leur style de vie ainsi que leurs valeurs progressistes et leur engagement politique. « Ils font partie de ces gens* qui parlent plusieurs fois par jour avec leurs amis », explique Marilyn Katz qui appartient au cercle des intimes des Obama.

Katz est frappée par le fait que Chicago se soit, par bien des côtés, révélé l'incubateur idéal pour la carrière d'Obama. La ville n'a jamais subi ni le déclin physique ni l'exode d'autres cités industrielles, en partie parce que, paradoxalement, le premier maire Daley avait empêché les Blancs de partir en maintenant la ségrégation en vigueur le plus longtemps possible, mais aussi grâce à certaines forces naturelles de la ville. Celle-ci bénéficiait en effet d'un socle professionnel très varié, et, même lorsque le secteur manufacturier s'est restreint, d'autres industries – le secteur de la finance – ont réussi à se développer pour la maintenir à flot et garder la population en place. Le résultat est que la ville dispose d'une classe professionnelle dynamique, et engagée car Chicago a toujours été le cadre d'une activité politique intense. Elle abrite un réseau de gens qui travaillent, se détendent et élèvent leurs enfants ensemble. « Il y a un noyau dur de citadins qui se retrouvent, font du sport ensemble, et se voient très régulièrement », dit Katz, qui a participé en 1968 aux manifestations de la

Convention nationale démocrate contre la guerre au Vietnam, travaillé pour la campagne de Harold Washington et, comme beaucoup d'activistes des années 1960, s'est quelque peu assagie depuis. Elle dirige aujourd'hui une agence de relations publiques.

Quand Michelle a été engagée par l'administration Daley, elle est devenue assistante du maire et gagnait dans les 60 000 dollars par an, mais Jarrett a bientôt été nommée à la tête de l'urbanisme de la ville, et l'a prise avec elle. Michelle devenait donc « coordinatrice du développement économique », ce qui, d'après les archives de la municipalité, consistait à « développer des stratégies et négocier des accords industriels et commerciaux visant à promouvoir et stimuler la croissance économique dans la ville de Chicago ». C'était un peu une page qui se tournait. Après des décennies durant lesquelles les Afro-Américains avaient été enfermés et entravés par les urbanistes, c'était à présent au tour de Valerie Jarrett et de Michelle Obama d'être ces urbanistes.

Selon ses collègues à la mairie, Michelle se montrait très efficace quand il s'agissait de résoudre des problèmes, et n'hésitait pas à dire aux gens leurs quatre vérités, caractéristique qui ne surprendrait certainement pas ses professeurs de lycée. Une collaboratrice, Beth White, se souvient d'une employée subalterne réclamant une promotion auprès de Michelle et s'entendant aussitôt expliquer pourquoi elle n'était pas qualifiée pour le poste, et énumérer toutes les qualités qui lui manquaient encore. « Beaucoup de gens ont du mal* à faire ça, ajoute White, mais cela ne posait aucun problème à Michelle. Elle n'était pas méchante, mais ferme. »

Barack et elle s'étaient aussi, sans l'avoir prémédité, installés dans un lieu idéal pour les femmes qui travaillent. Contrairement par exemple à Washington, où la plupart des salariés travaillent au centre-ville et habitent en banlieue, finissant par vivre très loin de leurs amis, Chicago est un endroit où l'on peut vivre près de son lieu de travail. « Lorsque Michelle est [re]venue à Chicago, elle s'est immédiatement imposée comme ayant l'étoffe d'un dirigeant. Belle, intelligente, elle a été immédiatement acceptée dans un cercle social très sophistiqué », raconte Katz, qui explique qu'à Chicago, un groupe d'amies noires et blanches font du shopping et de la gym ensemble, s'appellent les unes les autres au milieu de la nuit pour voir qui est encore debout à préparer des sandwichs au beurre de cacahuète et à la confiture pour la pause déjeuner des enfants. Katz organise une excursion annuelle dans des salons de beauté et des dépôts-ventes à laquelle participent des cadres de la mairie, des journalistes et des personnalités politiques. À propos du déjeuner de collecte de fonds en faveur de Jan Schakowsky, qui eut lieu en mai 2008 et où Michelle Obama prononça un discours, Katz raconte : « Il y avait une centaine de tables, j'avais une connaissance à chacune d'elles. » On pourrait certainement en dire autant de Michelle Obama. La mixité dans ce milieu est parfaitement installée. Dans ce contexte, « les différences de classes forment des frontières beaucoup plus marquées que les différences raciales », commente Katz.

Si Michelle a été très utile à Barack, la réciproque est vraie aussi. Au début des années 1990, Barack faisait partie* du comité qui a créé Public Allies, qui avait pour mission de former les jeunes à travailler dans le secteur social, avec l'espoir de faire naître une nouvelle génération de dirigeants du service public. Il fallait au bureau de Chicago un directeur général, et Obama suggéra d'engager Michelle. Elle fut nommée en 1993 ; Barack démissionna du comité avant son entrée en fonctions. Deux ans plus tard, elle apparaîtrait dans un article du *Chicago Tribune* sur la Génération X, ces jeunes nés entre 1960 et 1975, dépeints comme une population active « nomade », nettement moins fidèle à ses employeurs que les aînés du baby-boom. « Je porte des jeans* et je suis la directrice », disait Michelle, que l'on décrivait comme « ayant changé trois fois de carrière avec des salaires de moins en moins élevés – une autre caractéristique de cette tranche d'âge qui entend faire un travail chargé de sens ».

D'après Julian Posada, son directeur adjoint à Public Allies, Michelle travaillait autant que son mari. Public Allies n'allait pas tarder à être intégré au programme AmeriCorps de l'administration Clinton, et elle était déterminée à faire en sorte que le bureau de Chicago soit une réussite, ce qui a été le cas. Elle était particulièrement douée pour collecter des fonds et, trois ans après sa création, elle a quitté l'organisation en laissant des coffres bien garnis. « Elle avait un côté* opiniâtre – vous savez, le genre : il faut que ça marche, c'est un grand projet, ça n'a rien de facile, se souvient Posada. Michelle était acharnée, il fallait réussir à tout prix. » Il avait été impressionné par le fait qu'elle n'hésitait pas à retrousser ses manches. « Je suis sûr qu'elle arrivait d'une boîte beaucoup plus hiérarchisée. Mais là, ça n'avait rien à voir avec un cabinet juridique huppé, rien du tout. C'était plutôt du genre : "Qui est-ce qui s'y colle pour les enveloppes aujourd'hui ?" Et rien ne la rebutait. »

L'une des premières priorités était de recruter des « alliés », des jeunes gens qui devaient passer dix mois à travailler dans des refuges pour les sans-abri, des bureaux municipaux, des instituts sociaux et autres lieux de service public. Ils étaient recrutés aussi bien sur les campus universitaires que dans les cités. Michelle alla frapper aux portes de Cabrini Green, une cité réputée difficile, mais téléphonait aussi à ses amis pour leur demander s'ils connaissaient des étudiants animés par un certain civisme à l'université de Northwestern. « On avait des gosses d'un campus tout ce qu'il y a de plus blanc qui venaient s'asseoir avec des Asiatiques, des Hispaniques et des Noirs des quartiers déshérités », dit Posada. En plus de recruter et de diriger les bénévoles, elle devait solliciter des fonds des grandes fondations de Chicago, et entrer pour cela en compétition avec des organisations caritatives déjà bien implantées. Elle devait être en contact à la fois avec le monde fortuné des philanthropes et avec l'univers miséreux des cités, et évoluait naturellement parmi tous les milieux de Chicago.

Être patron lui convenait parfaitement. « Michelle était dure, dure au bon sens du terme », dit Posada. Quand elle a estimé qu'il était temps pour lui d'entrer dans une école de commerce pour se perfectionner, elle n'a pas hésité à le lui dire. Elle se montrait attentive à tous les aspects du programme : trouver des fonds, inviter des intervenants, diriger le personnel. « Et quand elle ne connaissait pas quelque chose, sa première réaction était de dire : Bon, on s'y met, on y va. Elle était très soucieuse des détails : Est-ce que c'est assez clair ? Répondons-nous à l'attente des gens ? » La personne qui l'avait engagée, Vanessa Kirsch, dira plus tard que Michelle « avait de très hautes ambitions* et posait sans cesse des questions pour s'assurer qu'on ne lui faisait pas perdre son temps ». On retrouve bien là la jeune femme que nous décrivait Quincy White : quelqu'un qui voulait avoir des responsabilités et s'impatientait dès qu'elle avait l'impression de perdre son temps. « Certains jours, j'avais vraiment le sentiment que c'était moi qui travaillais pour elle », commente Kirsch.

Le programme possédait également une dimension idéologique. Une partie de ses objectifs était d'apprendre aux gens à travailler avec des confrères issus de milieux radicalement différents. Quatre jours par semaine, les « alliés » intégraient un éventail de structures à but non lucratif, puis, le vendredi, ils venaient au bureau pour se former à la diversité. « On leur demandait par exemple : quels sont vos partis pris ? Et chacun apprenait ce que ressentaient les autres sur les questions abordées », raconte Posada, qui décrit les séances comme offrant à la fois « plein de trucs gnangnan » et « d'incroyables possibilités de se développer sur le plan individuel ». Ces ateliers étaient parfois menés par des spécialistes extérieurs, parfois par Michelle. D'après une participante, Beth Hester, Michelle pouvait se révéler un coach énergique. « Le truc le plus fort* qu'elle m'ait enseigné, c'est d'avoir sans cesse conscience de mes privilèges, dit Hester. Michelle m'a rappelé qu'il est trop facile d'être bien vu par les siens. Elle peut vous inciter, d'une façon parfois agressive, à aller au bout de vous-même. »

Les exercices ne plaisaient pas forcément à tout le monde au début. Une collaboratrice du bureau de Los Angeles dira plus tard qu'elle ne se sentait pas à l'aise du tout lors des premières séances. « C'était trop démonstratif* », dit Nelly Nieblas, membre de la promotion 2005 de Publics Allies. « On parlait beaucoup de racisme, de sexisme, d'homophobie, tout un tas de mots en -isme et en -phobie. » Mais Nieblas, atteinte de paralysie cérébrale, finit par apprécier l'expérience après un exercice où les participants devaient reculer d'un pas pour chaque handicap auquel ils avaient été confrontés, et où elle se retrouva le dos au mur. Elle prit alors conscience que ses problèmes n'étaient pas plus difficiles à surmonter que ceux des autres. À Chicago, on formait des groupes hétérogènes pour les faire participer à des sortes de rallyes avec mission, par exemple, de suivre et d'interviewer pendant toute une journée cinq dirigeants d'associations caritatives. C'était une façon de rassembler des personnalités disparates dans la poursuite d'un même objectif. « Cela faisait partie de ce qu'était Public Allies – il fallait surmonter ses peurs, tout ce qui vous handicape », explique Posada.

Beaucoup jugeaient Michelle particulièrement stimulante. « On le sent, quand* on se trouve en présence de quelqu'un de vraiment formidable », dit Jobi Petersen qui faisait partie de la première promotion de Publics Allies à Chicago. « Je lui dois beaucoup. Elle est très honnête, calme, intelligente, elle est équilibrée et drôle, mais on ne lui fait pas avaler de couleuvres. Ça m'énerve un peu quand j'entends dire qu'elle serait négative. C'est la personne la moins négative que j'aie jamais rencontrée. C'est quelqu'un de très dynamique. » Petersen se souvient d'une fois où « un inscrit se lamentait parce que tout était difficile ou que les choses n'allaient pas dans son sens, et [Michelle] est revenue pour lui dire : "Tu sais quoi, aujourd'hui, eh bien, il faut que tu te lèves pour faire quelque chose que tu n'aimes pas faire. Mais si c'est aider quelqu'un, alors au moins ça vaut le coup." Elle avait une façon de vous donner le sentiment que rien n'était impossible. De l'humour, un style personnel, de la chaleur, elle peut se montrer forte et inflexible sans être pour autant jamais négative. Elle sait choisir son moment. Elle peut vous adresser un regard qui va vous faire éclater de rire. »

L'une des missions que Michelle s'était fixées en tant qu'adulte était de mettre fin à l'autoségrégation, de faire sortir les gens de leurs clivages sociaux, objectif qu'elle ne cessera de réitérer lors de ses discours de campagne. Ces exhortations comptent d'ailleurs parmi les aspects les plus controversés de sa personnalité publique. Tout le monde n'a pas envie d'être incité, « d'une façon parfois agressive », à aller au bout de soi, tout le monde n'a pas envie qu'on lui rappelle sans cesse ses privilèges. En janvier 2008, alors qu'elle s'exprimait à l'université de Caroline du Sud, Michelle broda sur ce thème, disant aux étudiants qui venaient l'écouter que « nous n'aimons pas être dérangés dans notre petit confort. vous vous en rendez compte sur ce campus même. Vous savez, tous ces gens qui s'asseyent à des tables différentes – vous tous, qui vivez dans des cités U séparées. J'ai connu ça. Vous ne vous parlez pas, vous ne profitez pas du fait d'être dans une communauté hétérogène. Parce qu'il est parfois plus facile de s'accrocher à ses préjugés et à ses idées fausses. Cela vous conforte dans votre ignorance. C'est l'Amérique. Le défi à relever est donc : sommes-nous prêts pour le changement ? Le véritable changement ? »

Ce discours, envoyé sur YouTube avec des commentaires du genre « Michelle Obama – c'est l'Amérique ! », a fait naître un débat houleux. Des critiques lui ont reproché de s'en prendre aux Blancs, alors qu'en fait, elle s'en prenait à tout le monde. Il est facile de voir sur cette vidéo que les étudiants du premier rang, les seuls visibles, sont tous noirs. Des critiques ont également souligné sa vision de l'Amérique qui pouvait paraître terriblement négative, décrivant un pays où les communautés n'avaient pas de rapports entre elles et restaient isolées, thème sur lequel elle ne cessait de revenir. « Nous sommes une nation beaucoup trop divisée, dit-elle aux étudiants de Caroline du Sud. Nous vivons séparés les uns des autres… Partout dans ce pays, les gens vivent isolés, et ils ont tendance à croire qu'ils sont seuls à souffrir, qu'ils sont seuls à se battre, et nous sommes de plus en plus perdus. » De son point de vue, c'est l'isolement racial et social qui conduit à l'inégalité et au manque d'empathie, et, par exemple, à une situation où ce sont les soldats américains qui supportent le plus gros de la guerre en Iraq pendant que le reste de la population continue de faire son shopping sans même avoir conscience, dans bien des cas, qu'une guerre se déroule. Son message est le même que celui d'Obama – nous sommes responsables les uns des autres ; nos destins de citoyens sont inextricablement liés – mais lui a tendance à l'exprimer dans un style soutenu, avec des mots recherchés, alors qu'elle essaye de paraître pragmatique et réaliste. Dans un autre discours, elle dit à son public qu'Obama aurait besoin des gens pour vaincre leur isolationnisme intérieur : une administration Obama « exigerait que vous vous débarrassiez de votre cynisme. Que vous renonciez à vos divisions. Que vous sortiez de votre isolement, que vous quittiez votre zone de confort.

Que vous vous poussiez à faire mieux. Et que vous vous engagiez ».

Cette déclaration a beaucoup agité les conservateurs, qui sont montés au créneau pour défendre le droit constitutionnel des Américains à rester dans la zone de confort qui leur paraît la plus confortable. Dans le *National Review**, Mark Steyn a avancé que les exhortations de Michelle avaient des relents totalitaires, comme si, sous l'administration Obama, nous allions avoir une journée de rééducation communautaire nationale où l'on nous redemanderait à tous de faire le tour de nos Alliés de banlieue en récitant un credo. Et, c'est vrai, Michelle fait un peu maîtresse d'école dans cet extrait. Mais ces discours démontrent avant tout qu'elle n'a pas grand-chose à voir avec la séparatiste raciale militante que ses détracteurs décrivent. Tout au contraire, on pourrait la définir comme une intégrationniste passionnée, voire militante. Lors de ce même discours aux étudiants de Caroline du Sud, elle a répété que « quand vous êtes sur un campus universitaire, c'est pour vous l'occasion rare de vivre avec des gens qui ne sont pas comme vous, de vous retrouver contraints de discuter avec eux... de pouvoir parler avec des gens qui ne sont pas d'accord avec vous, qui ne vivent pas comme vous ». On dirait presque qu'elle s'adressait à la jeune étudiante de Princeton, comme si elle regrettait de ne pas être allée vers les autres, à l'époque, même si l'ambiance ne s'y prêtait pas vraiment.

D'une certaine façon, Michelle Obama ne peut pas gagner, pas contre des gens qui sont déterminés à ne pas l'apprécier. Des critiques ont lu sa thèse de Princeton, et en ont déduit qu'elle était une Angela Davis en robe haute couture, une nationaliste noire très bien payée qui nourrissait toutes sortes de rancœurs malgré ses tenues fédératrices en noir et blanc. Quand elle prône l'intégration, la mixité et le renoncement à sa petite enclave personnelle, on la taxe de stalinisme. Mais son travail à Public Allies et ses discours de campagne montrent avec quelle passion elle valorise différents Américains qui ont su dépasser leurs frontières instinctives. « Nous avons tellement plus* en commun en tant que peuple, disait-elle au magazine *People* en 2007. Mais nous n'établissons pas assez de ponts en tant que communautés. »

À Public Allies, au début des années 1990, elle recruta Barack pour défendre la cause. Posada se souvient qu'il est venu animer un des ateliers du vendredi en donnant une conférence époustouflante sur les transformations des communautés, une véritable profession de foi qui aurait pu s'intituler « Changer le monde ». À l'époque, dit Posada, Barack était « très fervent – beaucoup plus fervent me semble-t-il que ce qu'il montre aujourd'hui. Il a expliqué que, quand on veut bousculer un programme, on doit d'abord comprendre qui commande et quels sont les intérêts en jeu. Ce message m'est toujours resté ».

Posada a eu le sentiment que le couple Obama était fait de deux personnes extrêmement intelligentes, efficaces, passionnées et dynamiques, qui croyaient aux mêmes choses, partageaient les mêmes objectifs, voulaient appliquer le même programme social, et étaient toutes deux capables de se lancer à fond dans leur travail. Michelle, dit-il, passait tout son temps au bureau. Son mariage était si récent qu'il lui arrivait de signer « Michelle Robinson » au bas d'un chèque, et Posada devait le lui rapporter pour qu'elle y appose son nouveau nom de femme mariée. Barack avait encore sa vieille guimbarde à l'improbable couleur cuivrée, et il arrivait qu'elle tombe en panne, alors Michelle demandait à Posada de passer le prendre au basket. Posada était invité à Hyde Park, et se souvient que Michelle était très fière de leur appartement. Elle était maniaque au point de lui demander de se déchausser en entrant. « Je peux vous assurer que Michelle tenait sa maison avec une discipline de fer. C'était toujours impeccable. »

Ils continueront d'entretenir un mariage de collaboration mutuelle. Michelle invitait Barack à venir parler lors de manifestations ou de tables rondes, et elle le consultait pour ses choix de carrière. Newton Minow est resté en contact avec le couple et, plus tard, sa femme, Jo Minow, se rappelle avoir cherché à attirer Michelle au conseil d'administration de ce qui s'appelle aujourd'hui le « Chicago Council on Global Affairs », une organisation composée de personnages influents et orientée vers la politique et le droit internationaux. Elle emmena Michelle déjeuner* avec le patron de l'association, et ils essayèrent à eux deux de la convaincre. Michelle finit par leur dire qu'elle était flattée, mais avait déjà beaucoup à faire pour le moment. Quelques mois passèrent, puis Jo la rappela pour lui demander si elle avait réfléchi à leur proposition. Michelle lui répondit qu'elle voulait « d'abord en parler avec Barack », ce qu'elle avait trouvé « très symbolique de leurs relations car ils fonctionnent comme une équipe ». Michelle finit par entrer au conseil d'administration de cette organisation, un des six auxquels elle participe – dont le Muntu Dance Theater, une compagnie du South Side qui monte des spectacles de danse africaine traditionnelle et de danse contemporaine, et Facing History and Ourselves, qui a pour mission de lutter contre les préjugés chez les jeunes en concoctant des programmes scolaires où il est question de l'Holocauste, du génocide rwandais et de la ségrégation aux États-Unis.

En dehors du travail, ceux qui connaissent les Obama s'accordent à dire que la dynamique personnelle de leur couple repose sur le fait qu'Obama adore tout simplement sa femme et n'hésite pas à le dire. Michelle le décrit elle-même comme un mari romantique, avec cependant des limites. « Il n'est pas du genre* à vous ouvrir la portière », a-t-elle confié au *Hyde Park Herald*. Mais il lui apporte des fleurs et il n'oublie pas les anniversaires.

« Il la vénère*, assure Martha Minow. Barack dit toujours : [sur l'échelle des qualités] "si je suis un dix, Michelle est un onze". »

Il s'en remet aussi à son autorité. « Il répète que "C'est elle le patron. Il faut que je voie avec le patron" », dit encore Minow. « C'est un partenariat. Ils sont vraiment partenaires. »

Michelle – le patron* – a déclaré qu'il y avait une règle dans leur ménage : elle le taquine, et Barack ne le fait pas. C'est elle qui le met en boîte publiquement parce qu'il laisse traîner ses chaussettes et ne range pas le beurre au frigo, et c'est lui qui ne la met pas en boîte publiquement même si elle… enfin bref. (Il se permet de mentionner dans *L'Audace d'espérer*[1] qu'au début de leur mariage, Michelle avait le chic pour se prendre des contraventions.) Un ami commun dit qu'il trouve parfois difficile de dîner en couple avec les

1. Traduction de Jacques Martinache (Presses de la Cité, octobre 2007).

Obama parce que Barack encense tant Michelle qu'à la fin de la soirée, sa propre femme lui reproche de ne pas parler d'elle de cette façon. « Il est si merveilleux avec Michelle, dans ses écrits comme dans ses paroles, et ce n'est pas juste histoire de faire des compliments, c'est sincère et on y croit. »

Michelle a dû aussi comprendre assez vite que l'argent n'était pas ce qui motivait l'homme qu'elle avait épousé. Il serait peut-être exagéré de dire que cela l'a fait hésiter, mais l'absence d'ambition financière de Barack lui a tout de même donné à réfléchir. Lorsqu'elle l'a rencontré, « Il n'avait pas d'argent* ; il était vraiment fauché, a-t-elle raconté au *Hyde Park Herald*. Jamais il ne cherchait à m'impressionner avec des choses. Sa garde-robe craignait vraiment… il avait cinq chemises, sept costumes bleus et quelques cravates. Il est facile à habiller parce qu'il est grand et mince, mais les fringues ne l'intéressent pas. Il a vraiment fallu que je lui dise d'oublier la veste blanche. Il avait bon goût, mais c'est le genre de choses dont il se fiche. Sa première voiture était tellement rouillée qu'il y avait un trou dans la portière côté passager. On voyait le sol défiler sous le plancher. Il adorait cette voiture. Elle secouait violemment au démarrage. Je me suis dit : "Ce type se fiche éperdument de gagner du fric." Il faudra que je l'aime pour ce qu'il est. »

8

Michelle était dynamique et passionnée ; et Barack encore plus, surtout quand il s'agissait de se faire connaître en politique. En 1995, Obama, alors âgé de trente-trois ans, décida de se présenter au poste de sénateur de l'Illinois. Cela devait être la première des occasions où sa carrière politique serait facilitée par les dérapages catastrophiques de ses concurrents. Cette année-là, Mel Reynolds, qui représentait la deuxième circonscription, se retrouva accusé d'abus sexuel sur un mineur, un bénévole de la campagne, âgé de seize ans, et fut contraint de démissionner. Plusieurs prétendants, dont Alice Palmer, sénateur progressiste de l'Illinois qui représentait Hyde Park, se portèrent candidats aux élections anticipées organisées pour le remplacer. Obama s'adressa* à son conseiller municipal, Toni Preckwinkle, pour l'informer qu'il voulait se faire élire au siège de Palmer.

Michelle m'a raconté*, lors d'une interview en 2007, que c'était la première fois que Barack et elle envisageaient sérieusement qu'il se lance dans la carrière politique. « On avait toujours discuté des moyens et de la façon dont on pouvait changer les choses, a-t-elle expliqué. Mais la politique n'est apparue dans nos discussions qu'à ce moment-là, après la démission de Palmer, et... moi, j'étais plutôt réticente du genre, la politique, mais pour quoi faire, mais je lui ai juste dit : "Non, ne fais pas ça, on vient de se marier, pourquoi voudrais-tu te lancer là-dedans ?" »

Cependant, d'après Dan Shomon, consultant politique qui allait devenir l'un des plus proches conseillers d'Obama durant sa carrière politique dans l'Illinois, le problème n'était pas tant la méfiance inhérente de Michelle envers la politique, mais plutôt son mépris pour ce poste en particulier. Elle jugeait le sénat de l'Illinois indigne de Barack et de ses capacités. « Elle le trouvait tellement* exceptionnel qu'elle craignait de le voir s'embourber dans la politique locale et ne jamais pouvoir faire quelque chose de grand », a confié Shomon à Melinda Henneberger du magazine en ligne *Slate*. « Il nous disait que sa femme pensait qu'il pouvait faire mieux », dit aussi sur *Slate* le sénateur, et ami d'Obama, Denny Jacobs.

Malgré les réserves de Michelle, Barack réussit à la convaincre, lui expliquant que pour changer le monde, il fallait bien commencer quelque part, alors pourquoi pas par Springfield. « Vous savez, Barack* est très enthousiaste et très convaincant, m'a dit Michelle. Nous avons beaucoup discuté : nous pouvions, bien sûr, mener une vie très confortable, nous avions fait les études adéquates, nous disposions de tas d'avantages, mais il nous suffisait de regarder autour de nous pour comprendre que ce n'était pas si simple. J'ai grandi dans cette ville, et la plupart des membres de ma famille ne sont pas aussi bien lotis que moi. Il ne suffit pas que les Obama s'en sortent bien, et que nos gosses s'en sortent bien. Et vous savez combien j'ai lutté pour en arriver là, allant dans les meilleures écoles, quittant un milieu très modeste, creusant l'écart qui existe entre ceux qui ont une chance d'entrer à Princeton et ceux qui ne peuvent pas faire d'études du tout. Je sais qu'il y a un gouffre entre ces deux perspectives, je comprends, et, au bout du compte, ma conscience finit par me dire : Bon, tu as raison, on a vraiment des obligations. Nous avons reçu cette éducation pour cela même, être en position de faire des sacrifices… de renoncer à gagner de l'argent. »

Comme souvent, Michelle semble exprimer un sentiment de culpabilité proche de celui qu'éprouvent les survivants, elle a prospéré dans sa vie, mais ne peut profiter pleinement de cette prospérité, ni la faire fructifier, tant que d'autres n'ont rien. Il faut rappeler que si Harold Washington a été élu maire de Chicago pendant qu'elle était à Princeton, la pauvreté et les problèmes que connaissaient beaucoup de quartiers du South Side n'avaient pas cessé d'empirer. La disparition des emplois ouvriers, à l'origine du South Side, fut un très gros choc pour nombre de ses habitants, tout comme la réduction des aides fédérales aux municipalités.

De nombreux sociologues se sont penchés sur les différents quartiers qui composent le South Side. Parmi eux, William Julius Wilson, professeur à Harvard, qui s'est appuyé, pour son ouvrage *When Work Disappears : The World of the New Urban Poor*[1], sur des secteurs que Michelle connaissait bien, dont Woodlawn, voisin de South Shore, devenu un exemple typique de la nouvelle pauvreté urbaine, une version

---

1. *Quand le travail disparaît : le monde des nouveaux pauvres urbains.*

particulièrement sinistre de ce qu'induit « un chômage concentré et persistant* » qui débouche sur « des quartiers pauvres et ghettoïsés où un nombre important d'adultes se retrouvent sans emploi ou en rupture complète avec le milieu des travailleurs ». Dans les années 1950, Woodlawn abritait plus de huit cents établissements commerciaux et industriels ; il n'en compte plus qu'une centaine, en majorité de toutes petites entreprises comme des salons de coiffure ou des boutiques de produits d'occasion. Dans les quartiers qui entourent l'endroit où Michelle a passé son enfance, il est impossible de ne pas voir les conséquences du chômage. Et, comme le souligne Wilson, si la pénurie d'emplois affecte les classes laborieuses de toutes les communautés, elle a un effet particulièrement dévastateur sur les Afro-Américains qui vivent dans les ghettos où on les a confinés depuis des années.

Les effets de la ségrégation sont loin d'avoir disparu. Les Noirs habitant dans les cités que les urbanistes ont délibérément fait bâtir dans des quartiers pauvres sont particulièrement désavantagés parce qu'il leur est plus difficile de déménager quand les emplois partent vers les banlieues plus riches. « Il ne fait aucun doute que la concentration disproportionnée de la pauvreté au sein de la communauté afro-américaine est un des legs de la ségrégation raciale, écrit Wilson. Il est évident que celle-ci aggrave souvent la vulnérabilité des Noirs face aux changements de la société. » Même South Shore, réputé plus stable, n'a pas été à l'abri. Le quartier où réside la mère de Michelle est resté assez bourgeois et relativement prospère, et beaucoup de ses voisins d'enfance y habitent encore. Mais ils se disent de plus en plus préoccupés par la montée de la criminalité et la baisse de l'esprit communautaire. Un jour que je faisais un reportage dans l'ancien quartier de Michelle, j'ai déjeuné tout près, au Harold's Chicken, une institution à Chicago, et pendant que j'attendais ma commande, j'ai entendu des hommes parler d'une fusillade qui venait d'avoir lieu en pleine rue.

Et c'est en cela que l'expérience de Michelle diffère tellement de celle de Barack. Même s'il a choisi de travailler en faveur de la communauté noire américaine, elle ne l'a pas nourri, il n'a pas mûri en son sein, comme ce fut le cas de Michelle ; il n'a pas dû quitter la communauté pour intégrer une grande école et constater, à chacun de ses retours au bercail, les changements dévastateurs qui s'étaient produits.

En fait, on peut se demander si cela n'a pas été l'atout d'Obama dans les discussions qui l'ont opposé à sa femme. Il pouvait toujours – toujours – convaincre Michelle de la pertinence de sa candidature en plaidant la cause de la communauté dont elle était issue. Comme elle le dira dans une interview accordée au *Hyde Park Herald* : « J'ai des tas d'amis* vraiment intelligents qui vivent dans mon quartier, capables de faire ce que je fais, mais ils n'ont pas pu saisir leur chance. Il leur a manqué la bonne inspiration. La frontière entre l'échec et la réussite est tellement mince. »

Cette réflexion est significative. Comme Barack avait pu le constater en la rencontrant, Michelle semble persuadée que les choses auraient facilement pu mal tourner pour elle, comme elles ont mal tourné pour certains de ses camarades d'enfance, et que si elle ne travaille pas assez pour maintenir une solidarité, tout pourrait encore s'écrouler. Elle estime aussi que les choses auraient pu mal se passer pour Barack s'il avait fait ses expériences de jeunesse ailleurs qu'à Hawaii. Interviewée à l'occasion d'une émission spéciale, en 2007, par un journaliste de la télévision de Chicago, Michelle dut se prononcer sur le fait que Barack avait touché à la drogue dans son adolescence. Le journaliste rappela que, comme Barack l'avait lui-même reconnu dans *Les Rêves de mon père*, il avait tâté de la marijuana et de la cocaïne au lycée. Michelle réagit en disant qu'il avait eu de la chance de vivre là où il vivait à l'époque.

« Le même gosse dans un lycée du South Side ne s'en serait sûrement pas aussi bien sorti. Il avait moins de risques de s'attirer des ennuis à Hawaii. On pouvait faire un faux pas et se remettre sur les rails. »

Elle accepta la candidature de Barack à l'élection sénatoriale, il l'avait convaincue de sa nécessité, mais n'imaginait pas à quel point sa carrière politique allait affecter leur couple, et leur vie personnelle. Qui s'en serait douté ? Il était passionné, certes, mais qui aurait pu prévoir que, moins de dix ans plus tard, Barack chercherait à la convaincre qu'il devait entrer dans la campagne présidentielle ? « Je ne savais pas à l'époque à quel point son engagement dans la politique allait peser sur notre vie de famille, m'a-t-elle avoué en 2007. J'étais naïve. Alors j'ai fini par dire : d'accord, on y va, c'est bon, tu as gagné.

« Et ensuite, a-t-elle ajouté, on est dedans. On éprouve une ferveur particulière, le désir de participer au changement, de rendre le monde meilleur. »

Comme on pouvait s'y attendre, elle se révéla une partenaire politique précieuse, merveilleusement efficace auprès des bailleurs de fonds, élégante, spirituelle, spontanée et à l'aise. Quand Barack appela Newton Minow pour l'informer qu'il se portait candidat, il lui fit part des réserves de Michelle. « Elle n'aimait pas la politique, point final, se souvient Minow. Elle ne voulait pas qu'il se présente. Je le sais parce qu'il me l'a dit lui-même. » Mais Minow ajoute qu'elle se montra charmante lors d'une collecte de fonds organisée au début de la campagne, dans son appartement surplombant le lac Michigan, avec toutes ces photos de l'administration Kennedy, ces images d'un Camelot[1] ensoleillé. Les gens qui connaissent bien Barack ont pu apprécier ses progrès face à un auditoire, et on n'en était qu'aux débuts. « Michelle est arrivée*, et elle s'est installée tout près de la cheminée ; il apprenait à s'exprimer devant une assemblée, se souvient Minow. Il était bien. Mais pour les questions, il donnait des réponses un peu trop longues. Selon Martha, c'est parce que c'est un intellectuel. »

Obama était extrêmement déterminé. Quand Alice Palmer lui donna sa bénédiction pour sa candidature, Barack lui demanda, dans le cas où elle perdrait les primaires des démocrates au Congrès, si elle chercherait à récupérer son ancien siège au sénat de l'Illinois. Il racontera plus tard l'avoir alors prévenue qu'une fois qu'il serait candidat, il refuserait de s'effacer. Palmer a perdu les primaires, au profit de Jesse Jackson Jr., qui remportera le siège de Mel Reynolds au Congrès lors des élections générales, et elle est venue réclamer son ancien siège. Mais Obama a refusé de se désister en sa faveur. Au contraire. Lorsque les membres de son état-major de campagne examinèrent les pétitions que Palmer avait recueillies à la hâte, ils découvrirent des irrégularités et la firent disqualifier. Puis, remarquant des irrégularités dans les pétitions de

1. Surnom donné à l'époque à la cour qui entourait John Kennedy.

179

ses autres concurrents, il réussit à les éliminer tous de la course. Il remporta l'élection et prêta serment devant le sénat en janvier 1997.

Abner Mikva, de retour à Washington à la fin des années 1990, revit Michelle, et retrouva chez elle la réaction commune à beaucoup d'épouses d'hommes politiques : elle était heureuse que son mari l'ait emporté. « Au début, dit Mikva*, elle était assez fière qu'il soit devenu sénateur d'État. C'est normal. Et puis les charges s'accumulent, faire tourner la maison, élever les enfants. Je suis sûr qu'ils ont beaucoup discuté. De toute évidence, le point de vue de Michelle comptait beaucoup ; elle se battait pour maintenir une vie de famille, et des relations entre eux deux, et surtout, quand les enfants sont nés, pour s'assurer qu'il remplissait bien ses fonctions de père. Et plus sa carrière évoluait, plus c'était difficile. »

Michelle plut immédiatement à Mikva. Sa femme et lui furent invités dans leur appartement de Hyde Park : « Nous étions six ou huit personnes, dit-il, et j'ai été impressionné par la façon dont elle occupe une pièce dès qu'elle y entre. Elle a une telle présence. On sait qu'elle est là. Rien à voir avec l'épouse effacée de l'homme politique, la femme en retrait qui s'assoit toujours derrière. Elle participait avec plaisir à la conversation. » Soucieuse des non-juristes présents, elle faisait attention à ne pas laisser la conversation dériver vers des détails juridiques. Mais, s'appuyant sur sa propre expérience d'homme politique, Mikva se rendait peut-être mieux compte qu'elle de ce à quoi elle s'était engagée. « Être la femme d'un homme politique n'est pas le meilleur job du monde. Votre ego en prend un coup car vous êtes toujours mise de côté. Vous êtes toujours la femme du sénateur, la femme du député, la femme du législateur – vous n'existez jamais par vous-même. C'est très, très dur pour la famille. Il n'y a pas d'heures. Les élus sont corvéables le week-end et le soir. Ma femme était toujours furieuse que nos sorties doivent être validées par les équipes de campagne. Il y a de bonnes raisons d'être énervée. »

Michelle n'allait pas tarder à le découvrir. Auparavant, elle était mariée à un Obama qui faisait deux voire trois choses à la fois : écrire un livre, travailler dans un cabinet juridique, donner des cours de droit constitutionnel à l'université de Chicago – qui souhaitait tellement l'engager* comme membre permanent qu'ils avaient proposé d'engager Michelle aussi s'il acceptait. Mais il avait refusé. Il abattait une somme de travail incroyable, même au début de leur mariage. Barack avait un petit bureau aménagé dans leur appartement, un endroit qu'ils appelaient « the Hole », le Trou. Il écrirait plus tard, dans son deuxième livre, *L'Audace d'espérer* : « Je passais souvent la soirée* terré dans mon bureau, au fond de notre appartement ; je trouvais cela normal, sans m'apercevoir du grand sentiment de solitude qu'éprouvait Michelle. » Une fois l'élection gagnée, il travailla à la fois comme législateur, comme avocat (même s'il se mettait en congé pendant les sessions législatives parce que, d'après Miner, il ne voulait pas être payé à ne rien faire) et comme enseignant – les cours, bien rémunérés, s'intégraient sans problème dans son calendrier politique.

Et le couple s'employait à fonder une famille. Michelle ne tomba pas tout de suite* enceinte, et commençait à s'inquiéter. Puis, Malia Ann vit le jour le 4 juillet 1998. Selon le *New York Times*, le couple s'était mis d'accord, dès le début de leur mariage, pour que leurs enfants aient « un foyer où* l'on dîne en famille tous les soirs », comme Michelle l'avait eu. Une résolution qui allait se révéler plus que difficile à tenir. Michelle avait épousé un homme qui fonctionnait à un rythme presque inhumain, qui avait un chemin à suivre, et fonçait. Comme Barack le confiera lui-même à David Mendell, du *Chicago Tribune*, l'une de ses plus grandes forces et de ses plus grandes faiblesses à la fois est ce désir de tout faire en même temps – être un homme politique, un mari, un père, un écrivain.

« Parfois je veux tout faire*, tout être, dit-il à Mendell. Je veux avoir le temps de lire, de nager avec mes gosses, et ne pas décevoir mes électeurs, et me concentrer sur tout ce que je fais. Cela peut me poser des problèmes. C'est depuis toujours l'un de mes plus grands défauts. » Cependant Barack n'a jamais cherché à corriger cet aspect de sa personnalité et, au bout du compte, c'est Michelle qui a trouvé qu'on ne peut pas tout avoir. Très tôt, Gerald Kellman avait été frappé par la crainte qu'avait Obama de mener une vie répétitive et ordinaire, peu remarquable, comme celle d'un homme qui rentre le soir du travail pour s'asseoir à table avec sa femme et ses enfants.

« Il ne voulait pas* se retrouver tous les jours dans un train de banlieue, rapporte Kellman. Une vie qui ne serait pas dynamique, passée à faire les choses machinalement… il trouvait cela effrayant. »

Barack était en adoration devant sa fille et, comme beaucoup de jeunes pères à la naissance de leur premier enfant, il était fou de joie, reconnaissant, plein de bonne volonté et délicieusement ignorant. Juste après la naissance de Malia, il courut dans un magasin de Hyde Park pour trouver un cadeau à la mesure de l'occasion. « Il n'avait aucune idée* de ce qu'il pouvait acheter pour son bébé et sa femme extraordinaire qui était encore à la maternité, se souvient la propriétaire du magasin, Joyce Feuer. C'était le jeune père typique, mais incroyablement nerveux. Nous avons préparé un adorable paquet-cadeau avec un ours en peluche, des ballons, une carte et d'autres articles. Et on aurait dit qu'il était le premier jeune père sur terre. Il était excité comme un gosse dans une confiserie – follement heureux. » Malia était née en été, cela facilitait les choses. Le sénat n'était pas en session et Barack n'avait pas de cours à donner. Michelle avait quitté Public Allies et travaillait alors à mi-temps pour l'université de Chicago, où on lui avait demandé de monter un programme de service public sur le modèle de Public Allies à destination des étudiants. Elle était pour le moment en congé de maternité et ne devait reprendre le travail qu'à l'automne. Aussi, comme Barack l'a écrit dans *L'Audace d'espérer*, « pendant trois mois magiques*, nous avons pu couver notre bébé tout neuf ». Le fait qu'elle soit du matin et lui plutôt du soir fonctionnait à merveille. « Pendant que Michelle prenait un repos bien mérité, je restais debout jusqu'à une ou deux heures du matin, à changer les couches, faire chauffer le lait maternel et sentir la douce respiration de ma fille contre ma poitrine quand je la berçais pour l'endormir. »

Mais avec l'automne, la vie devint plus compliquée. Michelle retourna travailler, et Barack partait trois jours d'affilée, puis rentrait à Chicago avec des travaux à noter et des dossiers à rédiger. Lorsque le sénat siégeait, Obama partait le mardi, et revenait de Springfield le jeudi. Au lieu des repas quotidiens pris en famille, Michelle dut s'habituer à être le parent de service pendant la semaine. « Nos filles savent* que

Barack est un papa du week-end, dit Michelle au *Herald* en 2007. Elles le voient le samedi et le dimanche. Elles ont toujours connu ça. » Pendant la semaine, Michelle avait seule la charge de Malia, lui donner son bain, la faire manger, lui lire des histoires avant de la coucher, l'emmener chez le médecin, toutes ces tâches incessantes et souvent peu visibles, qui échoient à une jeune mère qui s'efforce malgré tout de mener sa propre carrière.

Pendant ce temps, Barack saisissait encore d'autres occasions et prenait de nouveaux engagements. Sénateur à Springfield, il fut invité par Robert Putnam, professeur de sociologie à Harvard et auteur de *Bowling Alone : The Collapse and Revival of American Community*, à rejoindre le Saguaro Seminar, un groupe de dirigeants désireux de renforcer « l'engagement civique en Amérique ». Il s'agissait d'un groupe très divers du point de vue idéologique, qui comprenait des conservateurs et des libéraux, des ministres, des universitaires, des animateurs sociaux, de grands penseurs, des gens comme le leader chrétien très conservateur Ralph Reed et le chroniqueur libéral E. J. Dionne. Le séminaire se réunissait le week-end. Putnam se souviendra par la suite que l'ambition politique d'Obama était si manifeste que certains membres s'amusaient à l'appeler « gouverneur ». Martha Minow, qui faisait également partie du groupe, se rappelle que Barack avait le don de concilier des points de vue antagonistes, et qu'un jour, après une réunion où « nous avions eu des discussions* passionnées sur des sujets compliqués, Barack a fait le point. Et il s'est montré tellement formidable que tout le monde s'est rassemblé autour de lui et lui a demandé quand il comptait se présenter à la présidence ».

« J'essaye de me souvenir pourquoi cette idée nous est venue à l'esprit, se demande Martha Minow. Sûrement à cause de sa façon d'écouter les conversations avec un esprit d'analyse, et de proposer ensuite une vision globale et objective : voilà comment les propos de chacun s'emboîtent et forment un tout. » Martha se souvient qu'il avait éludé la question avec modestie, et aussi que Barack montrait souvent des photos de sa famille, et mentionnait parfois le fait que « Michelle n'était pas contente qu'il ne soit pas là le week-end ». Il lui arrivait de donner cette explication lorsqu'il repartait avant le dîner de clôture. Il était loin de prendre à la légère le mécontentement de sa femme – ou, simplement, son sentiment de solitude – mais cela ne l'empêchait pas d'agir comme bon lui semblait.

Le premier mandat de Barack au sénat de l'Illinois ne fut pas de tout repos. Les politiques lui reprochaient son parcours et son statut de nouveau venu. Ainsi que le décrit Mendell, à Springfield, les gens le voyaient souvent comme « quelqu'un de distant*, un donneur de leçons sorti de la Ivy League, qui se targuait trop souvent de ses années de sacrifice en tant qu'animateur social et de ses études de droit à Harvard ».

Les reproches s'intensifièrent quand, en 2000, Obama eut le culot de défier le représentant Bobby Rush, membre du Congrès et ancien Black Panther, aux primaires du parti démocrate. C'était une décision prématurée, même si l'on comprend bien pourquoi il l'a prise. Terriblement ambitieux, il approchait de la quarantaine, et se sentait à l'étroit dans le corps législatif de l'Illinois, avec une épouse qui attendait beaucoup de lui. « Je ne me voyais pas* rester indéfiniment au sénat d'État », m'a-t-il avoué en 2007. Dans l'Illinois, comme dans presque tout le reste du pays, les options étaient limitées pour un homme politique noir qui voulait transformer les choses en profondeur. À l'époque, et c'est encore vrai aujourd'hui, on considérait généralement que si vous étiez un législateur noir, il vous fallait un district majoritairement noir pour espérer gagner. Jesse Jackson Jr. représentait l'un de ces districts, et Rush un autre. Il n'existait pas beaucoup d'autres voies pour accéder à de plus hautes positions. En 1999, Rush s'était présenté contre Richard M. Daley à la mairie de Chicago, et il avait perdu, défaite qui montrait sa vulnérabilité. Pourtant, certains tentèrent de dissuader Barack de se présenter. « Je me posais vraiment* des questions sur la vulnérabilité de Rush, se souvient Mikva, mais Barack n'avait aucun doute. »

Michelle et Barack ont tous les deux raconté combien cette période avait été difficile pour eux. Ils avaient un bébé, et Barack était sans cesse absent, en session parlementaire ou en campagne. D'après Dan Shomon, conseiller politique et confident de Barack à l'époque, Michelle n'était pas encore prête à chambouler sa vie pour aider son mari. Pendant la campagne, Barack se retrouvait parfois coincé à Springfield, lors de séances prolongées du sénat, et quand son équipe de campagne appelait Michelle pour lui demander de le représenter à telle ou telle occasion, elle acceptait si son agenda le lui permettait, mais se sentait libre de refuser si ce n'était pas le cas. « Nous savions tous*, nous qui l'aidions à mener sa campagne, que Michelle n'était pas emballée », commente le consultant politique Al Kindle, qui travaillait pour Obama lors de cette campagne.

Barack Obama dit la même chose… mais avec moins de détours. « Quand je me suis lancé dans cette

186

course malheureuse au Congrès, Michelle n'a pas fait semblant de se réjouir de cette décision, écrit-il dans *L'Audace d'espérer*. Le fait que je ne range pas* la cuisine devint soudain moins touchant. Le matin, quand je me penchais pour embrasser Michelle avant de partir, je n'avais droit qu'à une bise sur la joue. Lorsque Sasha est née – aussi belle et presque aussi sage que sa sœur – ma femme était furieuse et me le disait : "Tu ne penses qu'à toi. Je n'aurais jamais imaginé que je devrais élever une famille toute seule." » Obama reconnaît qu'il lui a fallu un moment pour comprendre pourquoi sa femme était tellement en colère. Dans le même livre, il paraît encore un peu blessé quand il souligne qu'il se faisait un point d'honneur de participer aux tâches ménagères – encore fallait-il qu'il soit à la maison – et n'attendait nullement d'elle qu'elle le serve et lui fasse à manger. « Tout ce que je demandais, c'était un peu de tendresse, écrit-il. Mais je me retrouvais soumis à des négociations incessantes pour le moindre détail concernant la maison, confronté à de longues listes de ce que je devais faire ou avais oublié de faire, et à une attitude le plus souvent agressive. »

Oh oui, la liste des corvées ! L'attitude agressive ! Les négociations incessantes ! Quelle mère active d'enfants en bas âge n'a pas dressé la liste de tout ce qu'elle fait dans la maison, et de tout ce que fait son mari dans la maison, et ne l'a pas contemplée avec désespoir en ressentant, oui, un peu d'agressivité, et un besoin impérieux de se lancer dans des négociations, même incessantes si nécessaire ?

La tension qui régnait dans leur ménage pesa sur la campagne. Pour Noël 1999, Barack et Michelle se rendirent, comme d'habitude, à Hawaii pour rendre visite à la grand-mère de Barack. Habituellement, ils adoraient ces séjours de détente, ces vacances d'hiver sous un ciel tropical qui les reposaient du froid mordant de Chicago. « Nous passons des moments* tout simplement délicieux lorsque nous allons voir la grand-mère de Barack à Hawaii, assurera plus tard Michelle au *News of World Report* américain. Il fait doux, on est ensemble, on peut s'amuser, être détendus, sans horaires, sans rien, juste à partager de bons fous rires. » Mais, selon David Mendell, Michelle et son mari « ne se parlaient quasiment* plus » à cette époque. Ils avaient dû réduire leurs vacances de cinq jours à cause de la campagne, et, comme cela arrive souvent aux tout-petits après de longs vols en avion, Malia attrapa froid lors de leur séjour.

Pendant ce temps, à Springfield, une mesure de contrôle des armes d'une grande portée politique, soutenue par le gouverneur de l'Illinois George Ryan, était examinée par le sénat. Obama – dont le district incluait des quartiers où la violence armée constituait un problème quotidien – était en faveur de cette loi. Mais l'opposition se révéla très forte, et le vote s'annonçait serré. Le sénat fut convoqué en session extraordinaire entre Noël et le Nouvel An. Shomon, qui n'avait cessé* de mettre Obama en garde contre les conséquences politiques de l'abstentionnisme, l'appela pour le presser de rentrer voter. Une telle décision, fait remarquer Mendell, « l'aurait mis en très mauvaise posture par rapport à Michelle ». Obama resta à Hawaii. La mesure fut soumise au vote de la chambre, et rejetée à trois voix près. Obama faisait partie des trois sénateurs sur lesquels Ryan avait compté et qui lui avaient fait défaut. Dès son retour à Chicago, il fut cloué au pilori. « Je ne peux pas sacrifier la santé ou le bien-être de ma fille à la politique », se défendra avec raideur Obama devant les journalistes, sous-entendant, comme beaucoup de jeunes parents ont tendance à le croire, qu'un mauvais rhume de leur progéniture aurait pu se révéler une maladie mortelle. On imagine sans peine l'atmosphère glaciale qui régnait chez les Obama en ce mois de janvier. La seule question, en fait, était de savoir qui était le plus furieux des deux.

Le reste de la campagne fut un désastre ; ce fut la guigne dès le départ. Et c'est à cette époque que les rumeurs commencèrent à circuler sur le fait qu'Obama, avec ses origines mixtes, n'était « pas assez noir ». Michelle s'insurgea et le défendit vigoureusement. Répondant à un journaliste de la télévision de Chicago, elle lança : « Je suis née dans cette communauté ; je suis aussi noire qu'on peut l'être. Je viens du South Side… On n'était pas riches, vous savez. Je défie quiconque d'être plus noir que moi dans cet État, d'accord ? Et Barack est noir lui aussi. Et il a fait plus pour tenir ses engagements, il s'est plus mouillé pour cette communauté, que la plupart de ceux qui le critiquent. Et j'ai le droit de le dire, ajouta-t-elle énergiquement, parce que je suis noire. »

Mais, cette fois, les racines de Michelle ne suffirent pas à dissiper le sentiment trop répandu que Barack n'était qu'un arriviste, qu'il n'était en fait pas assez noir. D'autres catastrophes se produisirent. En octobre 1999, le fils adulte de Bobby Rush se fit tuer dans une fusillade en plein South Side. Obama, déjà à la traîne dans les sondages, mit sa campagne en sourdine pendant toute une semaine, et put ensuite difficilement attaquer cet homme qui venait de perdre son fils. Au printemps 2000, il perdit à deux contre un, une véritable raclée qu'il prit très mal. « Il n'est pas très bon perdant*, commente Shomon. C'est un gagnant très exubérant et un perdant très silencieux, vraiment penaud… Il possède un peu cet instinct de tueur indispensable pour gagner en sport et en politique selon Michael Jordan. »

Mikva le vit à ce moment-là et le trouva lui aussi démoralisé. « C'est la seule fois* où il a sérieusement pensé à abandonner la politique. Il se sentait frustré : cela faisait quatre ans [qu'il était au sénat], le salaire était modeste, et il savait qu'il ne pourrait pas y assouvir ses ambitions. » Obama se souvient lui aussi de s'être senti découragé. Juste après avoir perdu contre Rush, il me confia lors d'une interview : « Je me suis mis à avoir* des doutes, un gosse de Hawaii répondant au nom de Barack Obama pouvait-il réussir dans une circonscription politique où les électeurs se font une idée du candidat sur son seul nom et ses liens familiaux ? » D'une certaine façon, il commençait lui-même à subir les effets de la propagande de ses détracteurs : il n'était en effet peut-être pas assez noir. Chicago ne reconnaîtrait peut-être jamais un Obama comme l'un des siens.

Michelle voulait qu'il renonce complètement. Un scénario s'instaura entre eux. « Il disait toujours* à sa femme qu'il allait essayer une dernière fois, et que si ça ne marchait pas, il opterait pour le secteur privé », se rappelle Shomon. *Rien qu'une dernière fois*, lui répétait-il. Encore un dernier essai. Ça passe ou ça casse. Après la débâcle contre Bobby Rush, Obama a appelé Newton Minow et a demandé à lui parler. Minow l'a emmené déjeuner au Mid-Day Club. On venait de proposer à Obama un poste à la tête d'une fondation, qui devait rapporter beaucoup plus que ce qu'il gagnait. « Michelle voulait qu'il* accepte, dit

Minow. Je lui ai dit qu'il aurait cent autres occasions de ce genre. » Mais ce travail représentait la sécurité financière dont ils avaient tant besoin, argument que Michelle ne cessait de mettre en avant. C'est ainsi que fonctionnait leur mariage : elle jouait le rôle de la fourmi industrieuse qui gérait leurs finances, et lui celui de la cigale imprévoyante. Confiant dans les cartes de crédit, il avait coutume de régler ses frais professionnels avec sa carte personnelle, oubliant de demander les remboursements. Chaque fois que Shomon le houspillait à ce propos, Michelle le remerciait. La grand-mère de Barack raconta à Mendell, du *Chicago Tribune*, qu'elle était la seule parmi tous ceux qui avaient élevé Barack à avoir le sens de la comptabilité. Elle entretenait son mari et son petit-fils en travaillant dans une banque, et se montrait toujours très pragmatique dès qu'il s'agissait de finances. « Je suis sûre que Michelle* aurait été plus heureuse si j'avais un peu plus insisté là-dessus », remarqua-t-elle.

Ils n'étaient pas ruinés, mais ils n'étaient pas en fonds non plus. Ils avaient tous les deux leurs prêts étudiants à rembourser, et Barack avait contracté des dettes personnelles pendant sa campagne contre Rush. Aujourd'hui encore, dans ses discours, Michelle parle du poids permanent qu'a constitué pour eux le remboursement de leurs prêts étudiants, et Barack a raconté* que, alors qu'il essayait de rejoindre la Convention nationale des démocrates, en 2000, sa carte de crédit avait été rejetée, et qu'il lui restait à peine de quoi louer une voiture.

Mais il n'était pas encore prêt à jeter l'éponge. Après sa défaite contre Rush, il s'était abstenu d'entrer en lice pour le poste d'attorney général de l'Illinois, de crainte que cela ne soit trop dur pour sa famille. Mais en 2002, il repéra une occasion qui lui parut valoir le coup. L'un des sénateurs de l'Illinois en exercice à Washington, Peter Fitzgerald, un républicain, s'enfonçait au Sénat. Il avait battu Carol Moseley Braun en 1998 en partie sur des allégations, jamais prouvées, selon lesquelles elle aurait détourné des fonds de campagne. Fitzgerald était isolé, iconoclaste et peu apprécié, même au sein de son parti. Barack décida de se présenter contre lui. « Je pensais que* je pouvais le battre », me confia-t-il en 2007. Lorsqu'il retrouva Minow, il lui dit : « Je veux être sénateur.

— Mais vous êtes sénateur*, lui rétorqua Minow.

— Je ne parle pas de l'Illinois, je vous parle du Sénat américain, déclara Barack. Je crois que je peux y arriver. »

Barack en discuta également avec Shomon. Ils étaient en voiture dans le sud-ouest de l'Illinois, et se rendaient au pique-nique annuel donné par un confrère sénateur. C'était au mois de septembre 2002, et les Obama avaient à présent deux petites filles : Natasha, surnommée Sasha, née en 2001, et Malia, qui avait quatre ans. Shomon se rangea aussitôt sur le bas-côté et fit de son mieux pour le dissuader, arguant qu'une nouvelle campagne serait trop lourde à supporter pour Michelle et les filles. « Je savais qu'il était* homme à avoir des scrupules, à se sentir coupable ; ce n'était pas bon pour lui à cause de ses enfants, à cause de sa famille, relate Shomon. Si vous posez la question à des gens qui le connaissent bien, qui ont travaillé pour lui, ils vous diront les affres qu'il endure du fait qu'il ne voit pas assez les petites. Ça lui ronge le cœur de ne pas être avec elles le soir... C'est un type très brillant, très passionné, et ambitieux, mais il a aussi des scrupules. Il se sentait coupable quand il rentrait tard. Il se sentait coupable quand il devait rester en session et se retrouvait coincé à Springfield, il se sentait coupable quand il voulait décompresser un peu, et ne participait pas suffisamment aux tâches ménagères. » Shomon assure que cette culpabilité était le fait de Michelle, qui ne cache pas ce qu'elle pense et ne se laisse pas faire. « Sa femme n'hésitait pas à le reprendre. C'est clair. »

Mais Barack fut inébranlable. « Il présentait toujours le même argument, dit Shomon. Nous pouvons changer la politique. Nous pouvons transformer les programmes, nous pouvons aider les gens. Et je ne pourrai pas le faire si je reste coincé dans l'Illinois pendant vingt ans. »

Heureusement pour Barack, pendant qu'il siégeait au sénat, Michelle eut une révélation : elle devait cesser de se sentir en colère et d'attendre qu'il change, pour se demander à la place comment apprendre à se maîtriser et rendre sa vie plus équilibrée. En 2001, elle avait été recrutée par les Hôpitaux universitaires de Chicago pour servir de liaison entre les internes et les organisations locales proches de l'hôpital. Comme l'université, le système hospitalier n'avait pas bonne presse dans le voisinage et n'était pas considéré comme un lieu utile par la communauté afro-américaine. Quand elle fut engagée, elle allaitait encore Sasha et n'eut d'autre choix que d'amener la petite avec elle au travail parce qu'elle n'avait ni baby-sitter ni personne pour l'aider. À l'époque, dit-elle, elle pensait sérieusement à devenir mère au foyer. Elle se débattait entre* son « désir d'être une bonne mère » et le fait qu'elle ne savait pas vraiment ce qu'elle voulait sur le plan professionnel. Elle se disait donc qu'elle allait « faire ce que je n'ai jamais fait avant, et rester à la maison ».

En fait, elle préféra modifier son approche du mariage – en acceptant les choses impossibles à changer, comme la nature de Barack, et en changeant ce qui pouvait l'être. « Il y a eu une période* d'évolution importante dans notre mariage, confia-t-elle plus tard à *O Magazine*. Barack était au sénat d'État, nous avions des enfants en bas âge et c'était difficile. J'essayais désespérément de trouver comment faire pour m'en sortir. » Michelle avait toujours été très organisée et c'était une lève-tôt, alors, raconte-t-elle, elle se mit à aller en salle de gym à 4 h 30 du matin, à la fois pour se remettre en forme, mais aussi pour forcer Barack à s'occuper de la maison.

« Ça a été la révélation, dit-elle. J'étais assise là, avec mon petit bébé, en colère, fatiguée et mal dans mon corps. Le bébé s'était réveillé pour la tétée de 4 heures. Et mon mari était couché en train de dormir. » Elle se dit que si elle sortait, il serait bien obligé de se débrouiller. « Quand je rentrerais de la gym, les filles seraient levées et auraient pris leur petit déjeuner. Il fallait que je le fasse pour moi-même. » Elle confia à un journaliste du *Chicago Tribune* qu'elle avait pris conscience qu'elle ne pouvait plus continuer à en vouloir à son mari ; cela finissait par la miner et par empoisonner leurs relations de couple. « Je ne pouvais pas être* furieuse tout le temps, je risquais de devenir une mégère, comme mère et comme épouse. » Dans cette interview, elle se permet le luxe d'ajouter : « Ce qui me frappe chez les hommes, tous les hommes, c'est leur ordre de priorité moi, ma famille, et Dieu qui se range quelque part entre les deux, mais c'est toujours moi d'abord. Alors que pour les femmes, moi arrive en quatrième position, et ce n'est pas sain. »

Elle comprit également qu'elle devait mettre en place un système d'aide à la maison. « Comment faire pour* structurer mon univers de façon qu'il me convienne sans avoir à chercher à faire de mon mari ce que je voudrais qu'il soit ? » expliquera-t-elle plus tard à *People*. Elle engagea quelqu'un pour s'occuper du ménage, du linge et de la cuisine, et demanda à sa mère de l'aider à garder les enfants, en déclarant que « peu importe si ce n'est pas Barack qui garde les enfants, ce qui compte, c'est que je puisse prendre du temps pour moi ». Elle a reconnu que, pendant toutes les années qu'il a passées au sénat de l'Illinois, « il y avait beaucoup* de tension et de stress, [mais j'ai compris que j'avais] besoin de me concentrer sur ce qui pouvait m'empêcher de devenir folle au lieu de compter sur Barack pour me donner les réponses, et m'aider à me trouver moi-même ».

Cette révélation a été importante non seulement pour elle, mais pour lui. « Obama n'aurait pas* pu envisager d'être candidat à la présidence s'il avait épousé une femme qui n'était pas prête à s'adapter ou à supporter l'emploi du temps d'une campagne », constate Al Kindle. La prise de conscience de Michelle m'a rappelé une conversation que j'ai eue avec Tipper Gore il y a quelques années, alors que je rédigeais un portrait de son mari, l'ancien vice-président Al Gore. Avant l'interview proprement dite, nous bavardions de la pression quand on était mariée avec un homme qui s'absente beaucoup pour un travail stressant au service de l'État ; c'était peu de temps après le 11 Septembre, et mon propre mari œuvrait dans le contre-terrorisme, un travail exigeant, difficile et très prenant. « Il faut que vous compreniez que ce n'est pas près de changer, me dit en gros Tipper. Il faut se créer un réseau d'aides. » Elle savait de quoi elle parlait. S'il existe un profil type d'épouse d'homme politique accomplie, une femme qui n'est ni amère ni en colère, qui n'a pas besoin de recourir à des substances toxiques et ne se laisse pas écraser non plus, Tipper Gore y correspond parfaitement. Et Michelle, par bien des côtés, lui ressemble. Comme Tiper, elle est enthousiaste, elle sait s'exprimer, même si cela ne plaît pas toujours à tout le monde (souvenez-vous de la campagne de Tipper contre les paroles trop explicites de chansons rock), elle est cultivée et chaleureuse – c'est une épouse profondément dévouée mais dotée d'assez de caractère et de bon sens pour élaborer elle-même la façon de survivre.

Et c'est une bonne chose que Michelle ait pu trouver le moyen de s'en sortir. La campagne qui allait mener Obama au Sénat américain allait se révéler en effet plus stressante et usante que les autres. Pendant une période* particulièrement chargée, Barack Obama estime avoir pris *sept jours de congé en dix-huit mois.* Que la famille Obama ait pu en sortir indemne témoigne de la souplesse et de la solidité de Michelle. Ainsi qu'elle me l'a dit en 2007, chaque nouvelle étape de la carrière de son mari a représenté une surprise pour elle. Elle est comme Charlie Brown avec le ballon, qui croit toujours que cette fois, Lucy ne va pas le retirer au dernier moment. Elle se dit toujours : cette fois, Barack ne va pas se présenter. Ou, s'il se présente et qu'il perd, il va vraiment arrêter. « À chaque étape* de ce chemin, je peux dire en toute honnêteté que, vraiment, je pensais qu'il n'irait jamais jusqu'à la course à la présidence, m'a-t-elle certifié en été 2007, six mois après l'annonce de sa candidature. Pourquoi ferait-il une chose pareille ? Ça n'a aucun sens. » Puis, dans un éclat de rire, elle ajoute : « Je suis toujours la dernière au courant. »

9

Au début, c'est certain, Michelle était opposée à la candidature de Barack aux élections du Sénat américain. « J'estimais que nous ne pouvions* pas nous le permettre, avoue-t-elle à David Mendell du *Tribune*. Je n'aime pas parler de cela, mais les gens oublient que son compte en banque était plutôt dans le rouge. Comment allions-nous nous débrouiller avec deux maisons à entretenir, une ici et une autre à Washington, nos dettes de la fac de droit, les frais de scolarité des enfants, les économies que l'on essayait de faire pour les envoyer à l'université… Cela me paraissait dément ! De quoi nous bousiller. Je lui ai dit : "C'est ridicule ! Même si tu gagnes ces élections, comment comptes-tu gérer financièrement cette merveilleuse nouvelle étape de ta vie ?" Et il m'a répondu : "Ne t'inquiète pas ! Je vais écrire un livre, un très bon livre", et moi je me suis dit : "Mais oui, c'est ça, tu vas écrire un livre, bien sûr, et après tu grimperas sur le haricot magique et tu rapporteras le sac plein d'or, Jack !" »

Selon Obama, il lui a répondu qu'il voyait bien que sa carrière politique* avait mis une énorme pression sur elle, mais qu'il pensait avoir de fortes chances de gagner ces élections. Qu'il avait consacré une grande partie de sa vie au service public et jugeait qu'il pouvait faire une énorme différence s'il remportait le siège au Sénat américain. Et que si elle était prête à le suivre cette fois encore, en cas de défaite, il renoncerait à faire de la politique. Michelle, raconte-t-elle à Mendell, a accepté en déclarant : « On finira bien par se débrouiller. Ça va aller. Lance-toi, ajoutant : Mais tu perdras peut-être… »

Les prétendants démocrates à ce siège étaient nombreux. Newton Minow se souvient qu'au début, ils avaient du mal à convaincre les gens de venir aux soirées organisées pour lever des fonds. Martha Minow se rappelle une de ces réunions où il y avait peu de monde et « Michelle, raconte-t-elle*, était élégante, drôle, heureuse et gracieuse. Elle est d'un caractère si égal. J'étais gênée parce qu'il y avait peu de monde, mais cela ne l'ennuyait pas du tout ».

Michelle alla également* avec son époux courtiser Penny Pritzker, héritière des hôtels Hyatt et élément majeur dans le paysage politique de l'Illinois. Gagner son soutien, c'était s'assurer de remplir les coffres de la campagne. Penny et son mari, Bryan Traubert, invitèrent les Obama dans leur maison de campagne pour le week-end, et plus tard, Penny dira qu'elle avait été très impressionnée par les Obama, leur stabilité, leur engagement moral. Elle et son mari, raconte-t-elle, eurent une longue discussion avec Barack sur ses valeurs, la manière dont il se montrait et s'exprimait, sa famille. Et elle put apprécier le couple qu'il formait avec Michelle, leur personnalité, et leurs idéaux politiques si profonds. Après ce week-end, Pritzker décida de soutenir Obama, et elle finira même par s'occuper de toute la partie financière de sa campagne présidentielle.

Barack Obama avait un plan très simple pour gagner ces élections, incluant la même stratégie qu'avait utilisée Carol Moseley Braun pour gagner les primaires démocrates lors d'une autre élection au Sénat, couronnée de succès. Elle avait montré que si un candidat noir avait au moins deux opposants blancs dans la primaire, le vote blanc pouvait se diviser en deux, et permettre au candidat noir de gagner d'un bout à l'autre de l'État. Barack se dit qu'il allait utiliser la même tactique. Diviser le vote blanc, et courir à toute vitesse au milieu en s'attirant la majorité du vote noir, mais aussi quelques Blancs, espérait-il.

Pour que cette stratégie fonctionne, il fallait qu'il n'y ait qu'un seul candidat noir crédible dans la course à la primaire. Or, la rumeur disait que Jesse Jackson Jr. était intéressé. Abner Mikva conseilla* à Obama d'aller parler aux « Jackson boys », et il accepta. Il profita des avantages que lui apportaient les relations familiales de Michelle pour organiser un déjeuner avec Jackson, qui lui dit qu'il n'était pas intéressé. Le seul problème, c'est que Moseley Braun envisageait peut-être de se représenter. On disait que l'ex-sénatrice américaine, qui vivait non loin des Obama dans Hyde Park, voulait reprendre son siège. Si tel était le cas, le plan d'Obama tombait à l'eau. Leurs bases se chevauchaient* tellement. Pas seulement parce qu'elle était afro-américaine, mais parce qu'elle venait de l'aile progressiste du parti comme lui, et que leur base de donateurs aurait été pratiquement similaire, comme me l'expliqua Obama lui-même en 2007. Il lui aurait été difficile alors de mobiliser la coalition nécessaire pour se présenter. « Si elle avait décidé de se lancer dans la course, j'aurais probablement quitté la politique pendant un bon moment », me dit-il.

Dans le doute, Obama continua de se préparer. Pendant la seconde moitié de l'année 2002, il engagea tranquillement des hommes et des femmes, rassembla une équipe autour de lui, et planifia sa campagne. Juste après le nouvel an*, sa famille et lui partirent pour Hawaii. Tandis que Barack contemplait les surfeurs en se disant que finalement, s'il passait plus de temps avec les siens, ce ne serait pas si mal, son téléphone portable sonna. On lui apprit que Moseley Braun avait décidé de se présenter aux élections présidentielles. Voilà, la voie était libre. Il pouvait y aller. Barack annonça dès le début 2003 qu'il se présenterait aux élections au Sénat américain.

Quatre ans plus tard, Kwame* Raoul, l'homme qui succéda à Barack Obama dans l'État de l'Illinois, se souvint que lorsqu'il lui demanda un conseil pour réussir sa législature, ce dernier lui répondit simplement : « Évite d'aller en prison. » Raoul crut au début qu'il plaisantait, mais non, Obama était sérieux. À Chicago, la corruption était suffisamment étendue, et devenue même, pourrait-on dire, une tradition locale, que la prison était une issue plausible lorsqu'on faisait une carrière politique, et peut-être plus encore maintenant, comme le lui expliqua Barack, que de nouvelles lois avaient été mises en place et que les législateurs ne savaient plus nécessairement ce qui était légal ou pas. Quelque chose de similaire aurait pu être conseillé à Barack alors qu'il se présentait au Sénat américain. Dans cette course, la discorde conjugale et les transgressions sexuelles étaient si étrangement communes que, d'une certaine façon, pour gagner, il suffisait de se tenir éloigné des tribunaux de divorce. C'est une exagération, bien sûr, il n'en reste pas moins que son extraordinaire carrière a bénéficié en partie du fait que son mariage était plus stable que ceux de certains de ses adversaires.

D'autres facteurs permirent sa victoire. En un laps de temps très court, deux événements heureux conspirèrent à le propulser non seulement au Sénat, mais vers un niveau de célébrité qui allait transformer pour toujours sa vie de famille. Le premier se produisit en avril 2003, quand Peter Fitzgerald surprit tout le monde en annonçant qu'il ne se représenterait pas à l'élection au Sénat. C'était un événement majeur. Cela signifiait qu'il n'y avait pas de candidat sortant. Barack se présentait maintenant pour un siège vide. La situation était donc beaucoup moins tendue. Tout pouvait arriver, et tout le monde, ou presque, pouvait gagner. Deuxièmement, Barack sut capter l'intérêt de David Axelrod, le principal consultant politique de Chicago, et s'assurer son soutien. C'était un atout majeur, car les concurrents d'Obama étaient nombreux et majeurs : à un moment donné, on comptait neuf autres candidats pour les primaires.

Sa principale opposition se ramena à deux hommes, deux démocrates : Dan Hynes, le populaire président de la cour des comptes de l'État, et favori de l'establishment du parti. Et Blair Hull, un riche trader qui avait vendu sa compagnie à Goldman Sachs pour 531 millions de dollars et pouvait financer sa propre campagne. Ils représentaient tous les deux des candidats crédibles, même s'ils favorisaient sans le vouloir la stratégie de division d'Obama. D'une certaine façon, la richesse de Hull était aussi un avantage. Avec la nouvelle loi de finance McCain-Feingold des campagnes électorales, un candidat qui se présentait contre un rival riche qui autofinançait sa campagne avait le droit de lever six fois plus de fonds que sa limite normale. Ce qui signifiait qu'Obama pourrait lever 12 000 dollars par donateur au lieu de 2 000. « C'était un énorme avantage*. Et cela fit une énorme différence, constate Mikva. Je lui ai donné plus d'argent que je n'en ai donné à personne dans ma vie. Et Obama devenait meilleur, et plus discipliné, quant à la collecte de fonds. »

Mais Hull continuait à dépenser encore plus qu'Obama, et cela comptait. Un sondage établi un mois environ avant les primaires montrait Hull en position de leader, avec Hynes et Obama à la traîne. Obama réussit son break à la fin de février 2004, quand on apprit que l'ex-femme de Blair Hull l'avait accusé de l'avoir verbalement et physiquement agressée. Ce fut un désastre pour Hull. Mais l'équipe Obama eut surtout peur qu'il ne renonce à sa candidature, mettant ainsi à mal le plan sur la division du vote blanc. Hull resta dans la course malgré tout, continuant à se battre contre Hynes, permettant à Obama d'avancer tranquillement de son côté. À la fin de la saison des primaires, Obama, conseillé par Axelrod, fit une série de publicités dont le thème était « Yes we can ». Le slogan, présageant sa campagne présidentielle, suggérait le thème général du changement. Plus spécifiquement, l'une de ses implications subtiles était qu'un homme noir pouvait gagner, oui, d'un bout de l'État à l'autre. Selon Mendell, Obama trouvait le slogan simpliste, mais Axelrod le soutenait fermement. Obama fit appel à Michelle* pour les départager, sachant qu'elle était une jauge sensible et affûtée de la communauté afro-américaine. Elle jugea que c'était un bon message. Il le garda.

Et il apparut qu'en effet, le slogan était juste. Le message d'Obama prêchant l'unité et le changement lui gagna non seulement les électeurs afro-américains, mais aussi les électeurs blancs, et en plus grand nombre qu'on ne l'aurait imaginé. Il gagna les primaires avec 53 % des votes. L'équipe de campagne, incrédule et extatique, se félicitait. Obama gagnait dans les endroits les plus invraisemblables, y compris certaines parties du nord-ouest de Chicago où Harold Washington avait été autrefois traité avec tant de haine que cela avait fait la une des journaux nationaux, et les « collar counties », c'est-à-dire ces quartiers blancs dont les habitants avaient fui autrefois l'arrivée de gens comme les Robinson. Obama, cela apparaissait clairement maintenant, était un homme politique capable de transcender les genres, un homme noir susceptible d'attirer un nombre significatif d'électeurs blancs, un accomplissement qui lui avait déjà valu de remporter la présidence de la *Harvard Law Review* et de se faire connaître alors nationalement. William Finnegan fit un portrait de lui dans le *New Yorker*. Scott Turow, le célèbre romancier, écrivit un article à son sujet dans *Salon*. Et Michelle, comme toujours, garda la tête froide. Alors que les résultats des primaires étaient sur le point de tomber, Obama faisait les cent pas dans un couloir de l'hôtel Hyatt. Quand un de ses assistants lui annonça qu'on le donnait largement gagnant, il leva la main en signe de victoire et topa celle de Michelle. Elle le taquina en imitant comme elle savait si bien le faire Sally Field : « Ils t'aiment ! s'exclama-t-elle. Ils t'aiment vraiment !* »

« Il est très excité* », expliqua Michelle à un journaliste, étonné par le calme olympien d'Obama qu'il regardait poser avec ses filles sur un canapé pour des photos. « Il me l'a dit. C'est un homme fondamentalement calme. Il en faut beaucoup pour l'énerver. Il a un sang-froid extraordinaire. »

C'est au cours de cette campagne que l'équipe d'Obama commença à tester les qualités de Michelle comme substitut. Obama devait parcourir tout l'État, ce qui était presque impossible puisqu'il avait encore des responsabilités législatives. Alors Michelle commença à la remplacer ici et là. Lors d'un meeting, début février 2004, elle implora les électeurs d'envoyer un message à l'Amérique à travers leur vote : « Je suis fatiguée* de laisser les privilégiés s'occuper à eux seuls de la politique. Les riches. Les fils à papa », déclara-t-elle dans ce qui était en apparence une référence à Hull, dont la fortune était connue, et à Hynes qui était le fils d'un puissant homme politique de l'Illinois. Ce mois-là, elle alla recevoir à la place de Barack un prix octroyé par le NAACP Proviso West Suburban, l'association nationale pour l'avancement des gens de couleur, et affirma dans son discours en parlant des élections au Sénat qu'elles étaient « importantes pour de nombreuses raisons. Il n'y a pas un seul sénateur de couleur, très peu de personnes s'y battent actuellement contre le chômage et pour l'assurance maladie ». À partir de juin 2004, elle présida même des soirées de collecte de fonds.

À cette époque, Barack connut un autre coup de chance quand son opposant républicain, Jack Ryan, se retrouva confronté à un problème personnel. Il s'agissait encore d'un scandale conjugal. On apprit à l'occasion du divorce de Ryan qu'il avait voulu entraîner son ex-femme à participer à des soirées échangistes dans un club privé de Paris. Ryan renonça à sa candidature. Mais Michelle continua à battre l'estrade pour son époux, prononçant des discours à Charleston, dans l'Illinois, poussant les électeurs à ne pas considérer la course comme gagnée, même si Ryan avait lâché.

Elle apprenait aussi des vérités nouvelles sur la politique, et sur le talent de son mari sur le terrain. Certains pouvaient penser qu'Obama avait bénéficié d'une série de coups de chance spectaculaire, et c'était vrai, mais elle me fit remarquer plus tard que bon nombre de ces événements étaient prévisibles si on était assez perspicace : « Ce qu'on oublie de dire*, c'est que Barack est incroyablement intelligent, et pas seulement d'un point de vue intellectuel, c'est aussi un fin stratège, et il apprend vite. Il sait prendre la mesure des gens. Et cela lui permet de juger sainement n'importe quelle situation, qu'il s'agisse de ses chances de gagner les élections ou de la fin de la guerre en Iraq. Vous savez, les gens aimeraient penser que ce n'est que de la chance, mais elle ne compte pas si on ne sait pas lire les signes, comprendre le moment, le sentir. »

Ce qu'elle apprit au cours de cette campagne, c'est que les points faibles ou les failles d'un candidat sont souvent connus à l'avance, mais jamais imprimés ou diffusés. Il y avait eu des rumeurs* sur le mariage de Hull avant les primaires. David Axelrod, à cette même époque, avait déjeuné avec Hull, et lui avait demandé si ces rumeurs étaient fondées. La réponse équivoque de Hull l'avait suffisamment énervé pour qu'il s'empresse de signer avec Obama.

« En tant que candidat*, vous en savez plus sur ces choses que le public, m'expliqua Michelle, encore très frappée par cette découverte. Donc vous entrez dans la course en connaissant les problèmes de vos opposants. Et même la presse en sait plus que ce qu'elle veut dire… C'est pourquoi tout est une question de stratégie, vous regardez qui se présente, vous savez qui le soutient, si sa maison est faite de briques ou de verre. Les choses qui ont été dévoilées étaient connues de tout le monde, sauf du public. On en parlait dès le début… Pour moi, la leçon que j'en tire, c'est que les gens font semblant de ne pas avoir entendu les rumeurs. »

Cette élection fut donc pour Michelle une introduction à certaines réalités politiques. Elle recevra son baptême sur la scène nationale au cours de l'été 2004, quand le parti démocrate décidera d'apporter son soutien à Obama dans l'élection générale, en l'invitant à prononcer le discours inaugural de sa Convention. Plusieurs facteurs contribuèrent à ce que Obama soit choisi pour cet événement clé. D'une part, l'équipe de campagne de Kerry avait fait l'erreur de déclarer qu'il n'y aurait pas d'attaques contre Bush dans les discours de la Convention, par crainte de s'aliéner les électeurs clés. En ayant donc pour tâche de choisir qui devait faire ce discours d'ouverture, les organisateurs de la Convention étaient dans la position peu enviable de devoir trouver quelqu'un qui pourrait galvaniser la foule sans être négatif, soulever l'enthousiasme sans jeter en pâture à la foule la viande rouge républicaine qu'elle réclamait. Les organisateurs voulaient un orateur dans la tradition de tribuns mémorables comme Barbara Jordan, Mario Cuomo, Ann Richards, « des personnalités qui inspiraient l'espoir*, comme me l'expliqua Donna Brazile, consultante politique, et en plus, donnaient un cadre au parti ». En effet, le rôle de cet orateur précis chargé du discours d'ouverture, est semblable à celui de Jean-Baptiste ou de Paul Revere[1]. Il lui revient d'annoncer le nom du candidat à la présidentielle, de situer le contexte, de définir le message, de créer un sentiment d'énergie et d'anticipation. Les organisateurs de la Convention voulaient quelqu'un qui puisse véhiculer une image de nouveauté et de diversité, quelqu'un qui, comme me l'a expliqué John Kerry, pouvait transmettre « un message d'inclusion* et de changement, offrir une nouvelle façon de montrer comment nous pouvions rendre notre politique plus pertinente pour les gens, et, d'une certaine façon, proposer juste un langage un peu différent ». Jennifer Granholm, la nouvelle et photogénique gouverneure du Michigan, également sortie de Harvard, figurait sur la liste des prétendants au même titre qu'Obama. Mais ce dernier était reconnu comme un excellent tribun. Et apportait quelque chose de neuf, sans compter qu'il venait du Midwest, un État industriel majeur. Cela étant, on pouvait reconnaître les mêmes qualités à Jennifer Granholm.

Le facteur clé qui joua en faveur d'Obama fut que le parti démocrate avait besoin de lui pour gagner ce siège au Sénat américain. Bien que Ryan ne se soit pas encore retiré de la course, on parlait déjà d'un autre candidat possible, l'ancien coach des Chicago Bears, Mike Ditka. La balance au Sénat était de 51 à 48 en faveur des républicains. Les démocrates avaient besoin

1. Paul Revere (1735-1818), héros de la révolution américaine.

d'une victoire d'Obama. Il fut donc choisi pour le discours inaugural de la Convention.

Quand Michelle apprit cette nouvelle, elle prévint son frère Craig qui se trouvait sur la route, chargé de recruter des joueurs pour l'équipe de basket de Brown. Il arrangea son programme de façon à pouvoir regarder le discours de Barack dans sa chambre d'hôtel. On exigeait beaucoup d'Obama. Il était coincé à Springfield, obligé d'écrire son discours, tout en continuant à exercer son mandat législatif, et il faisait campagne pour le Sénat. « Il faut imaginer le rythme* qu'il avait, m'a raconté son directeur de la communication, Robert Gibbs, il n'arrêtait pas de faire des allers-retours entre Chicago et Springfield pour participer à des meetings. Il profitait des trajets sur la route pour réfléchir, mais a largement écrit son discours dans sa chambre d'hôtel de Springfield. » Obama travaillait sans relâche, et si fiévreusement qu'un matin, très tôt, il l'appela en lui demandant ce qu'il pensait des changements qu'il avait faits sur son discours. Quels changements ? demanda Gibbs. Obama lui répondit qu'il parlait du texte qu'il lui avait envoyé au milieu de la nuit. « Jusqu'alors, continue Gibbs, je vérifiais mes mails vers six heures et demie du matin, et là j'ai compris que recevoir un courriel à deux heures du matin, et y répondre, allait devenir la norme ! »

Obama réussit à écrire son discours. L'équipe de Kerry fit quelques corrections, puis arriva le jour J. La rumeur n'avait cessé d'enfler. Obama était déjà assailli de demandes d'interviews. C'était à Michelle, une fois encore, de se tenir près de lui avec son seau d'eau froide tout prêt. « Il a reçu beaucoup d'attention* toute sa vie, et cela ne lui est jamais monté à la tête, parce que nous avons été élevés avec des valeurs du Midwest très précises : c'est ce que vous êtes en tant que personne qui compte, et la façon dont vous traitez les autres, non la position que vous occupez, ou le diplôme que vous avez obtenu, a-t-elle expliqué au *Chicago Daily Herald*. Donc tout cela est très flatteur, mais il ne prendra pas la grosse tête. Nous avons deux enfants de six et trois ans qui se fichent bien des élections, et il rentre les retrouver tous les soirs. » Avant qu'il ne prononce son discours, Michelle se trouvait dans la chambre verte avec Obama, le sénateur de l'Illinois Dick Durbin, et son épouse. Avant de les quitter, écrira plus tard Obama dans *L'Audace d'espérer*, Michelle l'encouragea avec humour d'un : « Allez, ne te plante pas* ! » Comme le rapportera plus tard la journaliste du *New Yorker*, Lauren Collins, Michelle joua un rôle plus important que cela en réalité. Plus tôt dans la journée, Barack avait répété son discours devant son équipe et commençait à s'énerver parce que les gens lui donnaient des conseils, faisaient des commentaires, lui suggéraient des changements. Michelle calma son irritation avec ce qui est désormais connu comme « The Look », un regard appuyé dont tous deux comprenaient le sens sans qu'ils aient besoin d'échanger une seule parole. « Elle écoutait attentivement* en silence, et il la regardait de temps en temps pour tester sa réaction, comme dans une sorte de relation télépathique », écrit Collins en citant une source présente lors de cette scène qui décrit comment Michelle réussit à calmer son époux, s'occupant à la fois de lui et du discours.

Après être monté sur la scène, il fallut un certain temps à Obama pour chauffer la foule et la mettre de son côté. Il commença par parler de sa mère et de son père, de la diversité de son propre héritage, et comment dans aucun autre pays sur terre son histoire n'aurait été possible. Il évoqua différents problèmes de gouvernement, d'assurance maladie, de meilleure prise en charge des vétérans, et lança alors son fameux appel à l'unité et à la compassion : « Nous formons tous un seul peuple. S'il y a un enfant dans le South Side de Chicago qui ne sait pas lire, cela compte pour moi, même si ce n'est pas mon enfant. » Réfutant la division du pays en États rouges, pour les républicains, bleus pour les démocrates, il proclama : « Nous sommes un seul peuple, nous prêtons tous allégeance à la bannière étoilée, nous défendons tous les États-Unis d'Amérique. » En lançant cet appel émouvant à l'union, il évoqua le quartier où la famille de sa femme vivait, défendant la notion de responsabilité sociale et les obligations mutuelles des uns envers les autres, rappelant aux citoyens que tout n'allait pas bien partout en Amérique, et utilisant comme exemple les quartiers, les projets et les écoles du South Side. Michelle entendait Barack évoquer la même vision, le même changement, la même nécessité de compassion et de solidarité dont il lui avait fait part dans le sous-sol de l'église. Tandis que son discours se terminait, suivi par neuf millions de personnes sur le câble, sans compter les milliers de délégués et de journalistes dans le hall de la Convention, l'Amérique découvrait le Barack Obama que Michelle avait toujours connu.

L'impact de ce discours allait changer leurs vies pour toujours. « C'est comme marcher* aux côtés de Michael Jordan maintenant, et peut-être même plus », me raconta Craig Robinson trois ans plus tard, s'émerveillant encore de cette célébrité soudaine à laquelle Obama ne pouvait plus échapper. « Les gens font plus attention à cet événement qu'au sport. Ma sœur et Barack sont devenus des gens connus, la vie est complètement différente pour eux maintenant. Vous ne pouvez pas imaginer à quel point. Ils ne peuvent plus aller nulle part sans qu'on les remarque. C'est terrible. Jusqu'alors ils étaient comme vous et moi, personne ne savait qui ils étaient, et tout d'un coup, tout le monde vous connaît et vous reconnaît. C'est chouette et pas si chouette dans un sens. Mais c'est comme ça, et je crois qu'ils s'y sont préparés. » Quand il me raconta cela en 2007, Craig venait d'emmener ses enfants et ceux des Obama à une fête de famille afin que les cousins puissent se voir entre eux, ce qui se produisait souvent avant que Craig ne déménage et qu'Obama ne devienne si célèbre et si occupé. « Ma sœur et lui aimeraient que leurs filles vivent le plus normalement possible malgré la situation complètement anormale qu'ils connaissent. »

C'était plus qu'une ascension politique. Obama lévitait, avait été téléporté à des sommets incroyables. En une nuit, il était devenu un nom connu dans tous les foyers américains. C'était sans précédent. Il n'y a pas d'autre exemple d'une épouse qui ait dû s'adapter aussi vite à tant de publicité et à une telle renommée. Pour Michelle, cela signifiait que l'homme qui était son mari appartenait désormais à l'univers, d'une certaine façon. Et au parti démocrate, et à son équipe de campagne. Tout le monde voulait un bout de Barack Obama. On se l'arrachait, pour un discours, une participation.

Bien avant la Convention, l'un des assistants de Barack avait prévu un voyage en car à travers la région rurale de l'Illinois, une tournée éclair dans une partie du pays qui avait été négligée jusqu'alors. Selon

Shomon, Barack pensait qu'il s'agissait d'un voyage d'agrément, l'occasion de se détendre et de profiter de sa famille car Michelle et les filles l'accompagnaient. Il imaginait que cela consisterait à s'amuser avec ses filles et à se reposer.

Jeremiah Posedel*, qui organisait le voyage, et qui est maintenant attorney chez McGuireWoods, m'a expliqué qu'ils voulaient aussi faire entrer Michelle dans la campagne, la rendre plus visible. Jusqu'alors, on avait assez rarement fait appel à elle, tandis que le couple essayait de trouver comment maintenir sa vie de famille. Mais maintenant, ils la voulaient vraiment avec eux. « Le but originel* de cette tournée en car était de présenter toute la famille » aux électeurs. À cette époque, tout le monde avait vu Barack, « et c'était l'occasion inespérée de faire connaître sa famille. L'idée était qu'ils seraient dans ce car en train de jouer aux cartes. Ils se présentaient en famille ». Le voyage était supposé ressembler à une flânerie. Barack devait même aller pêcher, mais cela ne tourna pas du tout comme on l'espérait.

Cela se transforma en une longue marche, une succession incessante de discours, de kilomètres, et de foules bien plus nombreuses qu'on ne l'avait imaginé. Posedel dans son zèle avait semé le voyage d'arrêts ; ils devaient visiter plus de trente comtés et couvrir 2 500 km, soit plus de 400 km par jour, en cinq jours. Cela faisait cinq ou six arrêts par jour, et dix ou douze heures de route. « Le but, c'était de se rendre dans des petits comtés de l'Illinois où personne n'allait, m'expliqua le directeur de la communication Robert Gibbs. Ce n'était pas comme Springfield ou Peoria, c'était des comtés à l'écart. » Mais ce qu'ils comprirent très vite, c'est que les foules maintenant allaient être d'une tout autre ampleur.

« Je me rappelle le premier jour. Nous n'avions pratiquement pas dormi. Je venais d'arriver par avion, à six heures du matin, et je me disais, mince, une tournée de cinq jours, j'espère que ça va marcher…, raconte Gibbs, et ça marchait. Je me souviens du premier arrêt, il y avait cinq cents personnes dans cette ville, vraiment petite, et on s'est dit c'est super ! À la fin de la journée, on avait fait six ou sept arrêts, et là, je me suis dit qu'on avait réellement touché quelque chose, et le jour suivant, qui était un dimanche, on s'est dit, faut pas s'attendre à avoir grand-monde, ce ne sera pas les six ou sept cents personnes qu'on a eues hier, on va revenir aux cent cinquante habituelles d'avant la Convention, et on se gare dans le parking, et il y a plus de mille personnes dans ce petit amphithéâtre… Je n'en revenais pas. »

Du point de vue de la campagne électorale, cette tournée fut une révélation. Pour Barack et sa famille, ce fut une punition cruelle et inattendue. Michelle et lui avaient commencé le voyage en se disant que cela leur permettrait de passer du temps ensemble. « Le stress du voyage* et toute la folie autour finit par se voir même sur la toujours affable Michelle, écrit David Mendell du *Chicago Herald Tribune* dans son livre *Obama*. À certains moments, la tension entre Michelle et son mari était palpable. »

« Il était vraiment furieux*, il trouvait que cela ressemblait surtout à une mission commando », se souvient Dan Shomon qui ne faisait pas partie du voyage, mais en entendit beaucoup parler par ceux qui y avaient participé. « Ce devait être un voyage sympa avec les enfants, ponctué de visites au zoo, de trucs de ce genre. Barak était très énervé, il avait besoin d'être avec ses filles. » Au lieu de cela, Malia et Sasha passaient le plus clair de leur temps avec d'autres personnes, et Barack, le plus souvent, ne les voyait pas avant la nuit. « Barack se fâcha vraiment contre moi », raconte Posedel qui finit par passer beaucoup de temps dans le car avec Michelle. Malgré toute sa fatigue et sa frustration d'être séparée de son mari, Michelle tenta de lui remonter le moral. « Michelle était la seule qui essayait de me tranquilliser. » À la fin de la tournée, Barack le remercia d'avoir fait son boulot avec autant d'énergie et, dans un commentaire qui a été abondamment commenté, ajouta : « Ne me refaites jamais une chose pareille. »

Voilà la nouvelle situation que devait affronter Michelle. C'était le job de tout le monde de réussir à faire élire Barack, et son travail à elle consistait à protéger son rôle en tant que père et époux. Elle avait maintenant sans le vouloir des objectifs opposés à ceux de la dynamique équipe d'Obama, essayant de préserver un jour par semaine avec son mari.

Finalement, les républicains ne firent pas appel à Dikta mais eurent la mauvaise idée de faire venir Alan Keyes, un Afro-Américain conservateur, éternel candidat, et excentrique apocalyptique, qui ne vivait même pas dans l'Illinois. Certains pensent que ce fut la dernière étoile venant rejoindre la constellation Obama.

En dépit de la fatigue de la tournée, Michelle continua de participer à la campagne électorale. L'équipe l'utilisait comme substitut, permettant à Barack de voyager à travers le pays, se faisant connaître sur un plan national alors qu'il faisait entrer l'argent dans les coffres de la campagne démocrate. Dans ses discours de tournée électorale, Michelle commença à développer un de ses thèmes favoris : les difficultés de la classe moyenne, de gens comme sa mère et son défunt père. « Je suis là en tant que citoyenne qui paye des impôts, en tant que mère, en tant que fille de parents âgés, dit-elle lors d'un meeting fin juin à Charleston, dans l'Illinois. Je n'aime pas la direction que notre pays est en train de prendre au sujet de ce qu'on peut faire pour la classe moyenne. » Elle raconta aussi au public pourquoi elle était tombée amoureuse de Barack, parlant de cette époque où il l'avait emmenée à l'église et lui avait fait part de ses convictions. Mais aussi comment, avant de le rencontrer, elle le trouvait bizarre, transmettant ainsi l'idée au public que c'était normal qu'il pense aussi cela au début, puis soulignant qu'elle avait changé d'idée en apprenant à le connaître. « Je savais qu'il était spécial et qu'il était proche des gens, dit-elle devant la foule de Charleston. C'est comme ça que je suis tombée amoureuse de lui. » Elle agissait comme une mandataire. L'idée était de faire faire aux gens qui l'écoutaient le même voyage émotionnel que le sien. Avec ses soupçons du début, puis la découverte des extraordinaires qualités d'Obama.

En octobre 2004, un mois avant les élections, l'*Associated Press* écrivit un article centré sur Michelle et le rôle crucial qu'elle jouait dans la campagne. « Je ne m'y attendais pas*, mais j'assume cette responsabilité. Je pense que nous tous devons être activement engagés dans le processus politique. Je ne peux pas rester assise à la maison à regarder mon mari passer douze heures par jour à se battre, sans relever mes manches et faire tout ce qui est en mon pouvoir pour faire avancer la cause. » Gibbs raconta à l'AP que Michelle avait une importance cruciale pour la campagne parce qu'elle augmentait la capacité de leur candidat à se connecter avec les électeurs face à face. « Cela nous a permis d'être présents partout et de rencontrer deux fois plus d'électeurs. » L'article citait aussi un Républicain anciennement candidat au Sénat américain, James Durkin, qui observait astucieusement que le rôle majeur de Michelle laissait augurer beaucoup de choses sur leurs projets futurs : « Leurs vues pourraient dépasser l'Illinois, c'est une équipe qui regarde loin devant elle. »

Le matin des élections, la famille se réveilla et Malia expliqua qu'elle avait peur que son père ne perde. « Papa ne va pas* perdre », lui assura Michelle. Ils allèrent voter en famille. Ils firent la queue comme tout le monde. Malia demanda à Barack pourquoi on n'avançait pas. Il lui expliqua qu'il fallait attendre son tour, qu'il s'agissait d'une élection importante. « Plus que la dernière ? » demanda-t-elle. Après avoir voté, Malia lui demanda s'il allait se présenter comme candidat à la présidence.

C'était évidemment la question que tout le monde avait en tête. Les gens avaient d'ailleurs commencé à la lui poser le jour qui avait suivi son discours d'ouverture. Après sa victoire au Sénat, la question deviendrait incessante, presque obligatoire. Diane Sawyer la lui posa, Tim Russert, Wolf Blitzer. La réponse était toujours la même : Obama ferait ses six années au Sénat. Point à la ligne. « La première conversation* que nous avons eue sur la campagne présidentielle rappela qu'il n'y aurait pas de campagne présidentielle », raconte David Axelrod. Obama le reconnaît. « Nous avons délibérément* fait taire toutes les attentes. Je n'ai pas donné d'interviews nationales avant la catastrophe de l'ouragan Katrina. J'ai essayé de me cantonner au travail que j'avais à faire ici, au Sénat américain. Je n'ai pas déposé tout un tas de lois symboliques comme une loi d'assurance maladie universelle que je n'étais pas en mesure de faire passer parce que nous étions un parti minoritaire. » Et Michelle, dit-il, le croyait, comme elle me le confirma en 2007 : « Vous savez, je me disais non, non, je sais qu'il ne va pas se présenter comme président, je le sais. Cela n'a aucun sens. Pas maintenant. »

Après la victoire d'Obama, Michelle eut à décider si elle voulait changer de vie, déménager à Washington, entrer dans le club des épouses de sénateurs, limiter sa vie et sa carrière à la nouvelle position de son mari. Elle décida de rester à Hyde Park. C'était là que se trouvaient son réseau de soutien et sa mère. Obama allait devoir ajuster sa vie à celle de sa famille, et supporter les heures d'avion. Obama écrira plus tard* combien sa famille lui manquait, disant qu'il était devenu si dépendant de Michelle qu'il lui était presque impossible d'acheter un rideau de douche sans son assistance. Sa carrière nationale était en orbite, mais il le payait cher, sacrifiant une vie de famille heureuse. Il appelait souvent ses filles, juste pour entendre leurs voix.

Les problèmes financiers du couple finirent par disparaître grâce à la réimpression de son livre *Les Rêves de mon père*. L'un des membres de son équipe se souvient avoir vu l'attaché de presse suivre le discours d'ouverture à la Convention démocrate d'un air extatique ; travailler à promouvoir le livre de quelqu'un qui s'appelait Barack Obama était devenu soudain tellement plus facile. En 2005, avec les royalties du premier livre et environ 2 millions d'avance pour les suivants, les Obama purent s'acheter une maison de 1,6 million sur Kenwood, une rue historique de Hyde Park. Michelle en avait eu l'idée. Elle voulait un « refuge confortable loin des pièges de la gloire », comme le dit Mendell. Plus tard, quand on lui demanda si son style de vie avait changé depuis l'élection au Sénat de son mari, Michelle répondit : « Nos styles de vie ont changé* parce qu'il a écrit un best-seller. Nous avons pu nous acheter une maison alors que nous avons vécu en appartement pendant toute la durée de notre mariage. Nous avons pu rembourser nos prêts étudiants. Pour la première fois de notre vie, nous allons vivre sans dettes. C'est une nouvelle expérience pour nous. »

Ils se retrouvèrent aussi de manière inédite sous une surveillance constante. Le jour où ils achetaient la maison de Kenwood, le lot voisin était acquis par la femme de Tony Rezko, un promoteur de Chicago qui avait été accusé de fraude quelques mois plus tôt. Mrs Rezko vendit aux Obama un bout de terrain qu'ils payèrent au prix du marché, ce qui leur permit d'élargir leur parcelle. Mais cela parut incorrect, comme si les Obama venaient de se mettre en dette vis-à-vis de Rezko. Obama qualifierait cet arrangement d'« idiot ». La chroniqueuse du *New York Times** Maureen Dowd accusera plus tard Michelle, une avocate sortie d'Harvard, de ne pas avoir remarqué qu'il était ennuyeux d'accepter des faveurs d'une personne sous le coup d'une enquête légale.

Michelle dut aussi affronter un autre aspect inévitable de la politique : la rivalité féminine. Les hommes deviennent* soudain très séduisants une fois élus, et puissants. À Washington, « même les plus laids deviennent des Adonis », plaisante Jo Minow qui y a vécu quand son mari était président de la Federal

Communications Commission, et a pu voir cette théorie à l'œuvre au cours de certains dîners. Les comparaisons entre Michelle Obama et Jackie Kennedy sont des compliments à double tranchant si l'on prend en considération ce que Jackie a dû supporter en termes d'infidélité conjugale alors qu'elle était la First Lady. Mais Obama ne sort pas du même moule que JFK. Quand il était au sénat de l'Illinois, et participait à des soirées de poker, il était sidéré de voir des hommes mariés se montrer avec des femmes qui n'étaient pas leur épouse. En 2002, il se rendit à Washington DC pour une réunion du Congressional Black Caucus, espérant rassembler de nombreux soutiens et glaner des tuyaux politiques ; il rentra horrifié, racontant que la conférence était surtout une très longue fête durant laquelle de jolies filles dévergondées lui avaient fait des avances tandis que personne ne s'intéressait à la question de la collecte de fonds.

Michelle s'aperçut du problème dès la fin du discours de la Convention démocrate. « Voilà ce qui m'attend* », dit-elle à Mendell, pendant leur tournée en autocar, en lui montrant un dessin dont la légende disait : « Je suis sortie avec Dean, j'ai épousé Kerry, je désire Obama. » Une autre fois, une amie* rapporta à Michelle qu'elle avait entendu deux femmes dans leur club de gym qui se proposaient de descendre regarder Obama s'entraîner. Tout cela avait préparé Michelle mentalement et émotionnellement. Lors des élections à la présidence, il lui faudra affronter « J'ai le béguin pour Obama », cette vidéo passée sur le net.

C'est un véritable problème, car tous les hommes, comme l'a prouvé l'Histoire, ne savent pas résister aux opportunités sexuelles. Michelle affirme que c'est un défi qui ne lui fait pas peur. « Pour commencer*, je ne peux pas contrôler le comportement des autres, a-t-elle expliqué au magazine *Ebony*. Et je ne m'inquiète jamais de choses sur lesquelles je n'ai pas de contrôle… Quant à la question de la fidélité… C'est un sujet entre Barack et moi, et si quelqu'un parvient à s'interposer entre nous, alors c'est que nous n'avions pas grand-chose pour commencer. » Valerie Jarrett l'a dit un peu plus crûment : « Il sait que* s'il va voir ailleurs, elle le quittera, a-t-elle dit à Mendell. Vous savez, elle le tuera d'abord et après elle le quittera. Je pense qu'il y a un subtil élément de peur chez lui, ce qui est très bien. »

Un ami a confirmé que Obama partageait ces vues, sachant parfaitement comment sa femme réagirait à une trahison. « Nous parlions de la tentation* à Springfield, a raconté au magazine *Slate* son ancien collègue au sénat de l'Illinois Kim Lightford. Et il disait, non, non, non je ne la tromperais jamais. Michelle me tuerait. Non seulement cela n'en vaudrait pas la peine, mais je ne voudrais pas avoir affaire à cela. »

« Michelle a totalement le contrôle, ajoute Lightford. Elle est chaleureuse, mais sévère et dure. Sévère, c'est le mot qui résume tout, et elle est très impliquée dans les décisions qu'il prend. »

Elle expliquera plus tard dans ses discours le stress que ces élections au Sénat américain ont fait peser sur leur famille, et comment, après, elle avait espéré qu'ils se reposeraient un peu, appuieraient sur le « bouton tranquille », comme elle disait. Elle espérait raisonnablement qu'il y aurait un intervalle de temps assez long au cours duquel Barack s'habituerait à sa vie et à sa carrière au Sénat et pendant lequel sa famille et lui retrouveraient un semblant de vie normale. Mais Barack était tellement recherché : en plus de ses obligations au Sénat, tout le monde le voulait pour remplir les coffres de la campagne, tout le monde le voulait pour monter à la tribune. Et il profitait de ses temps libres, à peine existants, pour écrire *L'Audace d'espérer*, son manifeste politique publié en 2006. Les démocrates voulaient que Michelle aussi fasse des discours. La machine de la célébrité les réclamait tous les deux.

En décembre 2005, une année presque après l'élection, le *Chicago Tribune* publia un article sur le couple. Il commençait par une anecdote sur un soir où Barack était supposé lever des fonds pour le parti démocrate de Floride. Michelle lui avait demandé d'assister à un ballet de Malia et Sasha. « Tu dois être là », lui avait-elle dit. Il avait donc regardé le spectacle, puis roulé jusqu'à l'aéroport de Chicago, pour monter dans un avion fourni par les démocrates de Floride. Pendant qu'il était dans les airs, poursuit l'article, deux membres de son équipe calmaient les invités qui avaient payé 175 dollars le couvert simplement pour voir Obama. Et il citait un représentant officiel qui disait : « Je suppose qu'il a négocié avec sa femme et nous nous sommes débrouillés pour le faire venir. »

Ce Noël-là, Michelle et les fillettes partirent les premières pour Hawaii où elles arrivèrent le 16 décembre sans lui. Il était coincé au Sénat et devait les rejoindre plus tard. Assis dans son bureau, Obama s'inquiétait de leur vol. Durant toute l'année, il n'avait vu sa famille que lors de quelques longs week-ends, parfois compromis en raison de ses promesses de faire campagne pour des candidats démocrates en Virginie et dans le New Jersey. Michelle fut malheureuse quand il partit faire campagne pour Jon Corzine. « C'est un choix difficile* entre tu restes pour le match de basket de Malia samedi ou tu pars dans le New Jersey faire campagne », a expliqué Michelle dans une interview au *Chicago Tribune* avant de partir en vacances, non sans un certain sarcasme. « Corzine a eu gain de cause cette fois, mais on a toujours envie de leur dire hé ! les gars, vous savez qu'il a une famille ! » Elle avait mis en place la création d'un journal de famille afin que Barack puisse être en relation avec ses filles, et avait aussi acheté des webcams pour tout le monde. Mais à la fin de l'année, il était occupé presque exclusivement par la politique. « L'espoir, c'est que cela va changer, et que nous allons retrouver nos dimanches sacrés », dit Michelle lors de cette interview en regardant directement Robert Gibbs qui était présent.

Dans un question-réponse publié séparément, le journaliste du *Tribune*, Jeff Zeleny, demanda à Michelle si elle avait l'impression d'être une mère célibataire. « Oh, mais oui* !, répondit-elle, vous savez, par moments cela peut être épuisant, parce que vous êtes là vingt-quatre heures sur vingt-quatre, sept jours sur sept. Pour résoudre le problème, je devais déterminer de quel genre de soutien j'avais besoin pour rendre ma vie moins chaotique. J'aurais aimé que le soutien vienne du père, mais ce n'était pas possible, alors que j'avais vraiment besoin de renforts. Peu importe que ce soit lui ou pas, aussi longtemps que nos filles sont heureuses et sentent qu'elles sont proches de lui. Donc je dois me faire à l'idée que ce n'est pas lui. » Interrogée sur la façon dont ils ont réussi à trouver un équilibre, Michelle répondit : « Il a fallu une bonne année pour savoir ce que moi personnellement je pouvais supporter, et je pense que c'est la même chose pour Barack. » Elle reconnut que cela avait été amusant d'aller sur les tapis rouges avec d'autres célébrités, et qu'elle avait encore du mal à digérer le fait que Barack et elle figuraient maintenant sur la liste des invités les plus huppés. « Bien sûr, on aime tous côtoyer des stars, mais ce qui est intéressant pour moi, c'est quand une de ces stars est vraiment excitée à l'idée de rencontrer Barack. Je n'arrive pas à y croire. Ils sont nerveux eux aussi, et moi j'ai envie de leur dire, mais enfin vous êtes Queen Latifah ! Et Barbara Walters qui vient me voir et se présente, comme si je ne l'avais pas reconnue ! »

Michelle dans cette interview a aussi expliqué qu'une grande partie de son rôle dans la carrière politique de son mari consistait à diminuer les attentes du public parce qu'elles ne lui paraissaient pas réalistes. Elle disait qu'elle ne voulait pas que les gens fondent tous leurs espoirs sur Barack Obama, comme s'il était le sauveur du monde, parce qu'il y avait encore beaucoup de travail à faire pour tout le pays et que tout le monde devait s'y mettre, il ne fallait pas espérer que toutes les solutions seraient apportées par un seul individu.

Puis Zeleny lui demanda ce que l'avenir réservait à Obama. Michelle répondit avec prudence : « On ne doit pas se monter la tête là-dessus, parce que vous perdez de vue ce que vous pouvez réellement faire. Et cela implique la vie de famille. Quand vous rentrez chez vous, la vaisselle doit être faite, il doit faire son lit, emmener les enfants à l'école, et leur faire la lecture le soir. » Michelle avait habilement détourné la question de l'avenir d'Obama pour la ramener plus prosaïquement à leur foyer. Zeleny est revenu à la charge en lui demandant si elle était prête à accompagner son époux quel que soit son prochain choix. Et

Michelle a répondu : « Je me contente d'assumer ce qui se présente maintenant et ce que nous faisons actuellement. On verra bien ce qui se passera, ce que le futur nous réserve et si cela a un sens. Être là au bon moment, c'est le plus important. »

10

Deux événements majeurs ont aidé la famille Obama à prendre la grande décision suivante. Le premier fut la publication en octobre 2006 de *L'Audace d'espérer*. Le livre présentait les valeurs d'Obama, son cheminement moral, ses réflexions sur de nombreux sujets allant de la famille à la foi en passant par la race. Il y affirmait également de manière franche et inhabituelle ses défauts en tant que père de famille. Comme s'il essayait de se prémunir contre les reproches qui pourraient lui être faits à ce sujet lorsqu'il serait candidat. On pouvait y lire également, et pas par hasard, un mea culpa vis-à-vis de Michelle, comme s'il tentait de l'entraîner avec lui dans sa prochaine aventure en lui montrant que s'il se révélait aussi honnête sur ses défauts, c'était parce qu'on pouvait lui faire confiance, il saurait les réparer.

Dans le chapitre consacré à sa famille, il parle longuement de l'énergie qu'il apporte à son foyer et de la philosophie qui la sous-tend. « Mon mariage est préservé*, et ma famille se sent soutenue, écrit-il, je suis allé aux réunions parents-professeurs et aux spectacles de danse, et mes filles m'en sont toujours reconnaissantes. »

Il décrit un discours fait le jour de la fête des Pères à l'église baptiste Salem, dans le South Side, dont le sujet était : « Ce qu'il faut pour devenir un homme mûr. » Là, déclare-t-il, il suggéra qu'il était temps pour les hommes en général, et les Noirs en particulier, d'arrêter de trouver des excuses quand ils n'assument pas leur rôle de pères de famille. « J'ai rappelé aux hommes dans le public qu'être père signifiait plus que donner la vie à un enfant, que même ceux qui sont physiquement présents à la maison sont souvent absents émotionnellement. Précisément parce que beaucoup d'entre nous n'ont pas eu de père au foyer, nous devons redoubler d'efforts pour briser ce cycle, et si nous voulons transmettre de grandes espérances à nos enfants, nous devons avoir de plus grandes espérances pour nous-mêmes. » Ce genre de discours où il exhortait les hommes, et particulièrement les Afro-Américains, à prendre leurs responsabilités, allait devenir un des thèmes de tous ses discours prononcés à l'occasion de la fête des Pères.

Mais dans son livre, il ne s'épargnait guère : « Si je regarde ma vie jusqu'à maintenant, c'est dans mes capacités en tant que mari et père que j'ai le plus grand doute… Lorsque je repense à mes discours, je me demande vraiment parfois si je suis le mieux placé pour exhorter ainsi les autres. » Il décrit une vie où il est tout le temps par monts et par vaux, loin de Michelle et de leurs filles pendant de longues périodes, exposant ainsi son épouse à toutes sortes de difficultés. Il reconnaît que le prix à payer pour ses absences est que parfois il se sent comme un intrus dans sa maison : « Il y a des moments où j'ai l'impression que j'empiète sur son espace, que par mes absences, j'ai pu abdiquer certains droits à interférer dans le monde qu'elle a construit. »

La tournée de promotion du livre d'Obama fut accueillie par des foules immenses. On lui demandait sans cesse de se présenter comme président. Vers la fin, Michelle et Barack se rendirent à l'émission d'Oprah Winfrey qui tombait pile le jour de leur quatorzième anniversaire de mariage. Obama expliqua qu'ils le célébreraient le week-end suivant parce que Michelle se couchait si tôt qu'il n'y avait pas moyen qu'ils le fêtent ce soir-là. On demanda encore une fois à Michelle si elle avait l'impression d'être une mère célibataire.

« Vous savez, vous avez toujours cette impression, reconnut-elle honnêtement. Je veux dire quand vous vivez avec un homme qui voyage autant, c'est un peu forcé. C'est inhérent à sa position », mais elle ajouta diplomatiquement qu'elle appréciait ce que faisait Barack, et la façon dont il la traitait quand il était à la maison. « Il ne s'agit pas seulement d'une question de temps, mais d'intention, ce qu'il fait et comment il manifeste l'importance de notre relation quand il est là. » Obama insista à son tour sur ce point, soulignant que Michelle lui avait expliqué que les fleurs c'était bien joli, mais qu'elle appréciait surtout son attention, sa présence.

Au cours de l'émission, ils partagèrent aussi deux anecdotes qui figuraient dans le livre. Dans la première, Obama raconta comment, un jour qu'il se trouvait au Sénat, à Washington, il avait téléphoné à Michelle pour lui parler d'une loi qu'ils avaient réussi à faire passer sur le contrôle des armes, et où elle lui avait juste répondu qu'il y avait des fourmis dans la maison et qu'il fallait qu'il s'arrête en chemin à son retour pour acheter un produit répulsif.

« Je me demande, dit Obama, si McCain s'arrête à la droguerie pour acheter des produits en rentrant chez lui ? »

« S'il ne le fait pas, il a tort », plaisanta Michelle.

L'autre anecdote portait sur l'organisation des anniversaires des filles. Obama raconte comment Michelle lui fait peu confiance, ne lui donnant que les tâches les plus simples comme gonfler les ballons ou acheter les pizzas. Mais qu'un jour, mû par un désir ambitieux, il s'était proposé pour préparer les sacs cadeaux que les enfants ramenaient chez eux. Michelle l'avait prévenu que cela demandait une véritable expertise, expliquant les complexités de l'assemblage du sac et de leur distribution, l'avertissant qu'il devrait se rendre dans un magasin spécialisé en articles de fête et choisir des objets assortis, et faire des sacs séparés pour les garçons et les filles. « Je lui ai dit, raconte-t-elle, tu vas entrer dans le magasin, et ta tête va exploser, tu ferais mieux de me laisser m'en occuper. » Oprah a alors demandé à Obama s'il comptait se présenter à la présidentielle, et il n'a pas répondu. Mais il n'allait pas pouvoir le faire plus longtemps.

L'autre événement qui aida le couple à se décider fut un voyage qu'ils entreprirent au cours de l'été 2006, en famille, à travers l'Éthiopie, le Tchad, Djibouti, l'Afrique du Sud et le Kenya. Une presse considérable les suivit. Obama fit des discours contre la violence au Darfour, et au Kenya contre la corruption gouvernementale. On lui demanda de faire publiquement un test de dépistage du VIH, afin de le normaliser, et d'encourager les hommes africains à l'imiter, ce qui permettrait d'affronter ce qui était devenu un grave problème de santé publique dans les pays africains. Obama proposa que Michelle soit aussi testée. « Barack se dit que ce serait bien qu'on le fasse en tant que couple, raconta-t-elle à l'équipe qui tournait un documentaire sur eux, parce que c'est vraiment un problème de couple, cela ne compte pas si un seul des partenaires est testé et pas l'autre. » Souriante, Michelle releva une de ses manches dans un centre de santé au Kenya et donna son sang pour la cause de la santé publique. Elle fit aussi le tour d'un énorme bidonville kenyan avec son époux, expliquant qu'elle voulait ainsi profiter de leur visibilité pour obliger les représentants du gouvernement kényan à visiter le bidonville, et reconnaître son existence.

Lors de ce voyage, la folie Obama prit de nouvelles proportions. La foule remplissait les rues, perchée sur les balcons, assise sur les rebords des façades des immeubles, impatiente de voir cet enfant du Kenya qui s'était élevé aussi haut et aussi vite dans la nation la plus puissante de la Terre. Les adultes et les enfants chantaient son nom jusqu'à ce qu'il cesse d'être un nom et devienne une mélodie, *obamaobamaobama*. On battait du tambour et on dansait partout. « C'était incroyablement bouleversant, raconte Michelle, c'est difficile à décrire*, mais voir ces milliers et ces milliers de gens dans les rues de ces toutes petites villes, félicitant cet homme, mon mari, c'était extraordinaire. » Elle n'en revenait pas de voir ce que son mari – son mari ! – commençait à signifier pour le monde, ou une partie du monde. « On finit par se demander si on le connaît, dit-elle en plaisantant comme à son habitude, mais c'était quelque chose de très puissant. Et je ne pouvais pas encore dire ce que cela signifiait pour moi ou pour nous en tant que famille. »

Le voyage montra aussi les terribles exigences qui pesaient maintenant sur toute la famille Obama, la famille élargie, pas seulement Michelle, Sasha et Malia. Quand le couple avait visité le Kenya en 1992, Barack avait emmené Michelle voir sa grand-mère paternelle : « Je devais m'assurer que ma femme avait l'approbation de Granny et elle l'a eue ! » raconta-t-il en 2006 devant une foule riante. Mais le retour dans la ville natale de sa grand-mère cette année-là fut entouré de tant de publicité que, alors qu'il devait durer plus de deux heures, en raison du chaos ambiant et des retards, Obama ne resta qu'une demi-heure. « Nous n'avons pas pu passer assez de temps avec elle, et c'était vraiment décevant pour elle après avoir tant attendu ce moment et n'avoir que trente minutes pour le voir et lui parler », expliqua Michelle, clairement en empathie avec cette grand-mère frustrée.

Ce voyage eut une profonde influence sur Obama. Selon David Axelrod, les foules africaines lui donnèrent un sens accru de ce qu'il pouvait accomplir. Fin octobre, Tim Russert demanda à Obama s'il se présenterait aux présidentielles de 2008, et cette fois Obama reconnut : « J'y ai pensé. » Après les élections de novembre et la victoire des démocrates au Congrès, Obama et son entourage le plus proche s'assirent dans le bureau de David Axelrod et commencèrent à discuter sérieusement de sa candidature. Michelle, comme l'explique David Mendell, fut un des sujets majeurs de cette réunion. Ses commentaires publics sur son sentiment d'être une mère célibataire avaient été très clairs, l'équipe savait que d'autres commentaires du même genre seraient dommageables, et il fallait pourtant qu'elle fasse partie de l'aventure, « comme une associée* à plein temps », dit David Axelrod.

Obtenir son accord était primordial. Plus tôt cette année-là, Michelle et Barack s'étaient rendus à un dîner organisé par Facing History and Ourselves, « Affronter l'Histoire et nous-mêmes ». Martha Minow se souvient être allée voir Obama et lui avoir posé des questions sur ses projets présidentiels. « Je me suis mise avec lui dans un coin*, et je lui ai demandé s'il allait se présenter. Et il m'a dit : "Il n'y a qu'une réponse, et elle appartient à Michelle. Allez lui parler." Alors je suis allée à la table de Michelle et nous avons commencé à parler des enfants, et je l'ai remerciée pour son aide dans l'organisation de cette soirée et je lui ai dit : "Alors Barack se présente ?" Et elle m'a répondu qu'ils avaient de sérieuses discussions à ce sujet. Elle était clairement en train de peser le pour et le contre. Je lui ai juste dit que ce serait bien pour le pays, mais que je comprenais parfaitement ce que cela signifiait pour la famille. » Elle pense que l'hésitation de Michelle avait beaucoup à voir avec le prix à payer pour ses filles. Elle était inquiète, car elle les trouvait bien petites. Mais elle était aussi inquiète pour la sécurité d'Obama.

Et pour cause. Les jours qui suivirent le discours d'ouverture à la Convention démocrate, David Mendell, qui couvrait la campagne au Sénat d'Obama, fut frappé par le nombre de gens qui maintenant venaient écouter ses discours et ne paraissaient pas vraiment équilibrés. À présent qu'il était question de présidentiable, il mentionna ces étranges spectateurs à Michelle, se demandant si elle s'inquiétait pour la sécurité d'Obama. « Je ne m'inquiète pas* tous les jours, lui dit-elle, mais j'y pense. Donc si nous faisons ce prochain pas, il faudra prévoir un dispositif de sécurité très important... Il suffit d'une personne et il suffit d'un incident. L'Histoire l'a prouvé. »

Michelle dira plus tard qu'elle parcourt toutes « les routes sombres » avant de prendre une décision, et il paraît clair que ce fut encore le cas. Mais il n'y avait pas que ces questions de sécurité qui posaient problème. Michelle elle-même se retrouva scrutée sous tous les angles. En 2004, quand ils étaient tous les deux encore peu connus hors de l'Illinois, les journalistes s'intéressaient à Michelle en lui parlant de cuisine* (elle n'en faisait pas), en lui demandant ses recettes favorites (gratin de macaronis). Des sujets légers. Maintenant, on lui posait des questions sur son salaire, son travail, son cadre professionnel. Ainsi, en décembre 2006*, le *Crain's Chicago Business* écrivit un article sur elle, soulignant le fait qu'elle travaillait au sein d'une entreprise, TreeHouse Foods, qui collaborait, en tant que fournisseur, avec Wal Mart, cette chaîne de grands magasins qu'Obama avait critiquée en raison de ses pratiques salariales. En 2005, Tree-House annonça qu'elle fermait une usine de conditionnement de cornichons à La Junta, dans le Colorado. L'usine était un employeur important dans la ville qui comptait neuf mille cinq cents habitants. Plus de cent cinquante salariés perdirent leur travail, la plupart d'entre eux étant d'origine hispanique. Ce n'était franchement pas une bonne pub pour quelqu'un qui s'inquiétait de l'érosion du marché du travail. Le maire de la ville, Don Rizzuto, avait dit qu'il aimerait que les Obama viennent voir ce que la fermeture avait fait à sa ville. « Son mari et elle se proclament les champions des petites gens, et ils ne voient pas ce qu'ils sont en train de faire. »

« Pendant que Mr. Obama tape sur Wal Mart, pourquoi sa femme Michelle gagne-t-elle 45 000 dollars par an en travaillant pour une société de Chicago qui verse à ses cadres un salaire substantiel tout en licenciant des travailleurs originaires d'une minorité dans une région économiquement pauvre, une société dont le client numéro un est… Wal Mart ? » s'offusque le *Crain's*, signalant qu'elle avait été élue au conseil d'administration en juin 2005, cinq mois à peine après l'élection d'Obama au Sénat ; *Crain's,* s'appuyant sur un entretien avec elle, dit que Michelle a reçu cette proposition parce qu'elle avait fait savoir qu'elle recherchait une expérience de management d'entreprise. Elle affirmait : « Mon niveau de revenu est très bas comparé à celui de mes pairs. Vous ne poseriez pas cette question si comme tant d'autres nous avions des fonds et étions riches. »

« Michelle et moi vivons comme tout le monde, on paye des impôts, on paye pour nos enfants, et on économise pour la retraite », a déclaré Obama à ce même journal.

Cet automne également*, le *Chicago Tribune* écrivit un article fondé sur des sources légales, montrant que le salaire de Michelle avait plus que doublé après l'élection de Barack. En mars 2005, alors qu'elle travaillait pour les Hôpitaux de l'université de Chicago, elle avait été promue vice-présidente chargée des affaires extérieures, avec un salaire passant de 121 910 dollars à 316 962. Interrogés, les Hôpitaux avaient affirmé qu'il s'agissait d'une augmentation normale, qu'elle travaillait là depuis quatre ans. « Quand ils l'ont engagée, rappelle Michael Riordan qui était président des Hôpitaux à cette époque, ils avaient l'intention d'étendre son rôle et d'approfondir les relations de l'institution avec la communauté. Elle vaut son pesant d'or et elle est tout simplement exceptionnelle. » Un porte-parole des Hôpitaux expliqua qu'il avait déjà été question de cette promotion bien avant, mais qu'elle rechignait à prendre plus de responsabilités durant la campagne. Il a rappelé tout le travail accompli par Michelle, qui avait étendu le programme initial, rajeuni l'équipe de volontaires, et mis en place un important travail de collaboration avec des médecins et des cliniques du South Side pour qu'ils prennent en charge les patients qui autrement se rendaient aux services d'urgence. Ce dernier point était un acte diplomatique que seule une femme avec le passé de Michelle pouvait réussir. Les patients dotés de faibles revenus ont en effet tendance à se faire soigner pour des choses banales dans les salles d'urgences des hôpitaux parce qu'ils n'ont pas d'assurance maladie. Il revint à Michelle de les éloigner de ces soins de dernière minute qui ont un coût très élevé, et de les envoyer dans des centres de santé sans qu'ils aient le sentiment d'avoir été rejetés ou exclus. Elle avait fait un excellent travail. Al Kindle se souvient d'avoir participé avec elle à une campagne de vaccinations et d'examens de santé gratuits organisée pour les citoyens les plus pauvres et leurs enfants. Comme beaucoup de gens, il fut frappé par ses talents d'administratrice. « Elle est très méticuleuse*, m'a-t-il dit, ne s'en laisse pas conter et connaît réellement son boulot. »

Certains critiques feront remarquer que c'est justement l'emploi de cadres de haut niveau qui a pour conséquence des factures d'hôpital si élevées. Et ils essaieront de prouver qu'elle exploitait la montée en puissance de son mari. Le *Chicago Sun-Times** critiqua aussi son salaire, composé en partie d'un bonus.

Dans cet article, des cadres des Hôpitaux montraient qu'elle avait augmenté le personnel, qui était passé de deux à dix-sept employés, ainsi que le nombre de volontaires, et quadruplé le nombre d'employés volontaires pour la communauté. Le consultant politique de Chicago, Joe Novak, fut cité sur l'affaire TreeHouse, affirmant : « Elle est entrée dans le conseil d'administration d'une entreprise où elle pouvait gagner beaucoup d'argent, et vite. Elle touche grâce à son mari. » Un porte-parole d'Obama rappela qu'elle s'était intéressée à TreeHouse après qu'un ami consultant qui travaillait pour des sociétés cherchant à accroître les minorités dans leur conseil d'administration lui avait parlé de cette ouverture.

Cependant, toutes ces critiques étaient blessantes. « Je veux pouvoir subvenir* à mes besoins et à ceux de mes enfants, déclara-t-elle à David Mendell. Imaginez que quelque chose d'inattendu ou de malheureux arrive, ils seront où, alors, tous ces gens qui critiquent mes références, mettent en doute mes qualités, ils seront où ? Je recevrai certainement beaucoup de marques de sympathie, et les gens pleureront avec moi, mais à la fin je me retrouverai seule, avec mes enfants à charge. Je veux maintenir un niveau de crédibilité professionnelle non seulement parce que j'aime ça, mais parce que je ne veux pas me retrouver dans une position de précarité avec mes enfants. Je leur dois de faire en sorte que si elles perdent leur père, elles ne perdent pas tout. »

Malgré toute la douleur que cette attention lui causa, Michelle permit à la discussion sur la présidentielle de se poursuivre. Peu avant Noël 2006, Barack rencontra Newton Minow et Abner Mikva pour en parler. Minow était pour sa candidature. Il avait eu des réticences au début, puis l'avait vu récemment dans un discours télévisé et avait senti qu'il était prêt. « Michelle n'est pas trop pour* », se souvient-il avoir entendu dire Obama. Abner Mikva et lui avaient trois grandes filles. Avec leur expérience de pères qui avaient tous deux participé à la vie publique, ils lui dirent qu'il était plus raisonnable de se présenter maintenant que ses filles étaient jeunes, et donc plus facilement isolées de la campagne. Ils le pressèrent aussi de prendre des mesures de protection. « Je sais que c'est cher, dit Abner mais il faut que vous preniez des gardes du corps pour vous accompagner tout le temps. » Obama écouta ce conseil.

Abner Mikva se souvient que Michelle tenait à s'assurer que la campagne était viable. Elle, toujours si attentive aux détails, voulait s'assurer que la campagne serait bien conduite, et que son mari avait de réelles chances de gagner. « Ce n'est pas qu'elle* ne voulait pas qu'il se présente, clairement il avait ce désir brûlant, mais elle voulait être sûre que tout serait bien organisé. C'était son principal sujet d'inquiétude ; elle n'essayait pas de freiner Barack, elle voulait juste être certaine que s'il se présentait, ils avaient une chance de gagner. » Quand David Axelrod accepta de se vouer corps et âme à la campagne, elle se sentit rassurée.

Ce dernier lui-même se rappelle que les inquiétudes de Michelle étaient d'ordre pragmatique. « Elle voulait savoir* si c'était une idée de cinglé, d'écervelé, parce qu'elle n'aime pas les idées cinglées. » Axelrod réussit à la convaincre à la suite d'une série de réunions au cours desquelles ils discutèrent de toutes sortes de questions de sécurité, de logistique, de stratégie. Il lui assura qu'ils avaient un plan très élaboré, mais surtout

de réelles chances de victoire. « Si nous nous lancions*
dans cette candidature, tous les deux voulaient que ce
soit cohérent avec ce qu'Obama était, et ce qu'il pensait, et que rien ne vienne distordre cela. » David
Axelrod souligne que Michelle tenait à s'assurer qu'ils
ne se perdraient pas eux-mêmes au long du processus.
Michelle a toujours été dans le camp de ceux qui pensent : « N'oublions jamais ce pour quoi nous nous
battons. »

Michelle m'a dit qu'elle avait longuement réfléchi à
tous les obstacles et dangers qu'ils devraient affronter,
des ennuis financiers aux implications pratiques pour
leurs filles, et tout ce qu'il y avait entre. « Je me sens
bien quand* je comprends le plan et ses implications. Il
fallait que je sache comment j'allais faire mon chemin
à travers les nombreux obstacles qui se présenteraient
à moi individuellement, mais aussi à mes filles et à
nous tous en tant que famille. Je devais bien analyser
toutes ces choses, avoir des réponses à mes questions,
cerner mon cœur. C'était un processus inévitable. Cela
implique tous les aspects que vous pouvez imaginer.
Comment allons-nous réussir à gérer le temps,
qu'arrive-t-il à ma carrière ? Comment allons-nous y
arriver financièrement ? Ce que la plupart des gens ne
comprennent pas, c'est que la politique est un jeu de
millionnaire. Elle exige que vous ayez des ressources.
Si vous êtes au Sénat américain, vous devez avoir une
maison dans votre État et une autre à Washington,
vous devez payer deux emprunts. On avait donc des
conversations très concrètes sur tous ces sujets. Où
allons-nous vivre ? À quelle école iront les enfants ?
Pour moi ce sont des soucis quotidiens, très terre à
terre, et j'ai besoin de répondre à chacun d'entre eux.

« Et, dit-elle, nous en sommes là. »

Elle suggérera plus tard que c'est Barack qui a apaisé quelques-unes de ses dernières inquiétudes pendant leurs vacances de Noël. « Quand on est à Hawaii* sur une plage, dira-t-elle à la foule venue l'écouter, tout semble possible. »

11

Au début, les gens se sont demandé quel allait être son rôle, et si elle était heureuse de sa décision. En janvier 2007, Obama annonça qu'il formait un comité présidentiel exploratoire, et dans un article, un mois plus tard, *Newsweek* remarqua qu'on ne voyait plus Michelle*, alors même que de nombreux démocrates se demandaient comment elle prenait la décision de son mari et que, dans les semaines qui avaient précédé son annonce, Obama paraissait se raidir quand on lui demandait ce que sa femme pensait de sa possible candidature à la présidence. Mais il ne fallut pas longtemps à Michelle pour se retrouver impliquée. Le 5 février 2007, cinq jours avant que Barack ne déclare officiellement sa candidature, elle décidait de travailler désormais à temps partiel pour les Hôpitaux de l'université de Chicago afin de pouvoir consacrer plus de temps à la campagne.

Le 10 février, ses filles et elle accompagnaient Obama lors de son annonce officielle de candidature devant une foule de dix-sept mille personnes à Springfield. Et elle apparut à ses côtés à la télévision dans l'émission *60 minutes* où elle fit preuve de son humour habituel.

Elle expliqua à l'animateur Steve Kroft que les filles acceptaient la candidature de leur père parce qu'il leur avait promis un chiot. C'était leur principale préoccupation. Cela faisait longtemps qu'elles en voulaient un. En 2005, elles avaient visité la Maison-Blanche et leur principal souvenir, c'était Barney, le chien de George Bush. Et maintenant, cette candidature procurait aux filles le parfait moyen de pression. Michelle décrivit aussi le chantage qu'elle avait exercé sur son époux en annonçant qu'elle lui avait demandé d'arrêter de fumer s'il se présentait. « C'était une condition sine qua non, il ne pouvait être candidat s'il fumait. » Kroft lui fit remarquer que beaucoup d'Américains allaient à présent le surveiller et voir s'il tenait sa promesse.

« Parfait, surveillez-le bien, plaisanta Michelle, et surtout appelez-moi si vous le voyez fumer. »

C'était Michelle à son meilleur, drôle, spontanée, surprenante, amicale, confiante, faisant entrer l'Amérique dans la dynamique de son foyer, s'appuyant sur les médias pour aider son mari, Barack Obama, à se débarrasser de son addiction. Selon ses amis, elle fait preuve du même humour partout où elle va, en digne fille de Fraser Robinson. « Pour moi, Barack est réfléchi et studieux, et Michelle plus spontanée, plus facile d'accès, et incroyablement drôle, avec son côté terre à terre », m'a confié une de ses amies et ancienne collègue de Lab Schools.

Mais au cours de l'interview, on s'aperçut que cette spontanéité et cette candeur pouvaient se retourner contre elle, et l'entraîner sur des terrains controversés. Quand Kroft fit remarquer qu'Alma Powell, la femme de Colin Powell, avait demandé à son époux de ne pas se présenter à la présidence par crainte qu'il ne se fasse tuer, Michelle reconnut que le danger était réel mais s'aventura à dire que Barack était aussi vulnérable que n'importe quel homme noir, ni plus ni moins.

« Je ne perds pas le sommeil à cause de ça, déclarat-elle, parce que la réalité, c'est qu'en tant qu'homme noir, Barack peut se faire tuer en allant à la station-service, et vous ne pouvez pas prendre des décisions fondées sur la peur et la possibilité de ce qui pourrait arriver. Nous n'avons pas été élevés de cette manière, c'est tout. »

Le commentaire était un peu déconcertant, il éloignait l'attention portée à la vulnérabilité particulière de Barack en tant que candidat, et impliquait que tout homme noir court un risque quand il sort de sa voiture pour prendre de l'essence. Cela eut pour effet de suggérer que Michelle avait une vision sombre du climat racial du pays puisqu'elle considérait que les Noirs étaient en permanence vulnérables. Un journaliste décrira cela comme la preuve de sa permanente conscience de race*.

Michelle fit néanmoins ses premiers pas en tant que partenaire du candidat à la présidentielle et se retrouva sur le devant de la scène, sous les feux des projecteurs. Elle commença en douceur, intervenant seulement quelques minutes avant de présenter son mari. Puis, en mars 2007, elle présida son premier événement en solo, une réception donnée par Willie Glanton, le premier législateur noir de l'Iowa. Un mois plus tard, elle se chargeait seule d'une soirée de collecte de fonds, destinée uniquement aux femmes comme ce serait souvent le cas par la suite. Selon certaines sources, elle rapporta 750 000 dollars. À partir d'avril, elle ferait la plupart de ses apparitions seule, même si parfois sa famille l'accompagnait. À de rares exceptions près, ses discours étaient et sont restés les mêmes : Michelle commence par parler d'elle, une fille qui a grandi dans le South Side, avec un père handicapé fier de pouvoir envoyer ses enfants à Princeton avec son salaire de fonctionnaire. Le public entendait souvent le même refrain : « Je suis encore cette petite fille qui a grandi dans les quartiers sud de Chicago », qui mettait l'accent sur ses racines dans la classe moyenne. Plus la campagne progressait, plus il devenait essentiel d'obtenir des votes, et plus le public l'entendait évoquer le travail de Fraser Robinson en tant que capitaine de circonscription. Elle minimisait alors son scepticisme initial à l'égard de la politique, et insistait sur la manière dont elle avait appris l'importance d'un vote, assise dans la cuisine à écouter son père.

Au début des primaires, quand le soutien des Afro-Américains envers Barack était encore relativement faible et que beaucoup d'électeurs noirs soutenaient Hillary Clinton ou se montraient indécis, la question de savoir s'il était « assez noir » revenait fréquemment dans les discours de Michelle. Cela faisait un moment que cette question était en jeu, et, plutôt que de la laisser sans réponse, elle préféra y répondre franchement.

« J'ai entendu ce genre de réflexion* toute ma vie, dit-elle en avril 2007 dans sa première interview pour le *Chicago Tribune* en tant qu'épouse du candidat à la présidence, "tu parles comme une Blanche". Il n'y a pas une personne noire qui ne comprenne cette dynamique. Ce débat a pour objet la douleur avec laquelle nous nous battons encore dans ce pays, et Barack la connaît mieux que n'importe qui. » Elle refusait l'idée qu'être noir soit lié à votre crédibilité dans la rue, à la pauvreté, au manque d'éducation, ou à votre façon de marcher et de parler. Elle soulevait ce qui était pour elle un thème crucial : « Une des choses qui surgira, je l'espère, de notre engagement dans cette campagne, c'est que ce pays, et le monde, verront enfin une autre image de ce que cela signifie qu'être noir. »

Et sans aucun doute elle y a déjà magnifiquement contribué. Comme le dira plus tard Whoopi Goldberg lors d'une rencontre avec Michelle sur les plateaux de *The View* : « Chaque fois que l'on voit des Noirs aux informations, en particulier des femmes, elles n'ont pas de dents et quand elles en ont, elles sont en or, et elles ne peuvent pas aligner une phrase. Vous aidez à changer cette image, cette perception. Je sais que cela paraît idiot… mais j'aimerais juste vous dire merci. »

Un autre thème proéminent de ses discours était les dangers d'une politique fondée sur la peur, peur à laquelle elle donnait une définition étroite ou large, selon son public. Cela pouvait signifier par exemple la peur que les Noirs éprouvaient pour le destin électoral de n'importe quel Afro-Américain qui se présentait à une présidentielle. Envoyée en Caroline du Sud pour courtiser des électeurs noirs pendant les primaires, elle utilisa l'image du plastique sur les meubles comme métaphore de la peur et du besoin de se protéger. Pour elle, ne pas croire qu'on puisse atteindre un certain but, et donc ne pas même essayer était à ses yeux une séquelle de la discrimination.

Lors de ces voyages, elle se cantonnait à l'électorat noir et à ses problèmes spécifiques, à son mari, de paraître "postracial" ou même pas racial du tout dans la présentation qu'il faisait de lui-même. « Ce que l'on voit à l'œuvre dans la communauté noire, c'est une peur naturelle du possible, voilà la psychologie qui est dans nos esprits et dans nos âmes. Et je le comprends.

Je sais d'où cela vient, je pense que c'est un des plus horribles héritages du racisme, de la discrimination et de l'oppression. Cette peur oppresse l'âme même, interdit d'imaginer un au-delà. » Mais quand elle prédit dans un discours que « l'Amérique noire se réveillerait et se battrait », on la critiqua pour avoir suggéré que les Noirs devaient automatiquement voter pour Obama à cause de la couleur de sa peau. Alors que dans l'interview de *60 minutes,* Obama avait lui-même reconnu qu'il ne tenait nullement pour acquis les votes noirs, et qu'il lui fallait gagner leur soutien comme celui de tous les électeurs.

Parfois, Michelle évoquait la peur liée à la politique de l'administration Bush. « Je ne veux pas élever* mes enfants dans un pays motivé par la peur, dit-elle à Reno en août 2007, la peur de la guerre*, la peur des terroristes, la peur des gens qui ne vous ressemblent pas, qui ne prient pas le même Dieu que vous. » Après avoir évoqué les failles du système, elle présentait Barack comme le modèle d'un avenir plus confiant. « Nous avons besoin d'un gouvernement bien différent de ce que j'ai vu toute ma vie, déclara-t-elle en décembre 2007. Il n'y a qu'une personne* parmi les candidats capable de le faire, et c'est mon mari. » Elle ajouta lors d'une allocution dans le Vermont : « Nous sommes nouveaux* en politique, notre façon de parler, de nous présenter, est inédite, imaginez un président des États-Unis qui vient tout juste de rembourser ses emprunts étudiants, et comprend ce que ça signifie. Imaginez ! »

Comme le montre ce dernier commentaire, elle mit aussi l'accent sur le fait que son mari était un homme normal, semblable à ses concitoyens, qui devait payer des factures, des emprunts, un homme moins impressionnant sur le front domestique qu'il ne l'était sous les projecteurs. Tout au long de la campagne, elle s'employa à démonter l'idée que Barack et elle appartenaient en fait à une élite culturelle, malgré leurs racines dans la classe moyenne, leurs prêts étudiants, et que grâce aux livres d'Obama, ils gagnaient plus d'un million de dollars par an. En 2006, le couple déclara 991 296 dollars de revenus, avec pour Obama 157 082 dollars venant de son salaire de sénateur, pour Michelle 273 618 de son salaire à l'université de Chicago. Le reste consistait en droits d'auteur et investissements.

« Je suis toujours* frappée, et même, pour le dire franchement, surprise par les réactions que suscite mon mari quand il voyage à travers le pays, déclarat-elle lors d'un meeting en mars 2007, à New York. Ne le prenez pas mal. Je pense que mon mari est un homme merveilleux, avec beaucoup de talents et de dons, et qu'il peut nous conduire vers un monde nouveau, il est épatant, je sais, mais ce n'est jamais qu'un homme. » Elle compara d'une façon très directe le Barack que connaissait le pays et celui qu'elle côtoyait au quotidien à la maison, énumérant ses qualifications : « Il y a Barack Obama le phénomène, Barack Obama le génie, le directeur de la *Harvard Law Review*, le diplômé en droit constitutionnel, l'avocat des droits civiques, l'animateur social, l'auteur de best-sellers, le vainqueur des Grammy, un type particulièrement impressionnant. Et puis il y a le Barack Obama qui vit chez moi. »

Des rires accueillirent cette déclaration. Elle poursuivit : « Cet homme-là est nettement moins impressionnant. Il a encore du mal à acheter le pain, mettre ses chaussettes au linge sale, et il ne vaut pas mieux que notre fille de cinq ans pour faire son lit. Alors vous devez me pardonner si je suis un peu étonnée par tout ce bruit autour de Barack Obama. »

À travers ces anecdotes personnelles tirées de leur vie intime, elle se façonnait une image de femme chaleureuse, authentique. Si normale en fin de compte.

Cette approche ne fut pas du goût de tout le monde. En 2007, la chroniqueuse du *New York Times,* Maureen Dowd, prit pour cible cet aspect des discours de Michelle, citant ceux qui trouvaient ses commentaires « castrateurs, donnant de son mari l'image d'un enfant indiscipliné manquant d'expérience ». Dowd ellemême ne cachait pas son agacement. Certains jugèrent que sa chronique véhiculait le stéréotype de la femme noire hyperautoritaire. Michelle rejeta cette critique de la journaliste en disant qu'apparemment elle n'avait pas compris ce qu'elle voulait dire, et qu'elle recevait au contraire plein d'échos positifs.

Mais après cet incident, Michelle modifia ses discours*. Au lieu d'énumérer les défauts de Barack, elle s'emploiera désormais à décrire leur couple comme l'union complémentaire de deux opposés. Michelle apparaissait comme une ancre pour son mari. C'était un rêveur, elle lui maintenait les pieds sur terre. « Barack est un idéaliste qui se bat pour ses convictions, mais je peux vous assurer que sa famille garde les pieds fermement sur terre », déclara-t-elle en mai 2007.

Elle se battit durement aussi contre l'idée que Barack manquait d'expérience politique. Un thème présent dans presque tous ses discours de campagne. Elle lança lors de la première soirée organisée pour collecter des fonds : « Un leader, c'est bien plus* qu'une série d'expériences finies. Il n'y a que dans le monde de la politique, qu'après avoir vu tout ce qu'il a réalisé, on peut oser dire qu'il n'est pas prêt. » Elle précisa ce point de vue en mai 2007, dans le New Hampshire : « Je sais que l'expérience compte*, mais l'expérience sans une sorte de boussole morale n'est pas suffisante. » En juin, à Harlem, elle précisait : « Citez-moi un autre candidat qui a autant travaillé pour la communauté. Citez-moi un autre* candidat qui a défendu les droits civiques. »

Elle reprendrait souvent cet argument, le renvoyant directement à ceux qui mettaient en question les qualités de Barack. Parfois, on aurait dit qu'elle critiquait le pays. « Il est authentique*, dit-elle en juillet. Et il est prêt. Il faut maintenant savoir si nous, nous sommes prêts. » Parfois, elle blâmait Washington. « Barack n'a pas des années* d'expérience à Washington, je le reconnais. Mais nous avons vu des gens qui avaient passé des années à Washington et ne nous ont pas conduits là où il fallait. » Et parfois, elle paraissait blâmer la discrimination et les préjudices raciaux. « Si nous vivions n'importe où* ailleurs sur la planète, nous ne nous poserions aucune question sur un homme avec les qualités, l'engagement et les capacités de Barack Obama », déclara-t-elle dans l'Illinois. Ses commentaires furent repris dans un article de *Jet* qui lui était consacré. « Ce n'est pas seulement qu'il a étudié le droit, c'est qu'il était le meilleur de toute la fac, le premier homme noir à avoir atteint cet objectif. Vous pensez que si quelqu'un d'autre avait réussi cet exploit, on oserait le remettre en cause ? » Ses commentaires semblaient impliquer que l'Amérique était le seul pays au monde où un homme de ce calibre pouvait rencontrer des résistances. Implicitement, elle paraissait suggérer que tous les autres pays poussaient les hommes noirs de peu d'expérience politique vers les plus hauts postes. Ce qui ne collait pas à la réalité. Et était en opposition directe avec l'affirmation de Barack selon laquelle « il n'y a qu'en Amérique que mon histoire est possible ». D'une certaine façon, elle semblait dire exactement le contraire.

Ce propos revenait sans cesse dans ses discours. L'idée qu'il y avait quelque chose de vaguement faussé dans l'Amérique contemporaine. Plutôt que de critiquer le parti républicain ou les opposants d'Obama aux primaires, elle mettait souvent en cause l'électorat lui-même. « Nous sommes encore trop divisés*, affirma-t-elle en janvier 2008. Nous sommes encore une nation trop cynique… Nous sommes mesquins… » Son sentiment est le même lorsqu'elle critique le pays qu'elle ne sent pas prêt pour Obama. « Si nous ne sommes pas prêts*, alors peu importe qui s'installera dans le Bureau Ovale », dit-elle en décembre 2007, impliquant que le pays a besoin de se changer plutôt que de changer de leader. « Barack ne peut pas diriger une nation qui n'est pas prête à être conduite, nous sommes notre propre ennemi*. Nous devons nous engager à fond, nous passionner. » À Monticello, elle ajoute : « Vous n'avez jamais rien vu de semblable à nous auparavant, et c'est un peu étrange, n'est-ce pas ? Vous vous demandez même si nous sommes réels ! Eh bien, vous savez quoi ? Oui, les gens réels peuvent faire de la politique aussi. L'Amérique se méfie de ce qui est authentique. On préfère le factice. » Ce qui signifiait bien qu'à ses yeux, ce n'étaient pas les opposants de Barack qui posaient problème, mais le pays tout entier.

Les conservateurs critiquèrent ce message comme une preuve de mépris, et même de manque de patriotisme, mais oublièrent de mentionner toutes les fois où Michelle évoquait les expériences qui unissent les Américains, l'occasion d'un fort sentiment de solidarité entre elle et son public. Les discours les plus vivants et les plus couronnés de succès s'adressaient surtout aux femmes, et se concentraient sur le manque d'équilibre dans le partage des tâches familiales. Cela faisait ressortir son esprit mordant. L'une de ses principales tâches dans la campagne était de s'assurer du vote féminin, surtout après les primaires et la victoire d'Obama, quand il faudra gagner les électeurs déçus par la défaite d'Hillary Clinton, une tâche considérable. En 2007, dans une interview au *Hyde Park Herald*, elle présenta son programme expliquant qu'avec la maturité, les problèmes professionnels et familiaux revêtaient pour elle une nouvelle urgence.

« Maintenant je m'intéresse* bien plus aux problèmes de la vie de famille, et à la recherche d'une vie équilibrée pour les femmes, parce que j'en fais l'expérience tous les jours, et je dois me débattre avec ça. La vie est dure quand on a la charge d'une famille. Je me demande tous les jours comment font les infirmières, les conducteurs de bus, comment les gens qui se lèvent et vont travailler réussissent à le faire… Nous devons leur apporter des aides financières, vous ne pouvez pas vous rendre à une réunion de parents d'élèves quand vous avez droit à si peu de congés personnels ou de maladie. Moi, je peux quitter mon travail et courir à l'école, mais que fait-on pour tous ceux qui ne le peuvent pas ? »

C'était sa façon de construire ses discours. Michelle utilisait sa propre expérience pour parler de la vie en Amérique, des parents qui travaillent, surtout les mères de famille, arguant que la politique du gouvernement faisait peu de choses pour elles. « On nous a dit de rêver en grand, mais dans la réalité vous êtes tout seul. » Parfois, elle invitait ses auditeurs à s'entraider : « S'il y a une femme* autour de vous à qui vous ne parlez pas, par gêne, jalousie, ou peur du rejet, une sœur, une amie, une mère ou un enfant qui devrait ou pourrait faire partie de votre communauté, je vous demande d'aller parler à cette femme aujourd'hui », déclara-t-elle dans une église en Caroline du Sud. Et elle évoquait souvent, obtenant un grand succès, l'exemple des toilettes bouchées, expliquant que lorsque la situation devient critique et que les toilettes débordent, les hommes continuent à aller au boulot, et ce sont les femmes qui se débrouillent avec leur travail pour être là quand le plombier arrive.

Elle mélangeait ainsi les choses drôles et les éléments plus graves, en décrivant la situation difficile des mères de famille actuelles, qui doivent s'accommoder des erreurs et du manque d'efficacité de leur partenaire. « Je suis désolée pour les hommes dans cette salle, mais ces tâches retombent toujours de manière disproportionnée sur les femmes. Ces tâches comme la lessive, les repas, sans compter les nuits où l'on ne dort pas en pensant aux factures qui s'empilent, à la situation qui ne s'arrange pas, et comme nombre d'entre vous, j'ai souvent rêvé de cette machine magique qui permettrait d'allonger les journées », déclara-t-elle en juillet 2008 dans la petite ville en récession de Pontiac, dans le Michigan.

Ce meeting montra tous ses talents d'oratrice. Plus de sept cents femmes, la plupart afro-américaines, s'étaient rassemblées dans la salle et sur les galeries du Crofoot, un club de musique du centre-ville, avec leurs sandwichs. Le discours faisait partie d'une tournée où elle incitait les gens à partager leurs difficultés en les exposant publiquement. La scène avait été transformée pour l'occasion. Il y avait des chaises, un canapé blanc, et une vingtaine de personnes derrière elle, des notables locaux mais aussi des femmes prêtes à témoigner sur leurs difficultés à concilier vie de famille et travail après huit années de gouvernement républicain. Michelle, qui fut présentée par la gouverneure du Michigan Jennifer Granholm, monta sur scène vêtue d'une robe chemise sombre et de sandales à talons assorties. Elle parla d'elle-même en se décrivant avant tout comme une mère : « Il n'y a pas un moment où je ne songe pas à mes filles. C'est la première chose à laquelle je pense quand je me réveille le matin, et la dernière quand je me couche le soir. » Elle enchaîna sur le fait que les choses étaient plus simples autrefois pour les familles, évoquant comme souvent Fraser Robinson, et comment « une famille de quatre pouvait vivre sur un seul salaire. Ma mère restait à la maison et s'occupait de nous parce qu'elle le pouvait », contrairement, dit-elle, à la femme moderne toujours partagée. « Quand je suis au travail, je culpabilise de ne pas être avec mes filles et quand je suis avec mes filles, je me dis que je devrais faire plus pour la campagne. » Elle décrivait cela comme un sentiment « que nous connaissons toutes ». Elle écouta les femmes qui venaient parler de leurs soucis, des licenciements, des cancers du sein, des petits-enfants qu'il fallait élever, les assurant sans cesse que Barack sympathisait avec elles. « Les personnes qu'il aime le plus, les femmes de sa vie, il nous a toutes vues nous battre avec ces problèmes… Barack porte nos histoires, nos histoires en tant que femmes… Elles ont formé l'homme qu'il est devenu et ont influé sur toutes les décisions qu'il a prises dans la vie, toutes les actions qu'il a menées. » Elle assura la foule qu'une fois président, Barack allongerait la durée des congés familiaux et des congés maladie « afin que des millions d'Américains puissent prendre le temps de s'occuper de leur enfant malade ou d'un parent âgé et pourquoi pas aller au spectacle de l'école ! ». La foule répondit chaleureusement à cette suggestion. « Levez la main, tous ceux qui ont été victimes ou connaissent un proche qui a été victime d'une réduction d'effectifs, d'une délocalisation, ou a perdu son travail », lança-t-elle, et presque tout le monde leva la main. Puis elle les fit rire quand, pour répondre à une question spécifique de politique, elle hésita, déclarant qu'elle s'efforçait d'éviter ce genre de sujet, parce que son mari lui demandait alors des comptes sur ce qu'elle avait dit, et elle ne s'en sortait plus, expliqua-t-elle en mimant la conversation.

Dans le cas de Michelle, la situation familiale était devenue encore plus difficile à gérer en raison de la campagne trépidante que menait son mari. Elle reconnaissait qu'il était impossible de tout avoir. Elle ne pouvait pas être mère, faire campagne pour lui et travailler en même temps. Donc, en mai 2007, Michelle décida de diminuer sa charge de travail de 80 pour cent, et de prendre plus tard un congé à plein temps pour suivre la campagne. « Michelle a travaillé* si dur pour arriver là où elle est, regrette sa mère, Marian, cela me fait de la peine pour elle. » Au printemps 2007, Michelle démissionna de TreeHouse Foods. Le *New York Times* écrivit un article sur sa décision, rapportant que plus tôt dans l'année, son équipe, ayant remarqué* chez elle un livre sur les réalisations de son mari, en écrivit un sur elle, et qu'elle pleura en le découvrant.

Dans le magazine diffusé sur Internet, *Salon*, Debra Dickerson, une journaliste politique afro-américaine, nota ce fait avec effroi, déplorant le fait qu'une femme aussi accomplie et superproductive, une femme souvent décrite comme étant aussi intelligente ou plus intelligente que son mari, se retrouve contrainte à renoncer à ses propres projets pour soutenir ceux de son époux. « Elle abandonne un CV* en or, ses talents et son rôle de vice-présidente, pour devenir l'épouse de, une bonne maîtresse de maison, écrivait-elle. Maintenant, tous ceux qui s'occupent de Michelle vont la scotcher sur les bancs de ces églises baptistes du dimanche à côté des grands-mères en chapeaux fleuris, un sourire béat aux lèvres. » Elle l'imaginait obligée de commencer toutes ses phrases par « Mon mari et moi… », ajoutant : « J'ai de la peine pour elle. » Mais dans sa « furie féministe », elle ne reprochait rien à Michelle. Elle blâmait ce système où il va de soi que la carrière d'une femme est secondaire et superfétatoire, et la communauté noire qui approuvait ce genre de sacrifice imposé aux femmes.

« Peu supporteraient cette pression, surtout venant des Noirs, pour se sacrifier sur l'autel de l'ambition de son mari. » Dickerson rejetait clairement l'idée que « la vie des femmes doit être subordonnée à celle de tout le monde ».

Mais Michelle ne s'était jamais réellement engagée dans une carrière particulière. Elle n'avait pas une vocation professionnelle passionnée comme par exemple la femme de Howard Dean qui, en 2004, avait annoncé qu'elle n'abandonnerait pas la médecine si son mari devenait président, parce que ses patients avaient besoin d'elle. Michelle était une administratrice talentueuse, mais rien ne laissait penser qu'elle s'était lancée dans les relations publiques pour le système hospitalier par vocation. Elle l'avait choisi parce qu'elle gagnait bien sa vie, qu'elle était douée pour ce job, aimait le travail d'équipe, et que cela lui permettait d'aider la communauté en rendant l'hôpital plus réactif. Le changement social était sa véritable passion et Barack allait lui permettre de s'y consacrer. Le faire élire, tel était son travail maintenant. Elle était une actrice clé dans une passionnante campagne historique pour la présidence de la nation la plus puissante du monde.

Une mission où elle commit quelques erreurs, quelques écarts, souvent minimes, mais qui firent l'objet de rétractions. Dans une interview à *Glamour* elle raconta que leurs filles ne venaient pas dans leur lit le matin quand Barack était là « parce qu'il ronfle et sent fort ». On jugea cela trop humiliant, trop peu charitable, trop intime, au-delà de ce qu'on voulait savoir sur le leader potentiel du monde. Dans une autre interview, à *Vanity Fair* cette fois, elle insista sur le fait que Barack ne se présenterait qu'une fois, que ce serait la seule occasion de l'élire comme leader.

« Pour moi, c'est maintenant* ou jamais, dit-elle, nous n'allons pas nous présenter indéfiniment parce qu'à un moment donné, l'énergie vous manque. Ce n'est pas encore le cas. Nous avons besoin d'être là maintenant, tant qu'on est encore frais, et ouverts, sans peur et audacieux. Mais avec le temps, ces qualités se perdent. Barack ne s'économise pas, il est prêt à changer le monde, et nous avons besoin d'un homme comme lui. Donc si c'est pour être prudent, je préfère que quelqu'un d'autre fasse ce boulot, parce que c'est un immense investissement en temps juste pour se présenter. Il y a un facteur de désagrément, et quitte à bouleverser nos vies, espérons que nous allons marquer une forte empreinte dans l'idée que nous avons d'un président des États-Unis. »

Elle fut critiquée pour ce terme de « désagrément », qui laissait entendre que vivre à la Maison-Blanche représenterait surtout pour elle un poids par rapport à sa vie de famille. Et ce n'était pas la première fois. Michelle expliquait souvent et clairement que cette candidature leur avait demandé un énorme sacrifice. Ce qui était vrai, mais toutes les épouses d'hommes politiques n'en faisaient pas forcément état. Lauren Collins dans le *New Yorker* observa que Michelle manifestait un génie stratégique* dans la façon dont elle montrait aux foules qu'elle leur accordait une faveur en venant les voir, plutôt que le contraire. Après ce commentaire, Michelle expliqua qu'elle insistait sur l'idée de « maintenant ou jamais » parce qu'elle sentait qu'ils ne seraient jamais plus aussi proches de la vie de leurs concitoyens.

Cette attitude de « maintenant ou jamais » est conforme à ce qu'elle a toujours dit à Barack à chaque élection : c'est la dernière fois, en pensant, s'il se présente et ne gagne pas, nos vies reviennent à la normale. Il ne s'agissait pas d'une menace d'enlever Barack si le pays ne le reconnaissait pas, ni d'un nouvel épisode où Michelle se disait qu'un jour l'homme qu'elle avait épousé cesserait de courir sans cesse. La femme qui se décrivait elle-même en riant comme la dernière à être au courant agissait ainsi simplement pour se rassurer. Plus tard, elle expliqua au *Wall Street Journal* : « Ça n'a rien d'une menace*, mais revivre ça encore, faire revivre ça à mes deux filles ? »

Il y eut bien sûr d'autres affaires. En août 2007, à Atlantic, dans l'Iowa, Michelle fit une déclaration qui fut considérée comme une attaque peu charitable envers Hillary Clinton : « L'une des choses les plus* importantes que nous devons savoir sur le prochain président des États-Unis, c'est cet homme partage-t-il nos valeurs, respecte-t-il la famille, est-il bon, décent ? dit-elle. À mon avis, si vous ne pouvez vous occuper de votre propre foyer, vous ne pouvez certainement pas diriger la Maison-Blanche. Donc nous avons ajusté notre programme pour faire en sorte que nos filles passent en premier, et quand je voyage c'est toujours de jour. » Un journaliste du *Chicago Sun-Times* rapporta ce commentaire en enlevant la dernière phrase, ce qui pouvait être interprété comme une référence subtile à l'infidélité conjugale de Bill Clinton. L'équipe d'Obama s'empressa de clarifier le commentaire le jour suivant en donnant toute la déclaration. Mais la citation avait été passée de nombreuses fois sur les blogs et à la télévision toujours à l'affût d'un possible combat de chats.

Il y eut un autre petit incident, en septembre 2007, quand Michelle essaya de faire comprendre à quel point l'Iowa était important pour la campagne. « Si Barack ne gagne pas* l'Iowa, cela n'aura été qu'un rêve », déclara-t-elle. Plusieurs commentateurs admirèrent sa candeur, mais l'équipe de campagne fit clairement savoir qu'ils pensaient qu'Obama avait un avenir politique, Iowa ou pas.

En dépit de ces feux de brousse, les choses se déroulaient plutôt bien. Michelle n'avait pas quitté son travail pour rien. Son rôle dans la campagne était significatif. Avec David Axelrod, le principal conseiller d'Obama, elle faisait partie du cercle intime très restreint. Le

11 février 2008, le *Wall Street Journal* analysa comment Michelle consolidait son rôle dans l'élection, commençant par une anecdote : lors d'une réunion de l'équipe de campagne, elle était intervenue dans la discussion en disant : « Barack, essaye de sentir* les choses, ne pense pas ! » De nombreuses analyses montrèrent qu'elle parvenait si bien à convaincre les électeurs de voter pour Obama qu'on l'avait surnommée « The Closer ». Les journaux décrivaient son parcours des terrains de football aux meetings, observant à quel point elle était authentique, naturelle, aimait plaisanter, parler de sa vie quotidienne, des courses à faire. Et c'était vrai, elle était très drôle quand elle évoquait ce dédoublement étrange entre sa vie politique et sa vie de famille, une situation à laquelle n'importe quelle mère qui travaille pouvait s'identifier. « C'est comme* si vous étiez Batman ! » disait-elle, alors qu'elle devait passer d'une heure à l'autre de son rôle d'oratrice hyper bien habillée, à celui de maman mouchant les nez qui coulent ou préparant les goûters.

Le *Financial Times* titra en février 2008 : « La femme d'Obama ajoute une touche humaine à sa séduction ». Mais ce fut aussi ce mois-là que Michelle déclara dans le Wisconsin : « Pour la première fois dans ma vie d'adulte, je suis fière de mon pays parce que j'ai le sentiment que l'espoir revient. » Plus tard, le même jour, elle reviendra sur ce thème en déclarant : « Pour la première fois de ma vie d'adulte je suis vraiment fière de mon pays, et pas seulement parce que Barack se débrouille bien, mais parce que je pense que les gens ont soif de changement. » Cette fois, une caméra était présente et la phrase serait répétée en boucle.

12

Les réactions furent immédiates. Cindy McCain, l'épouse du candidat républicain, s'empressa d'affirmer qu'elle avait toujours été fière de son pays, et les gens qui la présentaient sur scène avant qu'elle ne prononce ses discours soulignaient qu'elle avait toujours été fière de l'Amérique. Michelle essaya plusieurs fois de revenir sur sa déclaration, expliquant qu'elle était fière de son pays en raison de l'envie nouvelle d'engagement politique que Barack avait inspirée aux électeurs. Mais elle avait donné une sacrée prise aux conservateurs, un point important de polémique. En mai 2008, le parti républicain du Tennessee réalisa une vidéo qui passa sur YouTube, dans laquelle des garçons et des filles de l'État professaient leur patriotisme, et déclaraient qu'ils avaient toujours été fiers de leur pays. Le parti à Washington les imita. La campagne des rumeurs commença : Michelle appartenait à la cinquième colonne, c'était un ennemi de l'intérieur, une insatisfaite qui haïssait l'Amérique, et qui une fois infiltrée à la Maison-Blanche, ferait… on ne savait trop quoi. Mais ce serait terrible parce qu'elle n'était pas fière de son pays.

La First Lady, Laura Bush, essaya gracieusement de venir à sa rescousse, supposant que ce que Michelle avait sans doute voulu dire, c'est qu'elle était « plus » fière de son pays. Mais c'était comme essayer d'éteindre un feu à Malibu en pleine saison sèche, et il faudrait bien plus que ces simples paroles pour l'empêcher de s'étendre.

En revanche, un certain nombre d'électeurs afro-américains ne trouvèrent pas ce commentaire surprenant et ne jugèrent pas forcément qu'elle avait eu tort. Plus d'une fois, les personnes que j'ai rencontrées pour ce livre m'ont confié qu'elles comprenaient ce que Michelle avait voulu dire, faisant observer que l'on peut aimer son pays sans être fier de lui. « L'amour précède la fierté », pointa le révérend Jesse Jackson bien avant qu'il ne coupe les ponts avec les Obama (il avait affirmé vouloir castrer Barack en raison de ses discours poussant les jeunes Noirs à être plus responsables vis-à-vis de leurs enfants. Jesse Jackson trouvait cela condescendant par rapport aux Afro-Américains). Plusieurs semaines avant cet incident, j'avais appelé Jackson pour savoir s'il avait des souvenirs de Michelle adolescente, quand elle allait souvent chez lui. Jackson insista pour évoquer cette affaire de fierté, expliquant qu'au cours de l'Histoire de nombreux Afro-Américains avaient ressenti de l'amour envers leur pays sans s'en sentir fiers pour autant, citant en particulier les soldats noirs qui s'étaient battus pendant la Seconde Guerre mondiale, des patriotes qui subissaient le racisme sur le champ de bataille, et chez eux à leur retour. Il me fit aussi remarquer que beaucoup de parents aimaient leurs enfants sans être toujours fiers d'eux.

Dans une conversation avec Arthur Brazier, l'ancien pasteur de l'Église apostolique de Dieu et leader religieux du South Side pendant longtemps – un homme qui avait connu Chicago à l'époque où il fallait faire attention aux quartiers que l'on traversait –, ce dernier fit la même distinction. Nous venions de parler de l'histoire de sa ville quand il me demanda s'il pouvait faire un commentaire en faveur de Michelle*. « J'ai compris ce qu'elle a dit, m'a-t-il expliqué. Les gens qui n'ont pas connu la même expérience que les Afro-Américains ne peuvent pas comprendre. J'ai été tiré au sort pendant la Seconde Guerre mondiale, et quand j'ai reçu mon papier, je ne l'ai pas brûlé, et je ne suis pas parti au Canada, parce que j'aime mon pays. Je suis allé à la guerre, mais malgré mon uniforme, j'étais dans une armée ségrégationniste. Et, malgré mon uniforme, quand j'ai été à l'instruction dans le Sud, je devais m'asseoir au fond du bus. Si je voulais boire de l'eau à une fontaine, il fallait qu'elle soit réservée aux "coloured". C'était extrêmement humiliant. Mais je me suis battu et j'ai reçu deux médailles. J'aimais mon pays, mais je n'étais pas fier de lui. Il y a une différence. »

Ces commentaires prouvent que là où Michelle avait grandi, reconnaître que vous aimiez votre pays sans en être fier n'avait rien d'extraordinaire, c'était un cliché, un trope, un truisme. Il ne paraissait pas déraisonnable de le reconnaître. Et de même, quand on traverse aujourd'hui certaines parties du South Side et que l'on voit ces quartiers touchés par la drogue, les armes, les écoles publiques abandonnées, ces quartiers dont les habitants sont souvent blâmés par des gens qui ignorent qu'ils n'ont plus de travail et que la ségrégation existe toujours, on peut comprendre les paroles de

Michelle. Langston Hugues résume bien ce sentiment : « Que l'Amérique soit l'Amérique qui ne parle pas seulement des Noirs mais de tous ceux qui se sont sentis privés du droit de vote en dépit de leur foi dans l'idéal américain. »

Michelle ne put expliciter ses propos, et dut se rétracter. C'était une discussion que l'Amérique n'était pas prête à avoir, et la suite des événements ne fit que le confirmer. En mars 2008, *ABC News* diffusa un documentaire réalisé par son équipe d'enquête sur les sermons de Jeremiah Wright, le pasteur de la Trinity United Church dont les Obama étaient membres. Dans l'un de ses sermons, en 2003, le pasteur déclarait « Que Dieu maudisse l'Amérique », évoquant le taux d'incarcération des jeunes Noirs. Dans un autre sermon, il affirmait que les attaques terroristes du 11 Septembre étaient en partie le résultat de la politique étrangère du pays. D'autres chaînes suivirent le mouvement. *Fox* retransmit un autre sermon où Wright suggérait que le gouvernement américain avait créé le virus du sida et le propageait dans la population noire. Tous ces extraits se retrouvèrent rapidement sur YouTube.

Jusqu'alors, ceux qui avaient entendu parler de Jeremiah Wright le connaissaient pour avoir un jour prêché le sermon qui donna à Obama son fameux slogan « L'audace d'espérer ». Mais il apparaissait désormais comme un fou furieux, enragé et effrayant. Obama prit ses distances en déclarant qu'il n'avait jamais entendu Wright dans ses affirmations explosives. Le 18 mars à Philadelphie, il essaya de sauver la relation qui l'unissait à Wright lors d'un discours intitulé « Une Union plus parfaite ». Il y traitait du vaste thème de la race en Amérique, et essaya de remettre les propos du pasteur dans le contexte. Il compara les commentaires de Wright à ceux d'un vieil oncle que vous aimez même si vous n'êtes pas d'accord avec ses déclarations les plus folles. Il mentionna aussi sa grand-mère blanche, Madelyn Dunham : « Je ne peux pas plus le désavouer que je ne peux désavouer la communauté noire, dit-il en parlant de Wright, et je ne peux pas plus le désavouer lui que je ne peux désavouer ma grand-mère blanche, une femme qui m'a élevé en partie, qui n'a cessé de se sacrifier pour moi, qui m'aime plus que tout, mais une femme qui m'a avoué un jour sa peur des hommes noirs qu'elle croisait dans la rue, et qui à plus d'une reprise a eu des réflexions raciales ou ethniques qui me hérissaient. Ces gens font partie de moi. Et ils font partie de l'Amérique, le pays que j'aime. » Wright dénonça ce discours comme un argument politique. Obama choisit alors de rompre complètement avec lui et de quitter son église.

Cela entraîna un lent feu de broussaille sur Internet où les opposants de Barack Obama, et certains de ses supporters, tentèrent de comprendre comment cet homme intelligent, d'une probité parfaite, postracial, avait pu appartenir à une telle église, s'asseoir sur ses bancs… et écouter ce Wright, un adepte de la théologie de la libération noire qui au cours d'exhortations passionnées évoque les inégalités raciales et, d'une certaine façon, compare les Afro-Américains aux vrais opprimés chrétiens, et les Blancs aux oppresseurs du Christ. Comment expliquer cette affiliation bizarre ? Cela ressemblait si peu au raisonnable et calme Obama. Tous ceux qui cherchaient une explication se tournèrent alors vers Michelle avec des regards accusateurs.

Le contingent sur le web des anti-Obama essaya immédiatement de relier les points, traçant ce qu'ils étaient sûrs de trouver, c'est-à-dire une ligne directe entre Michelle et Wright, et d'autres prétendues influences antiaméricaines sur Obama. « D'après ce que nous avons* entendu, Mrs Obama prêtait beaucoup d'attention au révérend Wright et à ses propos enragés, les approuvant probablement de forts hochements de tête lorsqu'il blâmait les Blancs pour avoir inventé le sida alors que Barack s'assoupissait à côté d'elle en se demandant quand le révérend allait la fermer » est un exemple des commentaires qui suivirent. Et Dinesh D'Souza écrivit sur le web : « Se pourrait-il que la femme* d'Obama soit largement responsable de sa regrettable association avec ce fou qui appelle à la haine raciale ? » Elle saisit même cette occasion pour critiquer la discrimination positive à Princeton qui remontait aux années 1980.

Et ce n'était pas juste les opposants de droite. En mai Christopher Hitchens*, dans sa chronique pour le magazine en ligne *Slate*, traita Wright de vieux fanatique vaniteux et se demanda, de manière significative, si Michelle Obama était son compagnon de route. « Même si Obama gagne, il vient de perdre l'élan initial, ce bel et insouciant enthousiasme d'un mouvement politique postracial, sans ressentiment, et il vient de nous jeter à la figure les bêtises que le Dr Wright clame comme un prédateur. Quelle triste chose à observer. Et comment cela se fait-il ? Je pense que nous pouvons exclure toute sympathie cachée d'Obama pour les vues de Wright ou son style », affirmait Hitchens, laissant sous-entendre que Michelle était la sympathisante cachée. « Après tout, elle a écrit sa thèse sur la notion de race… Cette question évidente est devenue incontournable et il y a une inexcusable mauvaise volonté de la part des journalistes à la poser. »

En regardant de près l'analyse de Hitchens, on sent la douleur d'un intellectuel qui ne veut pas abandonner son admiration pure pour quelqu'un qui possède l'intellect et le caractère d'un Obama, et qui se tourne par voie de conséquence vers sa femme. À côté de la question de race, il y a quelque chose de très sexiste dans tout ce commentaire. Cela pue Ève et la pomme, Pandore et la boîte, la femme déchue détournant son mari aimant et entiché d'elle vers le péché et la tentation. Si un homme intelligent agit de manière stupide, *cherchez la femme*[1].

En fait, de toute évidence, Obama décida seul de s'intéresser à Wright. Michelle le confirma plus tard dans un entretien avec Melinda Henneberger pour le *Reader's Digest* et Wright affirma la même chose en 2007 au *Hyde Park Herald* dans un numéro spécial Obama : « Il a commencé par venir* parler, puis a participé au culte avec nous, et a rejoint l'Église. »

Sans doute Obama l'a-t-il fait pour les mêmes raisons qui poussent bon nombre d'Américains à s'inscrire dans une église, pour prier, faire partie d'une communauté, voir et être vus, établir un réseau. Obama avait noté cela quand il travaillait comme organisateur social. Les pasteurs du South Side lui disaient qu'il devait rejoindre une église non seulement pour le bien de son âme, mais pour établir sa légitimité. Et ils avaient raison. « Pour les politiciens noirs, commencer un discours en louant Dieu, c'est l'équivalent d'une

1. En français dans le texte.

poignée de main* secrète entre Noirs, explique Debra Dickerson. C'est comme dire, Untel m'a envoyé. » Obama explora d'autres églises, mais revint à celle de la Trinité et à Wright qui, malgré son côté histrionique, était hautement respecté non seulement en tant qu'intellectuel, mais comme un leader efficace à Chicago. Il avait fait de cette église une centrale électrique avec neuf mille membres, et fut l'un des premiers à parler ouvertement du sida dans le South Side. Son église est également connue pour son programme social d'assistance aux pauvres. On comprend qu'un homme aussi intelligent qu'Obama se soit senti plus à l'aise avec un pasteur socialement actif qui prêchait une forme de religion politisée. Et pour un nouveau venu attaché à prouver qu'il est suffisamment noir, quelle meilleure église rejoindre que celle possédant une librairie afro-américaine et une plaque dans le hall avec la devise « Noir sans aucune honte et chrétien sans excuse » ?

Le fait qu'il s'agissait d'une congrégation avec un fort réseau social expliquait aussi son pouvoir d'attraction sur Obama. Une femme en particulier l'orienta vers cette piste, Toni Preckwinkle, conseillère municipale de Hyde Park, qui lui expliqua que Trinity serait un bon endroit pour lui. « Cette église vous permettra de rencontrer de nombreux paroissiens éminents et de tisser un large réseau, lui dit-elle, c'est l'endroit parfait pour quelqu'un qui veut faire de la politique. » En d'autres termes, Obama avait choisi cette église pour la même raison que beaucoup le font, entre autres pour s'approcher de gens qui pourraient lui être utiles.

En mai, l'opinion sur Michelle divergeait. Les sondages montraient qu'elle avait de plus hautes opinions négatives et de plus hautes opinions positives que Cindy McCain. Bien sûr, celle-ci n'avait pas attiré autant de controverses, malgré une addiction reconnue à certains médicaments qui, à une époque, l'avait poussée à dérober des drogues dans une organisation de charité. Tous les journaux se demandaient ce printemps-là si Michelle était un atout ou un handicap. Et la réponse était toujours la même : les deux. Obama lui-même se mit à réagir aux critiques dont elle était l'objet. « Laissez ma femme tranquille », avait-il averti pendant une interview télévisée.

Même si ce dernier était en train de conclure sa nomination comme candidat des démocrates, Michelle, qui s'était sacrifiée et l'avait aidé, prenait plus de coups que lui. En avril, par exemple, la *National Review* la mit en couverture avec le titre « Mrs Grievance ». Sur le net, une campagne mesquine avait été lancée, fomentant la rumeur qu'il existait une vidéo dans laquelle Michelle utilisait l'épithète raciste « whitey ». L'accusation était lancée par un blogueur, un véritable voyou même selon les standards de l'Internet, qui n'avait aucune preuve et ne put donc en fournir aucune. La plupart des autres blogueurs refusèrent de prendre part à cette campagne de dénigrement, mais la rumeur enfla au point qu'un journaliste finit par en parler à Obama. L'équipe de ce dernier, qui avait résolu de réagir immédiatement à tout faux bruit de ce genre, créa un site web contre les calomnies dont le premier travail fut de prouver que cette vidéo n'avait jamais existé.

Mais selon Karen Tumulty*, du *Time*, Michelle avait dû auparavant se soumettre à l'enquête menée par l'équipe de campagne elle-même. Quand la rumeur fit surface, Valerie Jarrett lui demanda s'il y avait quelque chose de vrai dans cette affirmation, et la responsable même de l'équipe de Michelle à l'époque, Melissa Winter, l'interrogea longuement à ce sujet. Michelle nia avoir prononcé ce mot en faisant remarquer que les gens de sa génération n'utilisaient même pas ce terme qui appartenait à une autre époque. Selon le *Time*, elle fut « choquée et frustrée » d'avoir été mise ainsi sur la sellette par son propre camp. Dans le Montana, en juin, Michelle fera allusion à la controverse en incitant la foule, à Billings, à ne surtout pas « croire les blogueurs* ou l'opinion de n'importe qui, parce que les gens mentent ».

En dépit de ces rétractations, la rumeur se propagea dans les grands médias. Eugene Lowe, ancien doyen des étudiants de Princeton, devenu un haut cadre de Northwestern, en voyant un journal avec Michelle en couverture, raconte : « Quand je vois ça, je me dis c'est juste un dernier épisode dans une longue histoire. Peu importe ce qui a été dit, maintenant que la suggestion a été faite, malgré toutes les corrections qu'on apportera, le mal est fait. »

Mais ses détracteurs finirent par prendre trop de risques. En juin, quand Barack eut rassemblé assez de délégués pour sécuriser sa nomination, faisant de lui le premier Afro-Américain candidat à la présidence de l'Histoire, Michelle lui donna un coup de poing affectueux alors qu'elle le félicitait avant son discours à Minneapolis. L'image passa en boucle et l'Amérique découvrit ce geste. Un commentateur de la *Fox* crut bon de le qualifier de « salut terroriste ». Et à la même époque, cette chaîne, dans son déroulé au bas de l'image, désigna Michelle comme la « Baby's Mama » d'Obama. Comme si cette femme accomplie n'était guère qu'une copine sortie du ghetto. À leur façon désespérée, les pires détracteurs d'Obama essayaient de suggérer l'idée que si les démocrates gagnaient, la Maison-Blanche deviendrait un centre hip-hop transformé par la culture de rue. Même Maureen Dowd* ne put supporter plus longtemps ces basses attaques et prit la défense de Michelle.

Les charges étaient absurdes, ridicules. Et elles n'empêchèrent pas Michelle de développer son propre fan-club. Elle était incroyablement douée pour attirer les dons. Les gens la harcelaient sans cesse pour des autographes. « Pouvez-vous signer ma bible* ? » lui demanda une femme à Rhode Island. « Elle ne ressemble pas à ces poupées plastique comme tant d'autres », dit une fan de quarante et un ans. Alors que la campagne se terminait, son influence était devenue telle qu'elle téléphonait aux superdélégués pour leur demander de s'engager en faveur d'Obama. Elle participait aux collectes de fonds de manière régulière. À Fort Myers, en Floride, elle fut la star de ce qui est considéré « comme le plus grand événement démocrate en Floride du Sud même à notre époque moderne », écrivit *News-Press*, attirant six cents personnes pour écouter un discours de vingt et une minutes. Un admirateur s'exclama : « Elle a une telle éloquence, on voit qu'elle parle avec son cœur. Elle a le don de vous faire croire que vous êtes un vieil ami. »

Cependant, l'équipe de campagne se montrait prudente, circonspecte. D'une certaine façon, la prédiction de la journaliste Debra Dickierson se révélait exacte. Michelle n'était pas devenue une dame patronnesse au chapeau fleuri, mais son équipe choisissait désormais les journaux auxquels elle accordait des interviews, la poussant vers des magazines moins politisés, comme

US Weekly titra son principal article : « Pourquoi Barack l'aime ? » Ou *People* et *Access Hollywood* qui mettaient en avant sa vie de mère de famille. Durant son voyage à Pontiac*, dans le Michigan, l'équipe de campagne appela le directeur de la direction de « Twist », un supplément féminin du *Detroit Free Press*, pour leur proposer une interview. Le directeur de la rédaction écrivit un papier enthousiaste qu'il concluait par ces mots : « J'avais l'impression de parler avec ma petite amie. » C'était exactement la couverture médiatique recherchée.

Michelle continua à prononcer des discours lors de collectes de fonds et de meetings, mais elle parlait moins longuement et de manière moins rhétorique et moins négative. Elle discutait toujours des difficultés de la classe ouvrière, mais elle n'attaquait plus aussi agressivement « ceux » qui avaient mis des obstacles sur son chemin ou celui de Barack. Elle parlait bien sûr de la façon dont elle avait rencontré Barack, plaisantait sur leur vie avec leurs enfants, assurait les gens qu'elle prenait en compte leurs inquiétudes sur l'emploi et la famille. Elle a ainsi rencontré des familles de militaires pour discuter des problèmes du retour des vétérans, un sujet mêlant vie de famille et assurance maladie, deux domaines où elle était experte. Mais une chose ne changea jamais dans ses discours, l'image de la petite fille de Caroline du Sud qui symbolisait pour elle le découragement et l'abandon. « Elle sait qu'elle est probablement en retard dans une école qui manque cruellement de moyens, qui n'a pas les ressources pour la préparer », voilà comment Michelle Obama se décrivait dans ses discours. « Elle sait que si elle ou sa famille tombe malade, ils ne pourront pas aller voir un médecin, elle sera obligée d'attendre des heures durant dans un service d'urgence encombré. Elle sait que la situation professionnelle de ses parents est précaire et peut basculer d'un jour à l'autre. Elle sait tout cela, mais elle sait aussi autre chose. Qu'elle vaut beaucoup mieux que les attentes limitées de la nation envers elle. Et tout ce qu'elle a, c'est de l'espoir. »

Elle n'a jamais cessé de parler de cette petite fille. Partout, en Caroline du Nord, Rhode Island, Texas, Californie. Elle ne peut pas la laisser de côté, parce qu'elle continue à s'identifier à elle. Michelle est encore cette petite fille dont le monde n'attendait pas grand-chose. « Vous savez pourquoi je la connais si bien cette petite fille ? a-t-elle souvent dit. Parce que cette fillette, c'est moi. Je n'aurais jamais dû être là, à cette place. »

Et pourtant, elle y est, cette femme qui fait aujourd'hui partie de l'establishment, qui est, pour dire les choses clairement, conservatrice à bien des égards, chaleureuse, spontanée, sociable avec tout le monde, blanc ou noir. Elle est franche, aimable, a les pieds sur terre. Elle lance peut-être des jugements à l'emporte-pièce sur les patrons et l'Amérique, entre autres, mais elle est aussi amicale et loyale, et pour dire la vérité, pas franchement démagogue. Elle sera une First Lady vivante et passionnante à observer. « J'en prends de la graine », a-t-elle dit dans une interview à *The View,* évoquant Laura Bush lorsque celle-ci avait pris sa défense ; elle lui en avait été très reconnaissante, et le lui avait écrit dans une lettre, sans savoir très bien comment s'adresser à elle. Michelle observait, étudiait, se préparait parce que c'est ce qu'elle a toujours fait, se préparer. Elle ne laisse jamais rien au hasard.

La question, bien sûr, c'est que fera-t-elle lorsqu'elle occupera la position de Laura Bush, cette place si contraignante, peu enviable et difficile, où l'on vit en permanence sous le regard des autres sans disposer d'aucun pouvoir. Hillary Clinton était perçue comme trop activiste, Laura Bush s'est montrée plus réservée. « C'est si difficile de se projeter de manière réaliste et de savoir quelle sera ma vie en tant que femme, et en tant que mère, lorsque nous serons à la Maison-Blanche, a-t-elle déclaré lors de l'émission *Good Morning America*. C'est difficile à prévoir. Je sais juste que j'ai des compétences dans des domaines différents, et que je les emploierai à bon escient. Mais cela dépendra de ce dont le pays a besoin, de ce dont ma famille a besoin, et de ce dont Barack a besoin. Donc je veux rester flexible et ouverte à ce qui se présentera, à ce qu'on me demandera. »

En raison du jeune âge de ses filles, Michelle, malgré son rôle de First Lady, passera beaucoup de temps avec elles, les maternant, leur donnant surtout un sens de la normalité, préservant leur vie privée, les emmenant à des fêtes d'anniversaire, préparant les fameux cadeaux d'anniversaire, supervisant leur travail, organisant leurs leçons.

En dehors de ces activités familiales, elle se chargera peut-être de lancer un programme de service national pour pousser les jeunes à faire du volontariat et à s'engager dans le service public, comme elle l'a fait une décennie plus tôt à Public Allies. On imagine aussi qu'elle parcourra le pays, écoutant ces parents qui travaillent et rapportant leurs propos à son mari et à son gouvernement. Des conversations qui pourraient très bien conduire à une nouvelle flexibilité et à des congés familiaux pour tous. Mais cela ne changera pas la vie de Michelle. Vivre à la Maison-Blanche ne peut servir de modèle pour un nouveau partage des tâches au sein de la famille américaine. Quand votre mari est commandant en chef, vous ne pouvez pas vous attendre qu'il rentre tôt.

En tant que First Lady, on peut aussi prédire qu'elle sera regardée comme un modèle, avec son physique de sportive, ses choix vestimentaires, nul doute qu'elle lancera la mode des robes sans manches et des grosses ceintures. Et plus personne n'aura envie d'être hyper-maigre ou mince façon Nancy Reagan. Grâce à elle, on ne se demandera plus, enfin, si une femme peut être intelligente, professionnelle, et jolie.

Michelle Obama est un des principaux conseillers de son mari, on imagine donc qu'ils auront des discussions le soir dans leur chambre sur la discrimination positive, la nécessité d'une nouvelle politique pour les quartiers pauvres des villes. Quand a-t-on entendu évoquer pour la dernière fois le sujet de la pauvreté urbaine ? Sans oublier qu'elle servira à la Maison-Blanche, comme elle l'a fait pendant la campagne électorale, de catalyseur puissant pour une discussion en Amérique sur la notion de race. Nous avons vu que ce n'était pas un sujet facile à aborder. Il faut rappeler cet horrible photomontage de Michelle lynchée, mis sur le site *Daily Kos* par un blogueur, une image si terrible que le blog fut obligé de la retirer. L'illustrateur Barry Blitz essaya de présenter satiriquement le couple comme des extrémistes terroristes sur la couverture du *New Yorker*, et connut le même problème. L'image était si forte que les gens l'avaient prise à la lettre. Le contenu dépassait largement la blague.

Tous ces exemples rappellent à quel point il est difficile d'évoquer la notion de race. La volonté de

Michelle Obama d'engager cette discussion a peut-être été imparfaite, mal perçue, mais encore une fois sa seule présence aux côtés d'Obama comme descendante d'esclaves nous oblige à l'affronter. Même si elle n'avait rien dit, l'histoire de sa vie soulève de toute façon de nombreuses questions sur la limite de notre tolérance. Finalement, il se peut que le voyage politique de Michelle Obama, entrepris pourtant à contrecœur, ait un impact bien plus durable sur nos rêves d'égalité que la fabuleuse ascension de son époux vers la Maison-Blanche.

Épilogue

Les Américains entretiennent des relations intenses et intimes avec leur Première Dame. Ils l'observent sans cesse, et n'hésitent pas à la juger, car « peu importe ce qu'elle fait, la First Lady sera toujours critiquée », comme l'explique Laura Bush. Elle reçoit également de nombreuses marques d'affection, se retrouve entourée de bonnes volontés, et bombardée d'avis non sollicités. Qu'on le veuille ou non, elle, son mari et leurs enfants représentent la famille américaine. Tout le monde s'intéresse de très près à leur couple, à leur vie quotidienne, on veut tout savoir d'eux, ce qu'ils mangent, la façon dont ils décorent leur maison, leur destination de vacances, s'ils ont un chien ou pas.

Michelle Obama est devenue cette Première Dame, même si son entourage proche ne l'a pas encore tout à fait réalisé. La victoire historique de son mari en novembre 2008, a fait entrer à la Maison-Blanche cette ancienne étudiante de Princeton qui s'inquiétait de ne jamais occuper qu'un rôle marginal dans la société américaine. C'est la première femme noire à exercer cette fonction, ce qui lui confère une importance symbolique qui dépasse de loin sa propre personne. Cela ne l'empêche pas d'avoir ses admirateurs : bien avant la victoire d'Obama, de nombreux courriels personnels, reçus par l'équipe de campagne, étaient adressés non pas à Barack, mais à Michelle. Et dans toutes les familles, semblait-il, on comptait un cousin, une tante, un frère, une sœur, une grand-mère qui votait pour Obama par admiration pour son épouse. Après les élections, ce mouvement s'est amplifié : les gens ont envoyé des cartons remplis d'aliments pour chien à la famille du futur président ; des professeurs ont fait écrire à leurs élèves des lettres de bienvenue ; tout le pays a vécu les yeux rivés sur les Obama alors que ces derniers préparaient leur déménagement au 1600 Pennsylvania Avenue, en se demandant quelle école allait choisir Michelle Obama pour ses filles, et si sa mère, Marian Robinson, allait s'installer, elle aussi, à la Maison-Blanche.

Parmi toutes ces interrogations cependant, une seule compte vraiment : quel genre de Première Dame sera Michelle Obama ?

« Je me demande combien de temps encore il faudra avant que Michelle ne fasse une de ces déclarations fracassantes dont elle a le secret », m'a dit en privé un journaliste de la télévision. Comme tous les Américains, il a hâte de voir comment Michelle va évoluer dans ce rôle historique. Sortira-t-elle diminuée par la fonction de Première Dame ou au contraire grandie ? Va-t-elle redéfinir ce poste qui ne possède aucun statut propre ? Cette femme ambitieuse, opiniâtre, dotée d'un franc-parler incroyable, pleine d'humour, épanouie, réussira-t-elle à s'ajuster à un rôle constitutionnellement flou, extrêmement cérémonieux, où l'on vit sans cesse en représentation, et qui, parfois, peut se révéler étouffant ? La campagne lui a appris à se montrer circonspecte, va-t-elle maintenant laisser libre cours à sa nature franche, spontanée, vivante ?

Elle peut choisir de vivre en coulisses, à l'image de Laura Bush qui a gardé pour elle bon nombre de ses convictions les plus profondes, et s'est occupée de sujets sans danger, tels que l'illettrisme. Ou suivre le chemin d'Eleanor Roosevelt, et utiliser sa fonction comme tremplin pour promouvoir une cause controversée. Ou bien encore choisir le modèle Hillary Clinton, présentée à l'époque par son mari comme le numéro deux de la présidence.

Une semaine environ après la victoire de son mari, Michelle a essayé d'apaiser un peu toutes ces spéculations en déclarant qu'elle se voyait surtout comme une « Mom-in-Chief », une maman en chef. Loin de faire taire les rumeurs, elle a alors ravivé une discussion brûlante au sein de la communauté féminine. Doit-on se réjouir ou pas que Michelle se sente obligée de souligner ce rôle particulier ? Dix ans plus tôt, les mères qui travaillaient ne s'imaginaient pas en train de vanter leur côté maternel, ce luxe ne leur était pas permis. La déclaration de Michelle constitue-t-elle donc vraiment un progrès ? Dans un article du magazine en ligne *Salon*, une journaliste s'est inquiétée de ce qu'elle appelle une sorte de « momification[1] » de Michelle, qui, selon elle, se retrouve forcée d'endosser un rôle conventionnel et tiède, et se voit traitée par les médias comme si la seule chose qui importe à son sujet est sa capacité à être mère. De manière plus optimiste,

---

1. Momification : jeu de mots entre « mom » qui signifie en langage courant « maman », et « mummyfication », « momification ».

l'auteur Géraldine Brooks[1] avance l'idée selon laquelle l'intérêt de Michelle Obama pour les problèmes tels que l'équilibre travail/famille, et les difficultés que connaissent les familles de militaires, lui permettra de s'impliquer habilement dans un éventail plus large de sujets politiques majeurs : la santé, l'éducation et même les questions militaires.

Une chose est sûre, toutes ces conversations post-électorales confirment le fait que Michelle sera jugée sur plus de fronts que son mari. Il ne s'agira pas seulement de ses réussites éventuelles en tant que Première Dame, une fonction qui lui échoit alors qu'elle ne l'a pas demandée, mais de ses choix vestimentaires, du comportement de ses enfants, et même de sa silhouette. Certains articles récents la concernant avaient pour titre « Des femmes de couleur s'expriment sur la victoire d'Obama », « Michelle Obama, ce qu'elle doit porter », sans parler de ceux, et il y en a eu un certain nombre, concernant son *derrière*[2].

Étant donné cet examen attentif critique auquel elle se retrouve soumise, il n'est pas surprenant qu'elle ait cherché conseil auprès d'Hillary Clinton sur la meilleure façon d'élever ses enfants dans un tel environnement public. Hillary Clinton s'était elle-même adressée à Jackie Kennedy Onassis qui lui avait conseillé de continuer à donner à sa fille, Chelsea, des tâches quotidiennes à accomplir. Hillary n'a pas manqué de relayer ce conseil, et peu de temps après

---

1. Journaliste et écrivain. A récemment publié *Le Livre d'Hannah* aux éditions Belfond.

2. En français dans le texte.

les élections, les Obama ont annoncé que leurs filles feraient toujours leur lit le matin.

Il est indéniable que, par le simple fait de vivre à la Maison-Blanche, Michelle Obama apportera une importante contribution publique. En élevant ses filles, en s'occupant de leur maison située au 1600 Pennsylvania Avenue, et non plus sur un terrain privé de Hyde Park, elle fournira au public le spectacle quotidien d'une famille afro-américaine moyenne, stable, poursuivant sa vie plus ou moins ordinaire. Les filles partiront à l'école le matin, Michelle et Barack auront des journées pleines, productives, et tous se retrouveront le soir pour dîner, et, sans aucun doute, pour une partie très disputée de Scrabble. Ainsi que Michelle l'avait espéré, leurs nouvelles fonctions permettront au public de mieux comprendre les familles noires. La question de la couleur de peau des Obama finira par devenir secondaire, hors de propos, pour disparaître totalement, un fait qui représente en soi un accomplissement extraordinaire.

Pour les femmes noires d'Amérique c'est clair, Michelle Obama est un symbole particulièrement sensible. Une femme aussi sûre d'elle, aussi forte, aussi convaincue de ses opinions, vivant une telle relation amoureuse avec un homme qui la respecte et l'apprécie à sa juste valeur, ne peut que susciter l'admiration et servir de modèle. « La nouvelle Première Dame va pouvoir éradiquer bon nombre d'horribles stéréotypes concernant les femmes noires, et montrer au monde la culture noire en général », écrit Allison Samuels du *Newsweek* dans un article intitulé « Ce que Michelle signifie pour nous ». Et elle continue : « Plus important encore, sans compter ce que son mari pourra faire, Michelle détient le pouvoir de changer la façon dont les Afro-Américains se voient eux-mêmes, et considèrent leur vie, leur avenir. » Samuels fait remarquer que 50 % des femmes afro-américaines ne sont pas mariées : « Il y a malheureusement encore peu d'exemples publics de mariages noirs solides et stables. » Dans ce même article, une femme divorcée explique sa joie que son jeune fils puisse être témoin, au jour le jour, d'une relation conjugale qui fonctionne, et conclut par ces mots : « Les Obama vont nous apprendre que l'amour et le bonheur ne sont pas uniquement réservés aux autres. »

En fait, tout le monde, indépendamment de son âge, son sexe ou la couleur de sa peau, ne peut qu'être ému et inspiré par ce couple si aimant, et par l'intimité naturelle, fluide, qui règne entre les Obama, ainsi qu'on a pu le constater lors d'interviews télévisées, peu de temps après les élections. Comme dans, par exemple, l'émission *60 minutes*, où Barack Obama, après avoir cité les plaisirs quotidiens qui lui manqueront quand il sera président, dont la marche, a proposé à Michelle de l'emmener faire un tour, et que celle-ci s'est moquée en disant qu'il faisait trop froid, avant d'éclater de rire quand il a ajouté qu'essuyer les assiettes, ce moment de détente, allait lui manquer. Il est évident que l'humour et la franchise de Michelle vont fournir à son mari un contrepoint nécessaire et utile dans les difficultés quotidiennes qui l'attendent. Face à l'énormité de la tâche à laquelle s'attaque déjà l'administration Obama, une épouse enjouée représente forcément un atout de valeur, et cela aussi fait partie de ce que les gens mariés peuvent s'apporter l'un à l'autre.

Michelle Obama va sans doute passer les six premiers mois de la présidence à organiser sa vie de famille à l'intérieur de la Maison-Blanche, mais aussi à créer une communauté loyale à l'extérieur. Bon nombre de ses vieux et fidèles amis de Chicago feront le voyage jusqu'à Washington, soit pour une visite, soit en tant que membre du gouvernement, comme Valérie Jarrett, récemment nommée conseillère senior chargée de superviser les services de liaison avec le public. Mais Michelle va devoir aussi former un nouveau réseau d'amis solides, de confidentes sûres, et de parents d'élèves, semblable à celui, si enviable, qu'elle possédait à Hyde Park. Elle affronte la tâche difficile de se faire de nouveaux amis et d'établir des relations, dans un milieu social où tout le monde, je dis bien tout le monde, voudra faire sa connaissance. Ses enfants seront les « It girls », les filles dont on parle. Les invitations vont pleuvoir sur elles à la très chic école de Sidwell. Et Michelle devra user de ses célèbres antennes pour détecter quels nouveaux amis sont sincères et loyaux, et éliminer les autres. Et, comme la plupart des parents, tandis que ses filles grandiront, elle passera de longues heures à superviser leurs devoirs et à les aider dans leurs projets scolaires.

Hormis cet aspect intime de sa vie, elle représente clairement une force à la Maison-Blanche. Une des intentions déclarées du gouvernement Obama est de rendre la présidence plus accessible au public. À cet égard, le recrutement de Désirée Rogers, une femme d'une grande valeur, amie de longue date du couple, promue secrétaire sociale à la Maison-Blanche, est significatif. Elle sera en charge d'organiser toutes les réceptions et en particulier les cérémonies d'inauguration, et Michelle lui a déjà suggéré de préparer une fête particulière pour honorer les familles de militaires à la Maison-Blanche. Sociable, dotée d'un important réseau relationnel, Michelle rendra certainement la demeure présidentielle plus accessible et plus attirante, invitant des représentants de la population historique afro-américaine du District of Columbia, qui connaît souvent des difficultés, mais aussi les meilleurs de la nation. Assurément la Maison Blanche sera plus animée que du temps de George W. Bush qui, comme chacun sait, aimait se coucher tôt. Mais il semble tout aussi juste de prédire qu'après de longues réflexions et discussions avec l'équipe de son mari, Michelle Obama aura à cœur de se consacrer à une cause importante. Elle pourrait ainsi très bien se servir de son expérience à « Public Allies » pour encourager le bénévolat et la solidarité sociale, surtout parmi les jeunes.

Michelle, désormais sans travail salarié, contribuera, par son exemple, à instruire les milieux professionnels américains sur la nécessité d'aider les parents à prendre le temps de s'occuper non seulement de leurs jeunes enfants, mais aussi de leurs adolescents. Elle permettra de faire avancer l'idée dans l'esprit des employeurs, que ce n'est pas seulement au moment de la naissance des enfants qu'il est difficile de concilier travail et vie familiale, mais au fur et à mesure de leur évolution, et que les choses peuvent devenir particulièrement délicates au moment de l'adolescence par exemple. Michelle peut propager ce point de vue, et servir également de modèle de carrière professionnelle alors qu'elle va quitter le monde du travail pendant un certain temps, pour le retrouver sans doute plus tard, avec une vision neuve et une vigueur renouvelée.

En attendant, sa vie à la Maison Blanche constituera certainement une expérience extraordinaire. Michelle va mûrir dans sa nouvelle fonction, entraînant l'Amérique avec elle. On espère que de temps en temps elle fera une déclaration spontanée sans se réfréner. Qu'elle se sentira libre de laisser s'exprimer la femme volontaire qu'elle est.

Et si l'on considère son chemin jusqu'à aujourd'hui, on ne peut qu'être frappé de voir à quel point la vie de « cette petite fille du South Side » correspond exactement à la trajectoire de son propre pays. Comme l'a fait remarquer un observateur, Michelle Obama incarne le succès du mouvement pour les droits civiques. Avec un parcours remarquable qui l'a conduite du South Shore de Chicago où sa famille n'a été acceptée qu'à contrecœur, aux forteresses des meilleures universités américaines dans les années 1980, pour la mener enfin jusqu'aux portes grandes ouvertes de la Maison Blanche.

Remerciements

Ce livre aurait été impossible à écrire sans l'aide de nombreuses personnes. J'aimerais spécialement remercier mes amies Margaret Talbot et Nell Minow, pour leur chaleureux et crucial soutien. Lisa Sockett s'est montrée bien plus importante qu'elle ne le pense. J'ai une dette envers Don Rose pour m'avoir expliqué Chicago, et à Stephan Garnett pour la visite que nous avons faite des quartiers sud de la ville. Al Kindle, merci pour la balade. Mille mercis à Newton, Jo et Martha Minow pour leur hospitalité et bonne volonté. David Mendell a très aimablement pris du temps sur sa propre enquête pour m'aider dans la mienne. Au *Washington Post*, Lynda Robinson, Tom Shroder et Kevin Miranda ont toujours été prêts à me conseiller et me soutenir ; Linda Davidson et Michel duCille m'ont aidée pour les photos ; Alice Crites et Madonna Lebling, qui ont participé aux recherches, ont prouvé comme toujours qu'elles sont capables de dénicher à peu près tout.

Je suis si reconnaissante envers ma divine éditrice Priscilla Painton, une source sans fin de sagesse et de réconfort. Dan Cabrera m'a aidée de nombreuses manières. Jay Colton a fait un travail extraordinaire pour rassembler les photos, et Jonathan Evans pour que tout roule. J'aimerais aussi remercier Emily Yoffe, Sally Bedell Smith, Emily Bazelon, David Plotz, Hanna Rosin, Gary Johnson, Mary Hutchings Reed, Jacob Weisberg, Mark Grishaber, Elizabeth Antus, Andrew Prevot, Jack Shafer, Louis Bayard, Sharon Zamore, Jill Wijangco, Michael Jamison, John McCarron, Alex Apatoff, Marcel Pacatte, Brad Flora, Jordan Buller, et Molly Selzter. Et bien sûr mon agent, Todd Shuster.

J'aimerais aussi remercier Stephens et Leigh Mundy et d'autres membres de la famille, pour leur soutien et pour avoir invité mes enfants chez eux. Comme toujours, je remercie mon mari Mark Bradley et nos enfants Anna et Robin, qui ont pris un vif intérêt à ce projet.

J'aimerais faire une place particulière à Leah Nylen. Elle a commencé comme assistante de recherche, et est devenue une alliée de valeur. Elle possède une ténacité, une débrouillardise et une capacité de travail étonnantes. Je finirai en remerciant aussi tous ceux qui ont accordé des entretiens. C'était un acte de service public, et ce livre est redevable à chacun d'eux.

Notes

Prologue

p. 9, *En janvier 1964* : la description du travail de Fraser Robinson III est tirée des registres fournis par le Département des Ressources Humaines de la ville de Chicago.

p. 10, *Au sein de la communauté côtière* : les détails concernant le Comté de Georgetown sont fournis par Walter Edgar, directeur du Institute for Southern Studies à l'université de Caroline du Sud, 24 juillet 2008. L'inscription à la conscription militaire du premier Fraser Robinson mentionne qu'il travaillait dans les fours à bois pour la Atlantic Coast Lumber Company et avait perdu son bras gauche.

p. 10, *Certains de leurs descendants* : l'estimation du moment que choisit Fraser Robinson II pour déménager à Chicago est fondé sur son contrat de mariage ; il s'est marié en 1934, dans le Cook County.

p. 11, *La Grande Migration* : cette description de la Grande Migration et de son impact sur la ville de Chicago repose sur des commentaires de Don Rose, et aussi sur la définition publiée sur le site Web de l'Encyclopédie de Chicago, compilée par le Musée d'Histoire de Chicago et disponible sur www.encyclo-pedia.chicagohistory.org. Reportez-vous à la définition de « South Side » par Dominic A. Pacyga, « Great Migration » par James Grossman, et « African Americans » par Christopher Manning.

p. 14, *Six mois après la naissance* : le Civil Rights Act, signé par le président des États-Unis, Lyndon Johnson, le 2 juillet 1964, comportait un ensemble de lois qui rendirent illégale la discrimination reposant sur la race, la couleur, la religion, le sexe, ou l'origine nationale.

p. 17, *Elle fit remarquer un jour* : Debra Pickett, « My parents weren't college-educated folks, so they didn't have a notion of what we should want » (« Mes parents n'étaient pas allés au lycée, ils n'avaient donc pas idée de ce à quoi nous aurions dû aspirer »), *Chicago Sun Times*, 19 septembre 2004.

p. 18, *Michelle Obama a estimé* : Monica Langley, « Michelle Obama solidifies her role in the election » (« Michelle Obama consolide son rôle dans l'élection »), *Wall Street Journal*, 11 février 2008.

p. 19, *« Qui est Barack Obama ? »* : Scott Helman, « Michelle Obama revels in family role » (« Michelle Obama révélée par son rôle familial »), *The Boston Globe*, 28 octobre 2007.

p. 20, *« S'il s'inquiète du sort »* : Jennifer Loven, « Obama and family spend fourth of july in Montana » (« Obama passe le 4 juillet en famille dans le Montana »), Associated Press, 4 juillet 2008.

p. 20, *« Il a été élevé par »* : Mary Mitchell, « A girl from the South Side talks » (« C'est une fille des quartiers sud qui vous parle »), *Chicago Sun-Times*, 5 août 2007.

p. 20, *« Peut-être qu'un jour »* : Jodi Kantor et Jeff Zeleny, « Michelle Obama adds new role to balancing act » (« Michelle Obama ajoute un nouvel élément aux lois de l'équilibre »), *The New York Times*, 18 mai 2007.

p. 20, *« La seule chose que je dis »* : Suzanne Bell, « Michelle Obama speaks at Illinois State » (« Le discours de Michelle Obama à l'Illinois State U. »), *The Daily Vidette*, 26 octobre 2004.

p. 21, *« c'était un type intelligent »* : M. Charles Bakst, « Brown Coach Robinson, a strong voice for brother-in-law Obama » (« Robinson, entraîneur de Brown University, beau-frère d'Obama, une voix forte »), *The Providence Journal*, 20 mai 2007.

p. 22, *« ce voile d'impossibilité »* : Richard Wolffe, « Inside Obama's dream machine » (« Dans la machine à rêves d'Obama »), *Newsweek*, 14 janvier 2008.

p. 26, *« La vie dont je parle »* : Robin Abcarian, « Michelle Obama in spotlight's glare » (« Michelle Obama sous les projecteurs »), *Los Angeles Times*, 21 février 2008.

p. 26, *« Vous savez pourquoi »* : Kristen Gelineau, « Michelle Obama : a would-be First Lady drifts into rock-star territory, tentatively » (« Michelle Obama : une Première Dame potentielle s'essaie au show façon rock star »), Associated Press, 29 mars 2008.

p. 27, *En avril 2008, dans l'Indiana* : Caren Bohan, « Obama's wife joins push to court U.S. working-class » (« La femme d'Obama allie ses efforts pour conquérir la classe ouvrière américaine »), Reuters, 1er mai 2008.

p. 27, *« Quel être sensé »* : Mary Mitchell, « A girl from the South Side talks » (« C'est une fille des quartiers sud qui vous parle »), *Chicago Sun Times*, 5 août 2007.

p. 28, *Un commentateur releva* : Megan Garber, « The Sisterhood of the Travelin Pantyhose » (« La solidarité féminine »), *Columbia Journalism Review* en ligne, 19 juin 2008, http://www.cjr.org/campaign_desk/the_sisterhood_of_the_travelin.php.

p. 28, *« Je veux bien raconter ma vie »* : Michael Powell et Jodi Kantor, « After attacks, Michelle Obama looks for a new introduction » (« Après les attaques, Michelle Obama en quête d'un nouveau départ »), *The New York Times*, 18 juin 2008.

p. 30, *Contrairement à son mari* : David Mendell, *Obama : des promesses au pouvoir* (New York, Harper Collins, 2008). Paragraphe 62. Barack Obama, pendant ses « heures solitaires » à l'université de Columbia, a dévoré les livres.

p. 31, *« dans l'expérience des Noirs »* : interview de Eugene Y. Lowe par l'auteur, 13 juin 2008.

p. 32, *« Les Afro-Américains analysent »* : interview de Ronald Walters par l'auteur, 28 mai 2008.

p. 34, *« À partir de ce moment »* : interview de Meg Hirshberg par l'auteur, 8 juin 2008.

Chapitre 1

p. 38, *« Au plus profond de moi »* : Kristen Gelineau, « Michelle Obama : a would-be First Lady drifts into rock-star territory, tentatively » (« Michelle Obama : une First Lady potentielle s'essaie au show façon rock star »), Associated Press, 29 mars 2008.

p. 39, *D'ailleurs, Barack Obama lui-même* : Barack Obama, *Les Rêves de mon père, l'histoire d'un héritage en noir et blanc*, Presses de la Cité, 2008, Points, 2008. (*Dreams from my Father : a Story of Race and Inheritance*, New York, Three Rivers Press, 2004, p. 144 à 147).

p. 40, *Fraser Robinson faisait du bénévolat* : Scott Helman, « Holding down the Obama family fort » (« Protéger la forteresse familiale des Obama »), *The Boston Globe*, 30 mars 2008.

p. 41, *Le responsable de quartier* : John Stroger, cité dans l'histoire orale des années Daley de Milton L. Rakove, *We don't want nobody nobody sent* (Bloomington, Indiana University Press, 1979), p. 175 à 178. James Taylor cité p. 163.

p. 43, « *une conspiration massive* » : interview de Don Rose par l'auteur, 29 mai 2008.

p. 43, « *Maîtriser les nègres* » : Mike Royko, *Boss : Richard J. Daley of Chicago*, (New York, Dutton, 1971), p. 132.

p. 43, « *Un Noir pouvait traverser* » : *Boss : Richard J. Daley of Chicago*, Mike Royko (New York, Dutton, 1971), p. 135.

p. 44, « *En règle générale, les Blancs* » : *Boss : Richard J. Daley of Chicago*, Mike Royko (New York, Dutton, 1971), p. 135.

p. 44, *Daley préservait cet état de fait* : Don Rose, « Chicago politics from Daley to Daley : stumbling toward reform » (« La politique à Chicago de Daley à Daley : pierre d'achoppement de la réforme »), *Illinois Political Science Review*, printemps 1995, vol. I, n°. I, p. 13 à 21.

p. 45, « *Les nègres étaient prévenus* » : *Boss : Richard J. Daley of Chicago*, Mike Royko (New York, Dutton, 1971), p. 134.

p. 45, « *Pour obtenir un emploi municipal* » : interview de Don Rose par l'auteur, 29 mai 2008.

p. 46, « *Il y avait quelques volontaires* » : interview de Cliff Kelley par l'auteur, 26 juillet 2008.

p. 46, « *Il était [de façon quasi certaine]* » : interview de Leon Despres par l'auteur, 18 juin 2008.

p. 47, « *Mon père avait une sclérose en plaques* » : Pete Thamel, « Coach with a link to Obama has hope for Brown's future » (« Les espoirs de l'entraîneur parent d'Obama pour l'avenir de Brown University »), *New York Times*, 16 février 2007. Barack Obama a décrit la mort de Fraser Robinson dans *L'Audace d'espérer, une nouvelle conception de la politique américaine*, Presses de la Cité, 2007 (*The Audacity of Hope : Thoughts on Reclaiming the American Dream*, New York, Three Rivers Press, 2006, p. 332).

p. 48, « *Inconsciemment peut-être* » : interview de Al Kindle par l'auteur, 30 mai 2007.

p. 49, « *Notre famille était très cynique* » : interview de Craig Robinson par l'auteur, 20 juin 2007.

Chapitre 2

p. 51, *La famille Robinson* : Michelle Obama a dit une fois que sa famille avait emménagé dans la maison d'Euclid Avenue quand elle avait un an, mais les listes électorales situent leur déménagement de South Park en 1970.

p. 52, *Une des amies de Michelle* : Rosalind Rossi, « Obama's anchor » (« L'ancre d'Obama »), *Chicago Sun Times*, 21 janvier 2007.

p. 53, *« Mes deux enfants étaient »* : Harriette Cole, « From a mother's eyes » (« À travers les yeux d'une mère »), *Ebony*, septembre 2008.

p. 54, *À l'époque de la constitution de Chicago* : les détails qui concernent South Shore sont tirés de conversations avec Abner Mikva et Don Rose, de la définition de « South Shore » par Wallace West, dans l'Encyclopédie de Chicago et du *Local Community Fact Book : Chicago Metropolitan Area : Based on the 1970 and 1980 Censuses*, publié par le Chicago Fact Book Consortium (Chicago, Chicago Review Press, 1984), p. 116 à 118.

p. 55, *« Chicago se porte mieux »* : interview de Abner Mikva par l'auteur, 20 mai 2008.

p. 55, *« Toute ma vie – et je suis né dans cette ville »* : interview de Arthur Brazier par l'auteur, 10 juin 2008.

p. 56, *« Il y avait des frontières raciales »* : interview de Byron Brazier par l'auteur, 10 juin 2008.

p. 56, *« Je me souviens de mon oncle et ma tante »* : Interview de Stephan Garnett par l'auteur, 17 juin 2008.

p. 57, *« Nous voulions élever nos deux enfants »* : Sel Yackley, « South Shore – Integration since 1955 » (« South Shore : l'intégration depuis 1955 »), *Chicago Tribune*, 9 avril 1967.

p. 59, *« Blancs et Nègres de South Shore »* : « Interracial home visits will begin Dec. 12 » (« Les visites interraciales de maisons commenceront le 12 décembre »), *South Shore Scene*, décembre 1965.

p. 60, *« Là où vous voyez un taudis »* : Steve Kerch, « South Shore : Country Club symbolizes rebirth of neighborhood » (« South Shore : le Country Club symbolise le retour de la vie de quartier »), *Chicago Tribune*, 25 novembre 1984.

p. 61, *Son frère Craig devait raconter* : Bill Reynolds, « Yes, he's much more than Obama's brother-in-law » (« Oui, il est bien plus que le beau-frère d'Obama »), *The Providence Journal*, 10 février 2008.

p. 62, « *Cela me semblait toujours* » : M. Charles Bakst, « Brown Coach Robinson, a strong voice for brother-in-law Obama » (« Robinson, entraîneur de Brown University, le beau-frère d'Obama, une voix forte »), *The Providence Journal*, 20 mai 2007.

p. 62, « *Quand vous êtes un gamin* » : Peter Slevin, « Her heart's in race » (« Son cœur est en course »), *The Washington Post*, 28 novembre 2007.

p. 62, « *La question scolaire* » : Desmond Conner, « Coach has own campaign » (« Coach mène sa propre campagne »), *Hartford Courant*, 28 février 2008.

p. 62, « *intelligent, travailleur* » : M. Charles Bakst, « Brown Coach Robinson, a strong voice for brother-in-law Obama » (« Robinson, entraîneur de Brown University, le beau-frère d'Obama, une voix forte »), *The Providence Journal*, 20 mai 2007.

p. 62, « *Difficile de passer à côté* » : interview de Jesse Jackson Senior par l'auteur, 12 juin 2008.

p. 62, *En 1968, la zone* : interview de Al Kindle par l'auteur, 30 mai 2007.

p. 63, *Stephan Garnett se souvient* : interview de Stephan Garnett par l'auteur, 17 juin 2008.

p. 64, « *Maman et papa* » : interview de Terrance Thompson par l'auteur, 18 juin 2008.

p. 65, *Earma Thompson se souvient* : interview de Earma Thompson par l'auteur, 18 juin 2008.

p. 65, « *À peu près tout le monde ici* » : interview de Ola Credit par l'auteur, 18 juin 2008.

p. 65, « *Il est arrivé plus d'une fois* » : interview de Jesse Jackson Senior par l'auteur, 12 juin 2008.

p. 66, « *Mes enfants étaient heureux* » : interview de Sammie Jackson par l'auteur, 18 juin 2008.

p. 66, « *Lorsque vous grandissez* » : interview de Stephan Garnett par l'auteur, 17 juin 2008.

p. 67, « *Nous avons eu le meilleur exemple* » : Christi Parsons, Bruce Japsen et Bob Secter, « Barack's rock » (« Le Roc de Barack »), *Chicago Tribune*, 22 avril 2007.

p. 67, « *des tas de tantes* » : Debra Pickett, « My parents weren't college-educated folks, so they didn't have a notion of what we should want » (« Mes parents n'étaient pas allés au lycée, ils n'avaient donc pas idée de ce à quoi nous aurions dû aspirer »), *Chicago Sun Times*, 19 septembre 2004.

p. 67, « *très soignée et terre à terre* » : interview de Johnie Kolheim par l'auteur, 8 mai 2008.

p. 68, « *Je dis toujours qu'à partir* » : Cassandra West, « Her plan went awry, but Michelle Obama doesn't mind » (« Son plan va de travers, mais Michelle Obama s'en fiche »), *Chicago Tribune*, 1er septembre 2004.

p. 68, « *Elle a toujours eu de l'allure* » : interview de Ola Credit par l'auteur, 18 juin 2008.

p. 69, « *Si la télévision tombait en panne* » : Cette citation et les détails qui concernent les jeux de société et les vacances d'été sont tirés de l'article de Lauren Collins, « The other Obama : Michelle Obama and the politics of candor » (« L'autre Obama : Michelle Obama et la politique de la sincérité »), *The New Yorker*, 10 mars 2008, p. 88. Barack Obama compare la famille de Michelle à celle de *Leave it to Beaver* dans *The Audacity of Hope*, p. 330 (*L'Audace d'espérer, une nouvelle conception de la politique américaine*, Presses de la Cité, 2007). Le commentaire de Michelle est tiré de l'article de Richard Wolffe, « Barack's rock » (« Le Roc de Barack »), *Newsweek*, 25 février 2008.

p. 70, « *On ne grandit pas* » : interview de Stephan Garnett par l'auteur, 17 juin 2008.

p. 71, « *Ce que j'ai appris, enfant* » : Debra Pickett, « My parents weren't college-educated folks, so they didn't have a notion of what we should want » (« Mes parents n'étaient pas allés au lycée, ils n'avaient donc pas idée de ce à quoi nous aurions dû aspirer »), *Chicago Sun Times*, 19 septembre 2004.

p. 71, « *Nous sommes devenus une nation* » : Lauren Collins, « The other Obama : Michelle Obama and the politics of candor » (« L'autre Obama : Michelle Obama et la politique de la sincérité »), *The New Yorker*, 10 mars 2008, p. 88.

p. 74, « *Pendant l'été 1963* » : Interview de Don Rose par l'auteur, 29 mai 2008.

Chapitre 3

p. 78, « *Ce fut un geste spontané* » : interview de Christy Mc Nulty Niezgodzki par l'auteur, 3 juin 2008.

p. 80, « *Mes parents n'avaient pas reçu d'éducation supérieure* » : Pickett, « My parents weren't college-educated folks, », *Chicago Sun Times*, 19 septembre 2004.

p. 80, « *À l'époque, quitter son quartier* » : interview de Dagny Bloland par l'auteur, 29 mai 2008.

p. 81, *Les changements qui en résultèrent* : interview de Brazier par l'auteur.

p. 82, « *C'était une école* » : interview de Kindle par l'auteur.

p. 85, « *Mais Michelle se tenait à l'écart* » : Ava Griffin, interviewée par l'auteur, 3 juin 2008.

p. 85, « *Michelle a toujours su se faire entendre* » : Collins, « The Other Obama ».

p. 85, « *de faire comme s'il ne la connaissait pas* » : Collins, « The Other Obama ».

p. 85, « *Elle ne cessait de le harceler* » : Holly Yeager, « The Heart and Mind of Michelle Obama », *O, The Oprah Magazine*, novembre 2007.

p. 85, « *Il était clair qu'elles avaient* » : interview de Jackson par l'auteur.

p. 86, *sa mère s'était étonnée du prix* : Rebecca Johnson, « The Natural », *Vogue*, septembre 2007.

p. 87, « *Michelle était toujours déçue* » : Wolfe, « Barack's Rock ».

p. 87, « *Peu de personnes croyaient en moi* » : Theresa Fambro Hooks, « Teesee's Town », *Chicago Defender*, 16 novembre 2006.

p. 87, « *Il y a toujours eu quelqu'un* » : Mark Steyn, « Mrs Obama's America », *National Review*, 21 avril 2008.

p. 88, *personne ne lui avait jamais parlé de* : Charla Brautigam, « The Secrets of Success », *Herald News*, 14 octobre 2004.

p. 89, « *Si tu choisis* » : Thamel, « Coach With a Link to Obama ».

p. 89, « *Vous ne travaillez pas à Wall Street* » : Conner, « Coach Has Own Campaign ».

p. 89, « *J'ai été dépassé* » : Reynolds, « Yes, He's much more than Obama's brother-in-law. »

p. 90, « *J'ai presque honte de* » : Thamel, « Coach with a link To Obama. »

p. 90, « *Je le connaissais* » : Wolffe, « Barack's Rock ».

Chapitre 4

p. 93, *En 1936, Bruce M. Wright* : James Axtell, « The making of Princeton University : From Woodrow Wilson to the present » (Princeton : Princeton University Press, 2006), 144, n° 78.

p. 97, « *Les gens n'apprennent pas* » : Axtell, *Princeton University*, cite cette citation du Supreme Court Justice Lewis Powell, et fait remarquer qu'il a été influencé par un essai de William Bowell publié dans le *Princeton Alumni Weekly* en 1977, et que Bowen attribue l'idée à Eugene Y. Lowe.

p. 97, *En 1972, l'année où* : « Le président de Princeton combat les charges des Conservative Alumni », Associated Press, 18 janvier 1985. Axtell discute du CAP dans *Princeton University*, p. 216 à 218.

p. 97, « *Ces gens n'aimaient pas le changement* » : interview de William Bowen par l'auteur, 5 juin 2008.

p. 99, *L'une de ses nouvelles amies* : Brian Feagans, « Color of Memory Suddenly Grows Vivid », *Atlanta Journal Constitution*, 13 avril 2008.

p. 100, « *Maman a fait toute une histoire* » : Powell et Kantor, « After Attacks, Michelle Obama ».

p. 100, « *Michelle a commencé très tôt* » : Sally Jacobs, « Learning to be Michelle Obama » *The Boston Globe*, 15 juin 2008.

p. 102, « *Les étudiants de couleur* » : interview de Eugene Y. Lowe par l'auteur.

p. 102, « *Nous avons tous appris à nos dépens* » : interview de Bowen par l'auteur.

p. 103, « *C'était un peu embarrassant* » : interview de Robin Givhan par l'auteur, 21 mai 2008.

p. 104, « *On a vraiment le sentiment de* » : interview de Lisa Rawlings par l'auteur, 15 juin 2008.

p. 105, « *Elle savait créer de véritables liens* » : interview de Czerny Brasuell par l'auteur, 23 juin 2008.

p. 106, « *Ma sœur et moi* » : interview de Craig Robinson par l'auteur.

p. 110, *Elle avait l'impression* : interview de Sharon Fairley par l'auteur, 8 mai 2008.

p. 111, « *J'y allais moi aussi* » : interview de Givhan par l'auteur, 8 mai 2008.

p. 112, *Selon Martin Bressler* : interview de Givhan par l'auteur.

p. 112, *Howard Taylor, ancien président* : Taylor et Charles Ogletree sont cités dans Jacobs, « Learning to be Michelle Obama ».

p. 112, *Chrystal Nix Hines* : Powell et Kantor, « After Attacks, Michelle Obama ».

p. 113, « *Elle ne portait pas sa race* » : interview de Brasuell par l'auteur.

Chapitre 5

p. 115, « *Elle n'a jamais été ouvertement politique* » : interview de Peggy Kuo par l'auteur, 7 juin 2008.

p. 119, « *Il y avait un petit côté* » : interview de Dave Jones par l'auteur, 10 juin 2008.

p. 119, « *C'est ce que j'ai fait de plus passionnant* » : interview de Ronald Torbert par l'auteur, 16 juin 2008.

Chapitre 6

p. 123, *Bien qu'il se décrive* : interview de Stephen Carlson par l'auteur, 11 juin 2008.

p. 126, *la « branche marketing »* : interview de Brian Sullivan par l'auteur, 2 mai 2008.

p. 127, « *C'était, sans conteste, la spécialité* » : interview de Mary Carragher par l'auteur, 30 mai 2008.

p. 127, « *Je l'aimais beaucoup* » : interview de Mary Hutchings Reed par l'auteur, 30 mai 2008.

p. 128, « *Michelle… on n'avait pas envie* » : interview de Andrew Goldstein par l'auteur, 30 mai 2008.

p. 128, *une personne fait entendre* : interview de Quincy White par l'auteur, 30 mai 2008.

p. 130-131, « *Cela ne me surprend pas* » : interview de Abner Mikva par l'auteur, 19 juin 2008.

p. 131, « *Si l'on ne prend pas plaisir* » : Thamel, « Coach with a Link to Obama ».

p. 132, « *ringard, bizarre et peu engageant* » : Scott Fornek, « He Swept Me Off My Feet », *Chicago Sun-Times*, 3 octobre 2007.

p. 132, « *Il paraissait du genre trop poli* » : Mendell, *Obama : From Promise To Power*, p. 93 et 94.

p. 133, « *Elle rencontrait des types* » : interview de Craig Robinson par l'auteur.

p. 133, *les deux seuls Noirs* : West, « Her Plan Went Awry ».

p. 133, « *Je me souviens de l'un des membres* » : interview de Carlson par l'auteur.

p. 133, « *L'été où j'ai rencontré Barack* » : West, « Her Plan Went Awry ».

p. 134, « *Ils étaient un peu gênés, je crois* » : interview de Newton Minow par l'auteur, 9 mai 2008.

p. 134, « *on imagine sans peine* » : interview de Carragher par l'auteur.

p. 135, « *comme si, au fond* » : Obama, *Audacity of Hope*, p. 329.

p. 136, « *Cela va dans le sens* » : Mendell, *Obama*, p. 102.

p. 136, « *Je suis ravie* » : Kim McLarin, « The Real Prize » The Root.com, http//www.theroot.com/id/44409.

p. 136, *Debra Dickerson a fait remarquer* : interview de Debra Dickerson par l'auteur, juin 2007.

p. 138, « *C'est exactement ce qui m'a* » : Kalari Girtley et Brian Wellner, « Michelle Obama Is Hyde Park's Career Mom », *Hyde Park Herald*, 14 février 2007.

p. 139, « *Il était très, très discret* » : Stefano Esposito, « Two People Who Love Each Other », *Chicago Sun-Times*, 13 juillet 2008.

p. 139, *Craig se plaît à raconter* : interview de Craig Robinson par l'auteur.

p. 139, « *Michelle s'est tout de suite* » : Stefano Esposito, « Two People Who Love Each other ».

p. 139, « *Je suis certaine qu'il* » : interview de Martha Minow par l'auteur, 9 mai 2008.

p. 140, « *Nous discutions beaucoup* » : Sarah Brown, « Obama '85 Masters Balancing Act », *The Daily Princetonian*, 7 décembre 2005.

p. 140, *Cependant, alors qu'elle découvrait* : interview de Carragher par l'auteur.

p. 141, « *Lorsque nous sortions* » : interview de Michelle Obama par l'auteur, 18 juillet 2007.

p. 141, « *d'une ambition manifeste* » : interview de Robert Putnam par l'auteur, juin 2007.

p. 141, « *Je crois qu'il se voyait* » : interview de Newton Minow par l'auteur.

p. 141, *Craig se plaît aussi à évoquer* : interview de Craig Robinson par l'auteur.

p. 142, « *Il aurait tout aussi bien* » : interview de Michelle Obama par l'auteur.

p. 142, « *Elle savait où elle* » : Leslie Bennetts, « First Lady in Waiting », *Vanity Fair online*, 21 décembre 2008, http://www.vanityfair.com/politics/features/2007/12/Michelle-obama200712

p. 142, « *L'histoire est remplie de gens* » : interview de Kindle par l'auteur.

p. 143, *Michelle raconte* : Fornek « He Swept Me Off My Feet ».

p. 144, *Newton Minow relate* : interview de Minow par l'auteur.

p. 145, *Lui-même n'avait cessé* : Obama, *Audacity of Hope*, p. 328.

p. 145, « *J'ai regardé autour de moi* » : Powell et Kantor, « After Attacks, Michelle Obama ».

p. 146, « *Puis-je aller aux réunions* » : Pickett, « My Parents Weren't College-Educated Folks ».

p. 146, « *Je ne voyais pas beaucoup* » : Wolffe, « Barack's Rock ».

p. 146, « *Je comprends* » : interview de Reed par l'auteur.

p. 146, « *Au début, c'est amusant* » : interview de Carragher par l'auteur.

p. 147, « *Nous avons renoncé* » : Byron York, « Michelle's Struggle », *National Review*, 9 février 2008.

p. 148, « *Nous n'avons pas besoin* » : Abcarian, « Michelle Obama in Spotlight's Glare ».

p. 148, « *Quand on a reçu* » : Scott McKay et Mark Arsenault, « Campaign 2008 – Making Obama's Case », *The Providence Journal*, 21 février 2008.

p. 149, « *Je suis très content* » : interview de Carlson par l'auteur.

Chapitre 7

p. 151, *Pendant son premier mandat* : anecdotes fournies par Don Rose.

p. 152, *il était désormais évident* : interview de Judson Miner par l'auteur, juin 2007.

p. 152, *« J'étais, comme beaucoup »* : interview de Barack Obama par l'auteur, juillet 2007.

p. 153, *« Il est nécessaire d'avoir »* : interview de Michelle Obama par l'auteur.

p. 154, *Miner souligne que lors* : interview de Miner par l'auteur.

p. 155, *« À la fin de l'entretien »* : Wolffe, « Barack's Rock ».

p. 155-156, *« Cela ne pourrait manquer »* : interview de Don Rose par l'auteur, 1er août 2008.

p. 156, *Obama craignait aussi* : Mendell, *Obama*, p. 103.

p. 156, *« Mon fiancé veut savoir »* : Parsons et al., « Barack's Rock ».

p. 156, *« Barack ne s'est pas »* : Parsons et al., « Barack's Rock ».

p. 157, *« Fondamentalement, nous travaillons »* : Girtley et Wellner, « Michelle Obama ».

p. 157, *« Beaucoup de gens »* : Karen Springen et Jonathan Darman, « Ground Support », *Newsweek*, 29 janvier 2007.

p. 159, *« Ils font partie de ces gens »* : interview de Marilyn Katz par l'auteur, 10 juin 2008.

p. 160, *« Beaucoup de gens ont du mal »* : Parsons et al., « Barack's Rock ».

p. 161, *Barack faisait partie* : Parsons et al., « Barack's Rock ».

p. 162, *« Je porte des jeans »* : Carol Kleiman, « Xers Don't Fit the Stereotypes », *Chicago Tribune*, 9 avril 1995.

p. 162, *« Elle avait un côté »* : interview de Julian Posada par l'auteur, 19 juin 2008.

p. 163-164, *Michelle « avait de très hautes ambitions »* : Yeager, « The Heart and Mind of Michelle Obama ».

p. 164, *« Le truc le plus fort »* : Parsons et al., « Barack's Rock ».

p. 164-165, *« C'était trop démonstratif »* : Suzanne Perry, « Fired Up and Ready to Grow », *The Chronicle of Philanthropy*, 17 avril 2008.

p. 165, *« On le sent, quand »* : Jobi Petersen, interviewée par l'auteur, 23 juin 2008.

p. 168, *Dans le* National Review : Steyn, « Mrs Obama's America ».

p. 169, *« Nous avons tellement plus »* : Sandra Sobieraj Westfall, « Michelle Obama : "This is Who I Am" », *People*, 18 juin 2007.

p. 170, *Elle emmena Michelle déjeuner* : interview de Joe Minow par l'auteur, 9 mai 2008.

p. 171, « *Il n'est pas du genre* » : Girtley et Wellner, « Michelle Obama ».

p. 171, « *Il la vénère* » : interview de Martha Minow par l'auteur.

p. 171, *Michelle – le patron* : Deanna Bellandi, « Michelle Obama Likes to Razz Her Husband », *Associated Press*, 29 mai 2007.

p. 172, « *Il n'avait pas d'argent* » : Girtley et Wellner, « Michelle Obama ».

Chapitre 8

p. 173, *Obama s'adressa à* : Ryan Lizza, « Making It », *The New Yorker*, 21 juillet 2008.

p. 173, *Michelle m'a raconté* : interview de Michelle Obama par l'auteur.

p. 174, « *Elle le trouvait tellement* » : Melinda Henneberger, « The Obama Marriage », *Slate*, 26 octobre 2007.

p. 174, « *Vous savez, Barack* » : interview de Michelle Obama par l'auteur.

p. 176, « *un chômage concentré et persistant* » : William Julius Wilson, *When Work Disappears : The World of the New Urban Poor* (New York, Knopf ; 1996), p. 3 à 24.

p. 177, « *J'ai des tas d'amis* » : Girtley et Wellner, « Michelle Obama ».

p. 179, « *Michelle est arrivée* » : interview de Minow par l'auteur.

p. 180, « *Au début, dit Mikva* » : interview de Mikva par l'auteur.

p. 181, *qui souhaitait tellement l'engager* : Jason Zengerle, « Con Law », *The New Republic*, 30 juillet 2008.

p. 181, « *Je passais souvent la soirée* » : Obama, *The Audacity of Hope*, p. 338.

p. 181, *Michelle ne tomba pas tout de suite* : Kevin O'Leary, « Why Barack Loves Her », *Us Weekly*, 30 juin 2008.

p. 182, « *un foyer où* » : Kantor et Zeleny, « Michelle Obama Adds New Role ».

p. 182, « *Parfois je veux tout faire* » : Mendell, *Obama*, p. 104.

p. 182, « *Il ne voulait pas* » : Mendell, p. 140.

p. 182, « *Il n'avait aucune idée* » : Joyce Feuer, « Typical First-Time Dad », *Hyde Park Herald*, 14 février 2007.

p. 183, « *pendant trois mois magiques* » : Obama, *The Audacity of Hope*, p. 339.

p. 183, « *Nos filles savent* » : Girtley et Wellner, « Michelle Obama ».

p. 184, « *nous avions eu des discussions* » : interview de Martha Minow par l'auteur.

p. 185, « *quelqu'un de distant* » : Mendell, *Obama*, p. 121.

p. 185, « *Je ne me voyais pas* » : interview de Barack Obama par l'auteur.

p. 186, « *Je me posais vraiment* » : interview de Mikva par l'auteur.

p. 186, « *Nous savions tous* » : interview de Kindle par l'auteur.

p. 187, « *Le fait que je ne range pas* » : Obama, *The Audacity of Hope*, 340.

p. 188, « *Nous passons des moments* » : Liz Halloran, « Q & A : Michelle Obama ; From the Soccer Field to the Stump », *U.S. News & World Report*, 11 février 2008.

p. 188, « *ne se parlaient quasiment* » : Mendell, *Obama*, p. 135.

p. 188, *Shomon, qui n'avait cessé* : Mendell, p. 136 à 169.

p. 189-190, « *Il n'est pas très bon perdant* » : interview de Dan Shomon par l'auteur, juin 2007.

p. 190, « *C'est la seule fois* » : interview de Mikva par l'auteur.

p. 190, « *Je me suis mis à avoir* » : interview de Barack Obama par l'auteur.

p. 190, « *Il disait toujours* » : interview de Shomon par l'auteur.

p. 190, « *Michelle voulait qu'il* » : interview de Minow par l'auteur.

p. 191, « *Je suis sûre que Michelle* » : Mendell, *Obama*, p. 145.

p. 191, *Barack a raconté* : Obama, *Audacity of Hope*, p. 355 (*L'Audace d'espérer*, Presses de la Cité, 2008, Points, 2008).

p. 192, « *Je pensais que* » : interview de Barack Obama par l'auteur.

p. 192, « *Mais vous êtes sénateur* » : interview de Minow par l'auteur.

p. 192, « *Je savais qu'il était* » : interview de Shomon par l'auteur.

p. 193, *Elle se débattait entre* : West, « Her Plan Went Awry ».

p. 194, « *Il y a eu une période* » : Holly Yeager, « The Heart and Mind of Michelle Obama ».

p. 194, « *Je ne pouvais pas être* » : West, « Her Plan Went Awry ».

p. 195, « *Comment faire pour* » : Sandra Sobieraj Westfall, « Michelle Obama : "This is Who I Am" », *People*, 18 juin 2007.

p. 195, « *il y avait beaucoup* » : Judy Keen, « Candid and Unscripted, Campaigning Her Way », *USA Today*, 11 mai 2007.

p. 195, « *Obama n'aurait pas* » : interview de Kindle par l'auteur.

p. 196, *Pendant une période* : Slevin, « Her Heart's in the Race ».

p. 196, « *À chaque étape* » : interview de Michelle Obama par l'auteur.

Chapitre 9

p. 199, « *J'estimais que nous ne pouvions* » : Mendell, *Obama*, p. 151.

p. 199, *sa carrière politique avait mis* : Mendell, *Obama*, p. 152.

p. 200, « *Michelle, raconte-t-elle* » : interview de Martha Minow par l'auteur.

p. 200, *Michelle alla également* : Mendell, *Obama*, p. 155.

p. 201, *Abner Mikva conseilla* : Joe Becker et Christopher Drew « Pragmatic politics, forged on the South Side » (Une politique pragmatique née dans le South Side), *The New York Times*, 11 mai 2008.

p. 201, *Leurs bases se chevauchaient* : interview de Barack Obama par l'auteur.

p. 202, *Juste après le nouvel an* : Mendell, *Obama*, p. 161.

p. 202, *Quatre ans plus tard, Kwame* : Kwame Raoul, « Stay out of jail », « Évite la prison », *Hyde Park Herald*, 14 février 2007.

p. 204, « *C'était un énorme avantage* » : interview de Mikva par l'auteur.

p. 204, *Obama fit appel à Michelle* : Mendell, *Obama*, p. 230.

p. 205, « *Ils t'aiment vraiment !* » : Eric Zorn, « Victory party puts tiny cracks in Obama calm » (la victoire du parti révèle quelques failles dans le calme d'Obama), *Chicago Tribune*, 18 mars 2004.

p. 206, « *Il est très excité* » : Zorn, « Victory party ».

p. 206, « *Je suis fatiguée* » : Lauren W. Whittington, « Final Days for fighting Illini », (Derniers jours pour convaincre l'Illinois), *Roll Call*, 9 mars 2004.

p. 207, « *Ce qu'on oublie de dire* » : interview de Michelle Obama par l'auteur.

p. 207, *Il y avait eu des rumeurs* : Mendell, *Obama*, p. 171.

p. 208, « *En tant que candidat* », interview de Michelle Obama par l'auteur.

p. 208-209, « *des personnalités qui inspiraient l'espoir* » : interview de Donna Brazile par l'auteur, juin 2007.

p. 209, « *un message d'inclusion* » : interview de John Kerry par l'auteur, juillet 2007.

p. 210, « *Il faut imaginer le rythme* » : interview de Robert Gibbs par l'auteur, 14 juin 2007.

p. 210, « *Il a reçu beaucoup d'attention* » : Eric Krol, « Obama Tries To Keep Cool As Star Rises » (« Obama essaye de garder son calme alors que son étoile monte »), *Chicago Daily Herald*, 27 juillet 2004.

p. 211, « *Allez, ne te plante pas !* » : Obama, *L'Audace d'espérer*, p. 359.

p. 211, « *Elle écoutait attentivement* » : Collins, « L'Autre Obama ».

p. 212, « *C'est comme marcher* » : interview de Craig Robinson par l'auteur.

p. 214, *Jeremiah Posedel* : interview de Jeremiah Posedel par l'auteur, 1er août 2008.

p. 214, « *Le but originel* » : interview de Gibbs par l'auteur.

p. 215, « *Le stress du voyage* » : Mendell, *Obama*, p. 293.

p. 215, « *Il était vraiment furieux* » : interview de Shomon par l'auteur.

p. 217, « *Je ne m'y attendais pas* » : Christopher Wills, « Obama's Wife Take Big Role In Campaign » (« La femme d'Obama prend un rôle important pendant la campagne »), *Associated Press*, 23 octobre 2004.

p. 218, « *Papa ne va pas* » : Christopher Benson, « Barack And Michelle Obama Begin Their Storied Journey » (« Barack et Michelle Obama commencent leur périple légendaire »), *Savoy*, février 2005.

p. 218, « *La première conversation* » : interview de David Axelrod par l'auteur, juin 2007.

p. 218, « *Nous avons délibérément* » : interview de Barack Obama par l'auteur.

p. 219, *Obama écrira plus tard* : Obama, *L'Audace d'espérer*, p. 72.

p. 220, « *un refuge confortable* » : Mendell, *Obama*, p. 383.

p. 220, « *Nos styles de vie ont changé* » : Girtley et Wellner, « Michelle Obama ».

p. 220, *La chroniqueuse du* New York Times : « She's Not Buttering Him Up » (« elle ne lui fait pas de cadeaux »), *New York Times*, 25 avril 2007.

p. 220, *Les hommes deviennent* : interview de Jo Minow par l'auteur.

p. 221, « *Voilà ce qui m'attend* » : Mendell, *Obama*, p. 293.

p. 221, *Une autre fois, une amie* : Mendell, *Obama*, p. 259.

p. 221, « *Pour commencer* » : Joy Bennet Kinnon, « Michelle Obama : Not Just The Senator's Wife » (« Michelle Obama n'est pas seulement la femme du sénateur »), *Ebony*, mars 2006.

p. 222, « *Il sait que* » : Mendell, *Obama*, p. 259.

p. 222, « *Nous parlions de la tentation* » : Henneberger, « The Obama Mariage ».

p. 223-224, « *C'est un choix difficile* » : Jeff Zeleny, « The First Time Around » (« La première fois »), *Chicago Tribune*, 25 décembre 2005.

p. 224, « *Oh, mais oui !* » : Jeff Zeleny, « QA With Michelle Obama », *Chicago Tribune*, 25 décembre 2005.

Chapitre 10

p. 227, « *Mon mariage est préservé* » : Obama, *L'Audace d'espérer*.

p. 231, « *c'est difficile à décrire* » : Jeff Zeleny, « Kenyans Welcome is Heavy With Hope » (« L'accueil plein d'espoir des Kenyans »), *Chicago Tribune*, 27 août 2006.

p. 232, « *comme une associée* » : Mendell, *Obama*, p. 380.

p. 233, « *Je me suis mise avec lui dans un coin* » : interview de Martha Minow par l'auteur.

p. 233, « *Je ne m'inquiète pas* » : Mendell, *Obama*, p. 382.

p. 234, *en lui parlant de cuisine* : Maura Webber Sadovi, « Family Recipes », (« Recettes familiales »), *Chicago Sun Times*, 22 décembre 2004.

p. 234, *en décembre 2006* : Crain's, « Greg Hinz Off Message : Senator Obama Sees No Hypocrisy in His Wife's Post at a Firm That Does Business With Wal-Mart » (« Le sénateur Obama ne voit aucune hypocrisie dans le poste qu'occupe sa femme dans une entreprise qui travaille avec Wal-Mart »), *Crain's Chicago Business*, 11 décembre 2006.

p. 235, *Cet automne également* : Mike Dorning, « Employer : Michelle Obama's Raise Well-Earned » (« L'augmentation bien méritée de Michelle »), *Chicago Tribune*, 27 septembre 2006.

p. 236, *« Elle est très méticuleuse »* : interview de Kindle par l'auteur.

p. 236, *Le* Chicago Sun-Times : Rosalind Rossi, « Obama's Anchor » (« L'ancre d'Obama »).

p. 237, *« Je veux pouvoir subvenir »* : Mendell, *Obama*, p. 382.

p. 238, *« Michelle n'est pas trop pour »* : interview de Minow par l'auteur.

p. 238, *« Ce n'est pas qu'elle »* : interview de Mikva par l'auteur.

p. 238, *« Elle voulait savoir »* : Gwen Ifill, « Beside Barack » (« À côté de Barack »), *Essence,* septembre 2007.

p. 239, *« Si nous nous lancions »* : Wolffe, « Barack's Rock ».

p. 239, *« Je me sens bien quand »* : interview de Michelle Obama par l'auteur.

p. 240, *« Quand on est à Hawaii »* : Rachel Gallegos, « Obama's Wife Says US Must Be Ready For Change » (« L'épouse d'Obama dit que les États-Unis doivent être prêts au changement »), *Iowa City Press Citizen*, 21 décembre 2007.

Chapitre 11

p. 241, *qu'on ne voyait plus Michelle* : Springen et Darman, « Ground support ».

p. 243, *conscience de race* : Jonathan Tilove, « Balancing Act » (« Un acte d'équilibre »), *Post Standard*, 4 mars 2004.

p. 244, *« J'ai entendu ce genre de réflexion »* : Parsons, « Barack's Rock ».

p. 246, *« Je ne veux pas élever »* : Chris Fusco et Lynn Sweet, « Feels Good To Be Home » (« Il fait bon être chez soi »), *Chicago Sun Times*, 12 février 2007.

p. 246, *« la peur de la guerre »* : Guy Cliffton, « Michelle Obama Illuminate's Husband's Vision » (« Michelle Obama illumine la vision de son mari »), *Reno Gazette Journal*, 10 août 2007.

p. 246, « *Il n'y a qu'une personne* » : Joe Astrouki, « Michelle Obama Backs Husband's Nomination » (« Michelle Obama soutient la candidature de son mari »), *The Equinox*, 13 décembre 2007.

p. 246, « *Nous sommes nouveaux* » : Paul H. Heintz, « Wife Touts Obama's Achievements » (« Sa femme vend les réussites d'Obama »), *Brattleboro Reformer*, 6 décembre 2007.

p. 247, « *Je suis toujours* » : Zita Allen, « Barack's Star in the Big Apple » (« L'étoile de Barak dans la grosse pomme »), *New York Amsterdam News*, 15 mars 2007.

p. 248, *Michelle modifia ses discours* : Keen, « Candid and Unscripted » (« Candide et spontanée »).

p. 248, « *Un leader, c'est bien plus* » : Lynn Sweet, « Facing The Experience Question » (« Sur la question de l'expérience »), *Chicago Sun Times*, 15 février 2007.

p. 249, « *Je sais que l'expérience compte* » : Beverley Wang, « Michelle Obama Campaigns for Husband » (« Michelle Obama fait campagne pour son mari »), *Associated Press*, 7 mai 2007.

p. 249, « *Citez-moi un autre* » : Tanangachi Mfuni, « Michelle Obama in Harlem », *New York Amsterdam News*, 28 juin 2007.

p. 249, « *Il est authentique* » : Margaret Talev, « Michelle Obama says he's ready » (« Michelle Obama le dit prêt »), *McClatchy Newspapers*, 8 juillet 2007.

p. 249, « *Barack n'a pas des années* » : Clifton, « Michelle Obama Illuminates ».

p. 249, « *Si nous vivions n'importe où* » : Dana Slagle, « Michelle Obama Juggles Mariage, Motherhood and Work on the Campaign Trail » (« Michelle Obama jongle avec le mariage, la maternité et la campagne »), *Jet*, 10 septembre 2007.

p. 250, « *Nous sommes encore trop divisés* » : Craig Gilbert, « Race enters The Race » (« La question raciale entre en lice »), *Milwaukee Journal Sentinel*, 22 janvier 2008.

p. 250, « *Si nous ne sommes pas prêts* » : Gallegos, « Obama's Wife says US must be Ready ».

p. 250, « *nous sommes notre propre ennemi* » : Rebecca Traister, « Michelle Obama Gets Real » (« Michelle Obama parle vrai »), *Salon*, 28 novembre 2007.

p. 251, « *Maintenant je m'intéresse* » : Girtley and Wellner, « Michelle Obama ».

p. 252, « *S'il y a une femme* » : Yaeger, « Le cœur et l'esprit de Michelle Obama ».

p. 254, « *Michelle a travaillé* » : Westfall, « Michelle Obama ».

p. 254, *son équipe, ayant remarqué* : Kantor et Zeleny, « Michelle Obama adds New Role » (« Michelle Obama prend un nouveau rôle »).

p. 255, « *Elle abandonne un CV* » : Debra Dickerson, « Michelle Obama's Sacrifice » (« Le Sacrifice de Michelle Obama »), *Salon*, 21 mai 2007.

p. 256, « *Pour moi, c'est maintenant* » : Bennett, « First Lady in Waiting » (« Première Dame en attente »).

p. 257, *génie stratégique* : Collins, « The Other Obama » (« L'autre Obama »).

p. 257, *Ça n'a rien d'une menace* : Langley, « Michelle Obama Solidifies Her Role » (« Michelle Obama consolide son rôle »).

p. 258, « *L'une des choses les plus* » : Jennifer Hunter, « A Swipe at the Clintons ? » (« Une gifle pour les Clinton »), *Chicago Sun Times*, 23 août 2007.

p. 258, « *Si Barack ne gagne pas* » : Nedra Pickler, « Obama Hope To Surprise Clinton in Iowa » (« Obama espère surprendre Clinton dans l'Iowa », *Associated Press*, 5 octobre 2007).

p. 259, « *Barack, essaye de sentir* » : Langley, « Michelle Obama solidifies her role ».

p. 259, « *C'est comme* » : Mary Mitchell, « Makeup's Too Much Work » (« Le maquillage c'est trop de travail »), *Chicago Sun Times*, 7 août 2007.

Chapitre 12

p. 263, *un commentaire en faveur de Michelle* : interview de Brazier par l'auteur.

p. 266, « *D'après ce que nous avons* » : Michael Reagan, « Rev. Wright's Pupil » (« L'élève du révérend Wright »), *FrontPage Magazine*, 12 mai 2008.

p. 266, « *Se pourrait-il que la femme* » : Dineh D'Souza, « Michelle Obama's Inferiority Complex » (« Le complexe d'infériorité de Michelle Obama »), Townhall.com, 30 juin 2008.

p. 266, *En mai Christopher Hitchens* : « Are We Getting Two For One » (« Est-ce qu'on en a deux pour un ? »), *Slate*, 5 mai 2008.

p. 267, « *Il a commencé par venir* » : Erin Meyer, « Where Obama Developed His Audacity Of Hope » (« Là où Obama a développé son audace d'espérer »), *Hyde Park Herald*, 14 février 2007.

p. 267-268, « *l'équivalent d'une poignée de main* » : interview de Dickerson par l'auteur.

p. 269, *Mais selon Karen Tumulty* : « Can Obama Shred The Rumors ? » (« Obama peut-il dissiper les rumeurs ? »), *Time*, 23 juin 2008.

p. 270, « *croire les blogueurs* » : Howard Kurtz, « History in Slow Motion » (« L'Histoire au ralenti »), *The Washington Post*, 4 juin 2008.

p. 271, *Maureen Dowd* : Maureen Dowd, « Mincing Up Michelle » (« Hacher menu Michelle »), *The New York Times*, 11 juin 2008.

p. 271, « *Pouvez-vous signer ma bible ?* » : Geleneau, « Would-be First Lady Drifts ».

p. 272, *Durant son voyage à Pontiac* : Laura varon Brown, « Michelle Obama Shares with Twist in Exclusivity » (« Interview exclusive de Michelle Obama avec Twist »), *Detroit Free Press*, 19 juillet 2008.

Faites de nouvelles découvertes sur
www.pocket.fr

- Des 1ers chapitres à télécharger
- Les dernières parutions
- Toute l'actualité des auteurs
- Des jeux-concours

POCKET

Il y a toujours
un **Pocket** à découvrir

Composé par Nord Compo Multimédia
7, rue de Fives, 59650 Villeneuve-d'Ascq

Impression réalisée par

C P I
Brodard & Taupin

53939 – La Flèche (Sarthe), le 02-09-2009
Dépôt légal : septembre 2009

POCKET – 12, avenue d'Italie - 75627 Paris cedex 13

Imprimé en France